2025 ••— — — — — — — — ••— — — •••••

서울 교원임용시험 2차 면접 대비

황서영, 이경민, 정지원, 구영모 공저

합격 시그널

문제편

S I G N A L

••• •• — —• —• •— •—••

서울 임용면접 만점자의 합격 비책 전격 공개

P •— —• 이론 주제별 구상형·즉답형 핵심 문항
A •— 2024~2020 중등 교과·비교과, 초등 기출문제
S ••• 서울시교육청 출제 경향에 특화된 실전 모의고사 15회분
S ••• 현직 교사의 입장에서 정리한 구체적·현실적 예시답안

박문각

머리말

서울시교육청에 특화된 면접 책을 출판한 지 어느덧 4년 차, 《합격 시그널》이라는 새로운 변화를 시도한 것도 벌써 1년이 지나 두 번째 《합격 시그널》로 찾아뵙게 되었습니다.

여러분은 '면접'이라고 하면 어떤 생각이 드시나요? 물론 가볍게 웃음 지을 수 있는 분이 많으면 좋겠지만, 대체적으로는 "말을 잘 못하는데… 면접을 한 번도 경험해본 적이 없는데… 학교에 대해 아직 잘 모르는데…"하며 걱정부터 앞서는 분들이 더 많을 거라고 생각합니다. 수험생 시절에 저희도 다르지 않았습니다. 다만, 2차 준비 기간 동안 여러 시행착오를 거치며 나만의 방법을 만들었고, 그 노하우를 《합격 시그널》에 담았습니다.

서울시교육청은 교육청 자체 출제 지역으로, 면접 문제의 난도가 높고 변별력이 커서 당락에 큰 영향을 주고, 심지어는 면접만으로 당락이 결정되기도 합니다. 또한 교사의 교직관이나, 서울시교육청 정책을 반영한 구체적 교육 방안 등을 고민해야만 풀 수 있는 문제가 출제되기도 합니다.

이 책은 서울시교육청 면접의 특징을 분석하고, 현직 교사로서 경험한 최근 학교 현장의 이슈를 반영하여 선생님들께서 효율적이면서 효과적으로 면접을 준비할 수 있도록 구성하였습니다.

1. 〈이론편〉: 서울시교육청의 정책과 이론을 함께 정리하여 한 권으로 이론 준비 끝!

좋은 답변을 위해서는 서울시교육청의 교육 주제와 정책을 숙지하고 있어야 합니다. 이 책은 교육 현장에서 숙지해야 하는 중요 주제를 선별하여 빠짐없이 담았고, 각 주제와 관련된 서울시교육청의 정책을 함께 정리하였습니다. 따라서 이론과 시책을 번갈아보며 정리할 필요 없이 〈이론편〉 한 권으로 충분히 이론 준비가 가능합니다. 또한 '특별부록 – 단숨에 암기하는 핵심노트'를 통하여 본문에서 학습한 이론의 핵심 키워드를 표 형태로 제시, 답변에 활용할 수 있도록 하였습니다.

2. 〈문제편〉: 서울시교육청 출제 유형을 반영한 다양한 문제로 실전 준비 끝!

이론을 외우고 있다고 하여 면접에서 무조건 높은 점수를 받을 수 있는 것은 아닙니다. 이론 학습 후에는 문제를 통한 실전 연습이 중요합니다. 〈문제편〉에서는 먼저 주제별 문제를 통하여 〈이론편〉에서 학습한 이론을 문제에 적용해볼 수 있습니다. 다음으로는 2024~2020 최신 5개년 기출문제를 통하여 서울시교육청의 출제 유형과 경향을 살펴볼 수 있습니다. 마지막으로 실전 모의고사에서는 지금까지의 기출 경향을 반영하여 출제 가능성이 높은 주제들로 문제를 엄선, 수록하였습니다. 아울러 명료하고 현실적인 예시답안을 제시하여 수험생들이 자연스럽게 답안의 흐름을 파악하고 학교 현장에 대한 이해를 높일 수 있도록 하였습니다.

3. 현직 교사의 아낌없는 노하우로 면접 준비 끝!

면접 준비 방식, 면접 태도 등 '숨은 1점'을 올려줄 수 있는 노하우를 아낌없이 담았습니다. 또한, '합격 시그널 카페'를 통하여 현직 교사들에게 직접 질문하거나 다양한 면접 관련 자료를 제공받을 수 있고, 면접 피드백 이벤트에도 참여할 수 있으니 꼭 가입하시길 바랍니다.

특별해서 합격하였다고 생각하지 않습니다. 단지 필요한 것을 연습하였고, 연습한 내용을 바탕으로 답변하였기 때문에 합격할 수 있었습니다. 집필 저자진들의 노하우가 응축된 《합격 시그널》이 여러분의 최종 합격까지 함께하겠습니다.

"선생님의 합격을 응원합니다."

Contents **목차 [문제편]**

PART 01 주제별 핵심문제

PART 02 2024~2020 기출문제

PART 03 제1~15회 실전 모의고사

PART

1

주제별 핵심문제

더 질 높은 학교교육

예시답안 p.141

1 교직관

구상형

[나]의 A 학생과 상담을 진행하려고 한다. [가]에 대해 이야기하고 이에 따른 A 학생의 지원방안을 2가지 제시하시오.

> [가]
> 교사는 (　　　)이다.
>
> [나]
> A 학생은 의욕이 없이 쉬는 시간이든, 수업시간이든 상관없이 책상에 엎드려 있다. 그래도 자신이 관심 있는 것에는 반응을 하지만 전반적으로 에너지가 낮다. 식욕이 없다는 이유로 점심시간에 밥을 먹으러 가지 않는다. 지각을 자주 하고 학교에 빠지기도 한다. 가장 친한 친구에게는 학교에 다니기 싫다고 말했다고 한다.

즉답형

학년이 마무리된 후 어떤 선생님으로 기억되고 싶은가? 그 이유와 그런 교사로 기억되기 위한 노력을 학급운영과 수업의 측면에서 2가지 이야기하시오. (비교과교사 : 개인교실 운영, 전공 분야)

2 교사 지원

구상형

[가]를 참고하여 [나]의 질문에 대한 답변을 각각 제시하시오. 그리고 [다]에 나타난 C 학교의 교원학습공동체 운영 방식의 문제점을 3가지 말하고, 각각의 개선방안을 말하시오.

[가] 교원학습공동체의 정의

교육공동체의 성장을 위하여 공동의 가치와 비전을 가지고 함께 공동연구·공동실천·공동성찰을 하며 전문성을 신장시켜 나가는 교원들의 자발적·협력적 학습공동체

[나] 학교 안 교원학습공동체에 대한 질문

- 교사 A: 교원학습공동체를 운영하면 어떤 도움이 되나요?
- 교사 B: 공동연구만 하면 안 될까요? 공동실천·공동성찰의 과정을 모두 넣어야 하나요?

[다] C 학교 D 교사의 일기

2025년 2월 △일

오늘은 신학년 집중 준비기간 둘째 날로, 교원학습공동체 운영 계획을 함께 수립하였다. 우리 학교에서는 모든 교사가 필수적으로 하나 이상의 학교 안 교원학습공동체에 참여해야 하며, 이는 교사 다면평가 지표에 반영된다고 하여 불만이 터져 나오기도 했다. 나는 평소에 관심이 있었던 '회복적 생활교육'을 주제로 동 학년 담임선생님 2명과 함께 운영하고자 했다. 그런데 교원학습공동체 담당 부장 선생님께서 3명은 인원이 너무 적어 교원학습공동체를 개설하지 못한다고 하셨다. 또한 교장 선생님께서 '생활교육' 영역이 아닌 학생들의 학업 성취도를 높일 수 있는 '수업·평가' 영역의 교원학습공동체를 운영하라고 하셔서 결국 원하는 교원학습공동체는 운영하지 못하게 되었다. 아쉽고 속상하지만, 참여하게 된 교원학습공동체에서 열심히 활동하여 수업 역량을 높여야겠다.

즉답형

교육활동 침해행위 예방교육의 필요성을 말하시오.

3 교육과정 - 수업 - 평가 혁신

구상형

다음은 학부모 Q&A를 위한 생성형 AI 기반 챗봇의 대화 내용이다. [가]~[다]에서 챗봇이 어떻게 답변했을지 말하시오.

대화가 시작되었습니다.

저는 이번에 ○○중학교 신입생으로 입학한 아이의 학부모입니다.
학교 가정통신문을 보니 과정 중심 평가를 실시한다고 되어 있어요.
정의는 알겠는데 과정 중심 평가가 꼭 필요한가요?

[가] ______________________________.

필요성은 잘 알겠어요. 그런데 과정 중심 평가를 실시하면
평가에 대한 우리 아이의 부담이 커지진 않을까요?

[나] ______________________________.

그렇지 않다니 다행이네요. 그런데 과정중심 평가는 결국
선생님의 주관이 개입되어 객관적이지 않을 것 같아 걱정이네요.

[다] ______________________________.

최대한 객관적일 수 있도록 노력하는 게 보이네요.
답변해주어서 감사합니다.

대화가 종료되었습니다.

즉답형

같은 학년 수업을 들어가는 동 교과 교사가 교육과정 재구성에 반대하며 교과서 그대로 수업을 진행하기를 주장한다. 본인이라면 해당 교사를 어떻게 설득할 것인지 말하시오.

5 자유학기제

구상형

신입생의 중학교 적응을 위한 '기초와 적응' 프로그램을 실시하려고 한다. 운영 계획서 틀을 참고하여 구체적인 프로그램을 계획하시오.

신입생의 중학교 적응을 위한

'기초와 적응' 프로그램 운영 계획서

1. 필요성

사춘기와 초-중 학교급 변화를 동시에 겪어야 하는 신입생을 위한 적절한 프로그램이 부족함. 따라서 신입생들이 중학교 생활에 적응하고, 수업에 참여하기 위해 필요한 기초역량을 신장시킬 수 있는 프로그램이 필요함

2. 추진 계획

프로그램명		
실시 시기		
주제		
핵심 역량		
구체적인 활동 내용	차시	교수·학습 내용
	1차시	
	2차시	
	3차시	

즉답형

자신의 교과와 관련한 자유학기제 주제 선택 활동을 어떻게 운영할 것인지 활동명, 수업 목표, 운영 방법을 제시하시오.

6 고교학점제

구상형

[가]를 읽고 고교학점제의 교육적 효과를 교사, 학생 측면에서 각각 한 가지씩 이야기하시오. 그리고 [나]의 학생 A의 고민을 해결할 수 있는 학급 차원의 활동 1가지를 제시하시오.

[가] 고교학점제 도입 배경

고교학점제는 학생이 적성과 진로에 따라 다양한 교과목을 선택·이수하여 누적 학점이 기준에 도달하면 졸업을 인정받는 제도이다. 교육부는 고교학점제 도입을 통해 다양한 선택권을 보장하여 미래 사회에 필요한 핵심 역량을 학생들이 자기주도적으로 학습할 수 있도록 교육체제 전반의 변화를 이루어 나가고자 한다.

[나] 2학년 학생 A

반 친구들과 함께 듣는 과목이 거의 없어 친구들과 친해질 기회가 없어요. 선택 과목을 많이 듣다 보니 과목마다 수업을 함께 듣는 친구들이 많이 달라 아직 친구들의 이름과 얼굴을 잘 몰라요. 공통 과목을 많이 들었던 1학년 때보다 친구 사귀는 게 어려워진 것 같아요.

즉답형

중학교 3학년 학생이 고교학점제에 대해 자세하게 알지 못하여 고등학교 진학에 대해 고민하고 있을 때 할 수 있는 조언을 시연하시오.

7 혁신미래학교

구상형

㉠에 들어갈 알맞은 용어를 이야기하고, ㉠이/가 필요한 이유를 (나) 교육 패러다임의 변화와 관련지어 설명하시오.

(가)
(㉠)란 혁신학교의 성과를 이어가며 전면적 학교 변화를 통해 학생의 전인적 성장을 돕고, 미래 교육을 실현하는 배움과 돌봄의 행복한 교육공동체를 말한다.

(나) 교육 패러다임의 변화

기존 교육	혁신 교육
• 입시 중심 경쟁교육 • 줄 세우기식 평가 • 관료적 국가 통제 • 교육 양극화 심화	• 자율과 책임의 교육과정 · 수업 · 평가 혁신 • 협력과 공존의 학교문화 혁신 • 지속가능한 교육 중심 학교 환경 구축

즉답형

서울시교육청에서는 '혁신학교'에서 미래 사회에 대비하여 미래 교육을 실현하는 '혁신미래학교'로 나아가고 있다. 혁신미래학교에서 근무하게 된다면 교사로서 어떤 노력을 할 것인지 3가지 이야기하시오.

8 협력적 독서 · 인문교육

구상형

[가]와 [나]를 참고하여 학생들의 독서실태에 나타난 문제점 2가지를 이야기하시오. 그리고 [다]를 바탕으로 교사로서 학생들의 독서교육을 활성화할 수 있는 방안을 구체화하여 2가지 제시하시오.

[가] 국민독서실태 조사 결과

• 2021년 학생독서실태 조사 결과

대상	초	중	고	성인
2021년 연간 독서량(권)	66.6	23.5	12.6	4.5
2019년 대비 증감(권)	-20.3	-2.0	-0.1	-0.8

• 2013~2023년 학생독서실태 조사 결과

2013년	2015년	2017년	2019년	2021년	2023년
96.8%	95.7%	93.2%	92.1%	91.4%	95.8%

→ 코로나 이후 독서교육으로 인해 학생들의 독서량이 상승함

[나] 독서 장애 요인: 공부 때문에 시간이 없어서, 책 읽는 습관이 들지 않아서, 다른 여가/취미활동을 해서, 책 읽기가 재미없어서, 독서의 필요성을 느끼지 못해서

[다] 독서를 위해 학교에 바라는 것: 좋은 책 소개 및 정보 제공, 학급문고 확대, 학교 도서관 이용 편리성 증대, 다양한 독서 관련 행사 개최, 독서 시간 확대

— 〈2023년 국민독서실태조사〉, 문화체육관광부

즉답형

아침 책 산책 프로젝트는 학급(팀)별 학생 자기주도형 자율 독서 프로젝트 활동이다. 담임교사로서 아침 책 산책 프로젝트에 학생들이 자기주도적으로 참여하도록 학급에 지원할 수 있는 방안을 두 가지 이야기하시오.

9 진로교육

구상형

다음은 ○○학교의 진로의 날 계획서를 나타낸 것이다. 바람직하지 못한 점을 3가지 찾고, 그에 대한 개선방안을 제시하시오.

일시	2025년 □월 □일 9:00~12:30	
활동 내용	1교시	전교생이 강당에 모여 진로교육에 대한 전반적인 강의를 들음
	2교시	각 학과 교실로 이동한 후 대학생의 학과 설명회를 들음 * (비고) 여학생: 간호사, 교사, 약사군 탐색 권장 남학생: 운동선수, 의사, CEO군 탐색 권장
	3교시	진로 체험 소감문 작성 후 발표

즉답형

학교에서 진로의 날 행사로 자신의 전공과 관련된 진로 체험 부스를 운영해야 한다면 어떤 부스를 운영하고 싶은지 이야기하시오.

10 학교체육교육

구상형

다음은 우리나라 초 · 중 · 고 학생들의 신체활동 참여율을 나타낸 것이다. 이 글을 읽고 청소년기에 학교에서 실시하는 체육교육이 필요한 이유를 1가지 제시하시오. 그리고 저체력 학생들을 위한 체육교육 방안을 2가지 설명하시오.

> 학교체육진흥회의 연구결과에 따르면, 2020년 학교 안에서의 하루 평균 신체활동은 초등학생이 20.86분, 중 · 고등학생은 84.42분이다. 세계보건기구(WHO)에서는 5~17세의 유 · 청소년에게 하루 최소 60분 이상 중간 강도의 운동, 일주일에 최소 3일 이상 격렬한 신체활동을 권장한다. 하지만 2021년 우리나라 '청소년건강생태조사'에 따르면, 중 · 고등학생 가운데 주 3일 고강도 운동을 한 비율은 30%에 불과했다. 상황이 이렇다보니 저체력 학생이 갈수록 증가하고 있다. 학생건강체력평가(PAPS) 교육부 통계 자료에서도 저체력 학생이 증가한다는 사실이 명백하게 나타나고 있다.
>
> – ≪지금 서울교육≫ 2022년 12월호

즉답형

WHO의 2019년 보고서에 따르면, 권장 운동량을 채우지 못한 한국 여학생의 비율은 97.2%로 조사대상 146개국 중 가장 높았다. 여학생들의 신체 운동을 활성화할 수 있는 방안을 3가지 제시하시오.

11 학교예술교육

구상형

다음은 김 교사가 구성한 협력종합예술활동 계획이다. 이를 읽고 문제점 두 가지를 찾고, 각각에 대한 해결 방법을 이야기하시오.

김 교사는 교육과정과 연계한 학교예술교육을 실시하기 위해 국어, 역사 교과와 연계한 협력종합예술활동으로 학급 학생들이 모두 참여할 수 있는 독립운동 관련 뮤지컬을 만들기로 했다. 그리고 뮤지컬을 만들기 위한 학생들의 역할을 임의로 부여해주었다. 학생들 중 작가를 맡게 될 학생이 역사적 사실에 근거하여 대사를 만들 수 있도록 전체 학생들을 대상으로 매 시간 교과서와 사료를 바탕으로 한 역사 쪽지 시험을 보고 있다.

즉답형

제시된 키워드 중 두 가지를 골라 학교예술교육이 필요한 이유를 설명하시오.

학생 주도, 인성, 보편교육, 감성, 예술 향유, 인공지능

Chapter 02 더 평등한 출발

예시답안 p.149

1 기초학력 지원

구상형

다음을 읽고 각 학생별 맞춤형 기초학력 지원 방안을 1가지씩 이야기하시오.

- 학생 A: 영어 알파벳의 대문자와 소문자 구별을 어려워함
- 학생 B: 평소 불안을 자주 느끼고 시험에서 많이 틀릴까봐 과하게 걱정함
- 학생 C: 교과 수업에서 보통 학생에 비해 이해도가 떨어져서 수업 진도를 따라가기 힘들어함
- 학생 D: 단순 기호로 표기된 사칙연산 문제는 풀 수 있지만, 문장으로 서술된 문제의 경우 문장 해석을 힘들어함

즉답형

학생들의 기초학력 진단은 각종 검사 도구를 이용해 학기 초에 국어, 수학, 영어 교과를 중심으로 이루어진다. 하지만 검사에 성실하게 임하지 않는 학생들 또한 많은데, 이런 경우에는 어떻게 학생들의 기초학력 진단을 할 수 있을지 이야기하시오.

01

2 특수교육 및 통합교육

구상형

통합학급교사로서 어떤 준비를 해야 할지 각각의 자료를 토대로 이야기하시오.

표 1. 〈특수교육대상학생 수 증가 추이〉

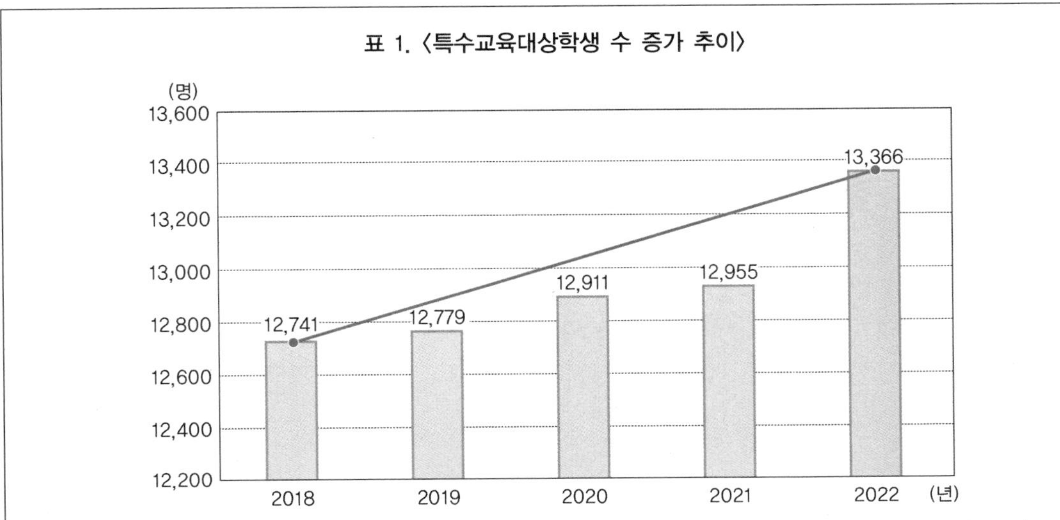

2018~2022년까지 비장애 초·중·고 학생 수는 103,824명(10.53%) 감소하였으나, 동 기간 동안 특수교육대상학생은 624명(4.9%) 증가

표 2. 〈2022 장애영역별 특수교육대상학생 현황〉

(단위: 명)

구분	지적 장애	자폐성 장애	지체 장애	발달 지체	청각 장애	시각 장애	건강 장애	정서 행동 장애	의사 소통 장애	학습 장애	계
특수학교	1,536	1,239	936	190	258	302	1	11	7	-	4,480
특수학급	3,572	1,554	317	985	70	9	12	98	70	40	6,727
일반학급	488	249	310	311	271	63	259	38	70	45	2,104
지원센터	7	2	15	30	1	-	-	-	-	-	55
계	5,603	3,044	1,578	1,516	600	374	272	147	147	85	13,366
비율(%)	41.9	22.8	11.8	11.3	4.5	2.8	2.0	1.1	1.1	0.6	100

즉답형

학교 내 장애공감문화 형성을 위한 구체적인 방법을 3가지 이야기하시오.

3 교육복지

구상형

학생맞춤통합지원이 무엇인지 간단히 설명하고, 집중관리학생인 A 학생과 B 학생을 위해 교사로서 할 수 있는 학생맞춤통합지원 방안을 각각 3가지씩 이야기하시오.

- A 학생: 우리 집은 돈이 없는 것 같아요. 부모님은 돈 때문에 항상 싸워요. 현장체험학습비 달라고 물어보지도 못하겠어요. 제가 태어난 게 잘못일까요? 제가 이 세상에서 사라지는 게 나을 것 같아요. 오늘 음악시간에 들어보니 친구들은 뮤지컬도 보고, 연극도 많이 본다는데... 저는 부모님과 영화라도 좋으니 함께 보고 싶어요.
- B 학생: 새 학기만 되면 너무 불안해져요. 새로운 친구들과 지내기도 어려워요. 반 편성이 왜 이렇게 되었을까요? 지금 친구들이랑 잘 못 지내면 영영 친구도 없을 것 같아 불안해요. 그리고 학년이 올라가서 공부도 어려워지다 보니 수업이 이해가 안 되고 집중이 안 돼요.

즉답형

문화 취약학생인 다문화 · 탈북학생을 위한 교육복지 지원 방안에 대해 각각 두 가지씩 이야기하시오.

4 학업중단 예방

구상형

다음은 한 학급에 있는 두 학생의 특징을 나타낸 것이다. 교사로서 다음 학생들의 학업중단을 예방할 수 있는 맞춤형 지원 방안을 학생별로 1가지씩 이야기하시오. 그리고 두 학생의 학교 적응력을 높일 수 있는 학급 차원의 활동을 1가지 제시하시오.

학생 A	• 한국어로 소통하는 데 어려움을 겪고 있어 수업 시간에 멍하니 앉아있을 때가 많으며, 친구가 없어 등교를 거부함 • 학부모 상담 시 아버지는 응답이 잘 없으며, 어머니는 베트남 국적으로 한국말 사용에 어려움을 겪고 있어 상담이 원활하게 진행되지 못함
학생 B	• 음식 배달을 하면 돈을 벌 수 있다고 생각하여 공부에 대한 동기가 전혀 없음 • 학교 출석 상황도 좋지 않은 편임

즉답형

학업중단 숙려제를 실시했음에도 학업중단을 결정한 학생이 있다면 교사로서 어떤 조언을 해주고 싶은지 직접 시연하시오.

Chapter 03 더 따뜻한 공존교육

예시답안 p.152

1 생태전환교육

구상형

다음과 같이 생각하는 학생들에게 생태전환교육의 필요성을 어떻게 설명할 것인지 각각 시연하시오. 그리고 본인이 생태전환교육 업무 담당자가 되었다고 가정할 때 전교생을 대상으로 할 수 있는 생태전환교육 프로그램을 구성하고 그 내용을 구체적으로 이야기하시오.

- 학생 A: 텀블러 들고 다니는 것도 귀찮고, 카페에서 주문하면 일회용 컵에 주는데 굳이 텀블러를 들고 다녀야 하는 이유를 모르겠어요.
- 학생 B: 저만 노력한다고 환경이 갑자기 좋아지는 것도 아닌 것 같은데 왜 환경보호에 앞장서야 하는지 모르겠어요.

즉답형

담임교사로서(비교과는 창체 연계 교육으로) 학급 전체가 참여할 수 있는 생태전환교육 방안을 1가지 이야기하시오.

2 세계시민 · 통일교육

구상형

[나]의 상황에 따라 필요성이 증대된 교육이 무엇인지 말하고, 해당 교육을 실시해야 하는 이유를 [가]를 참고하여 말하시오. 그리고 이러한 교육을 추진하기 위하여 교사로서 필요한 역량을 말하시오.

[가]

- ≪함께 그려보는 우리의 미래: 교육을 위한 새로운 사회계약≫, 유네스코, 2022.
  우리는 사람들이 서로에게서 배우고 젠더, 종교, 인종, 성적 정체성, 사회계층, 장애, 국적 등 모든 종류의 차이를 넘어 서로를 소중히 여길 수 있는 기회를 만들어야 한다. (중략) 협력과 연대의 교육학은 차별 금지, 다양성 존중, 회복적 정의라는 공유된 원칙에 기반해야 하며 돌봄과 호혜적 윤리의 틀 안에서 구현되어야 한다.
- 2022 초 · 중등학교 교육과정 총론에서 추구하는 인간상
  - 문화적 소양과 다원적 가치에 대한 이해를 바탕으로 인류 문화를 향유 · 발전시키는 교양 있는 사람
  - 공동체 의식을 바탕으로 다양성을 이해하고 서로 존중하며 세계와 소통하는 민주시민으로서 배려와 나눔, 협력을 실천하는 더불어 사는 사람

[나]

코로나19 팬데믹 상황 속에서 전 지구적인 문제가 곧 내 삶의 문제이며, 동시에 나의 문제가 곧 전 지구적 문제라는 점을 체감하였다. 빈곤과 기아, 기후변화, 사회 · 경제적 불평등, 차별 등의 글로벌 사회 문제들이 내 삶과 동떨어진 타인의 문제가 아니라, 동시대를 함께 살아가는 우리의 문제라는 점을 인식하였다.

— ≪서울교육≫ 특별기획 2022 여름호(247호), 박환보(충남대학교 교수)

즉답형

표를 참고하여 자신의 교과 및 타 교과 융합수업을 통해 세계시민교육을 실천하는 구체적 방안을 말하시오.

〈세계시민교육 운영 원칙〉

자율성	단위학교 교육과정 운영 가이드라인을 바탕으로 교사가 교육과정 구성의 자율성을 발휘하는 교육
현장성	학교의 구체적인 맥락에 맞게 구성원의 요구를 바탕으로 실현하는 교육
체험 중심	다양한 경험과 체험을 통해 평화의 개념과 실현 방법을 '머리－가슴－손'을 활용해 익히는 교육
역량 중심	'무엇을 아는가?'에서 '무엇을 할 수 있는가?'에 초점을 두는 역량 중심 교육

3 민주시민교육

구상형

[가]를 참고하여 [나]의 A 교사로서 [다]의 학생 B~D에게 각각 어떤 교육적 지도를 할 것인지 제시하시오.

[가] 역지사지 공존형 토론수업
공존의 기반을 마련하는 새로운 토론수업 모형으로서 사회 현안을 수업의 주제로 삼는다. 풍부한 자료를 바탕으로 다양한 의견을 모두 살피고, 상호 공존을 위한 대화와 합의 도출 과정을 경험할 수 있다.

[나] A 교사의 수업 사례
A 교사는 사회 현안 교육으로서 역지사지 공존형 토론수업 모형을 교과 수업에 활용하고 있다. 이번 토론 주제는 생명 존중과 관련하여 '반려동물로 인한 인명 피해(개 물림 사고 등) 발생 시 보호자도 처벌받아야 하는가?'이다. 토론이 끝난 후 학급 합의안을 만들고자 하였으나, 합의에 이르지는 못하였다.

[다] A 교사의 수업에 참여한 학생
- 학생 B: 당연히 보호자도 처벌받아야 하는 것 아닌가요? 이걸 이해하지 못하는 친구들이 너무 멍청한 것 같아요.
- 학생 C: 찬성 측 입장에서 토론을 하고, 바로 반대 측 입장에서 토론을 하려니 고민이 돼요.
- 학생 D: 합의에 이르지 못한 게 아쉬워요. 토론 자체가 물거품이 된 느낌이에요.

즉답형

보이텔스바흐 합의는 민주시민교육의 기본 방안이다. 이에 따라 교사가 민주시민교육 시 지켜야 할 기본 원칙 3가지를 말하시오.

4 학생인권

구상형

[가]~[다]의 상황을 보고, 공통적으로 나타나는 문제점을 말하시오. 그리고 이러한 문제점을 해결하기 위해 학교가 어떤 역할을 해야 하는지 말하고, 본인은 교사로서 어떤 교육을 실시할 것인지 구체적으로 말하시오.

[가] 평소에 간단한 화장을 하는 남학생이 있다. 이에 다른 남학생들이 그 학생을 보며 "○○이는 동성애자(게이) 같다"라고 말한다.
[나] 창의적 체험활동 시간에 장애이해교육을 실시한 뒤 학생들에게 소감문을 작성하도록 하였다. 그런데 어느 학생이 소감문에 "장애인은 세금을 축내는 존재"라고 작성하였다.
[다] 이성 교제를 하는 두 학생이 기념일을 맞이하여 서로 선물을 주고받았는데, 남학생이 여학생에게 더 값비싼 선물을 주었다. 이에 다른 친구들이 여학생에게 "된장녀", "김치녀"라며 놀렸다.

즉답형

학생인권교육의 일환으로 실시하고 싶은 학급 프로그램과 그 내용을 제시하고, 그 이유를 자신의 경험과 관련지어 말하시오. 그리고 학생인권이 존중되었을 때의 장점을 교사 측면에서 말하시오.

5 인성교육

구상형

[가]를 참고하여 자신이 인성교육을 실시한다면 어떤 덕목을 중점적으로 다룰 것인지 말하고, 해당 덕목이 중요하다고 생각하는 이유를 말하시오. 그리고 해당 덕목을 학생들에게 함양시키기 위해 학교에서 실시할 수 있는 구체적인 공동체형 인성교육 방안을 [나]를 참고하여 구안하시오.

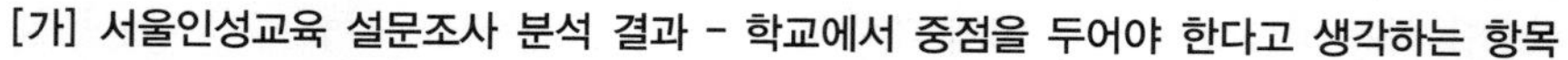
[가] 서울인성교육 설문조사 분석 결과 - 학교에서 중점을 두어야 한다고 생각하는 항목

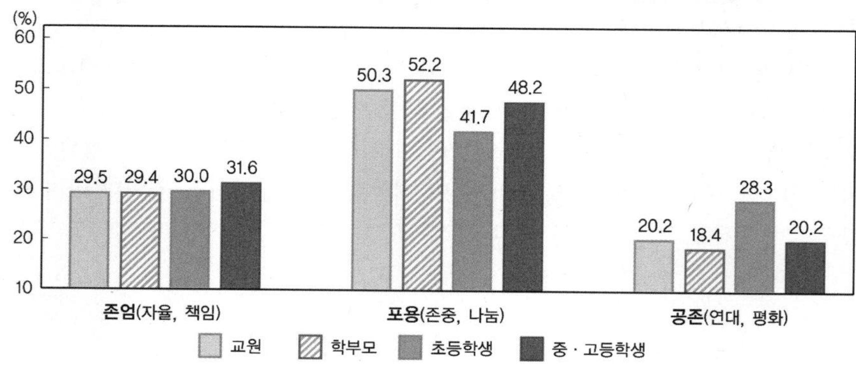

[나] 서울인성교육 설문조사 분석 결과 - 학생들의 인성과 관련한 위기 상황

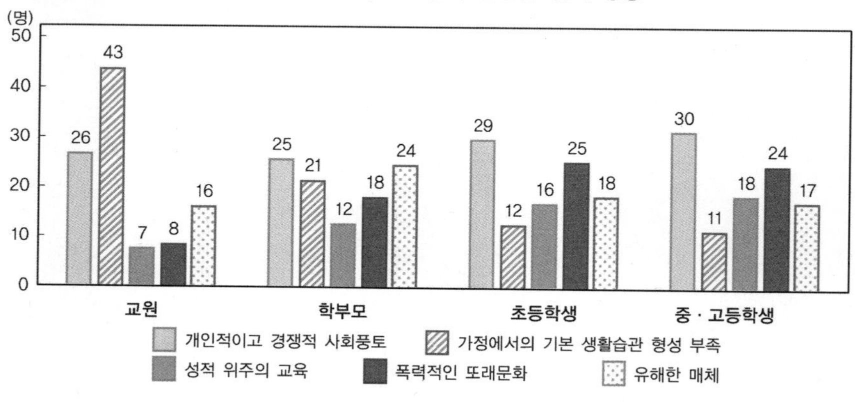

[다] '공동체형 인성'

모든 존재의 존엄성에 대한 인식을 바탕으로 차이와 다양성을 포용하고, 건강한 공존의 세상을 함께 만들기 위해 가져야 할 성품과 역량

즉답형

쉬는 시간, 점심시간 등을 활용한 '인성 틈새 채움 교육*' 방안 2가지와 각 방안의 기대효과를 말하시오.

* 인성 틈새 채움 교육 : 수업시간 및 쉬는 시간, 점심시간 등 모든 시간을 활용한 빈틈없는 인성교육

6 서울미래교육지구(마을교육공동체)

구상형

다음 대화를 읽고 A 교사와 B 학생이 고민하고 있는 주제와 관련된 지역연계 교육활동의 구체적인 방안을 2가지 이야기하시오.

> A 교사: 얼마 전 진로교육 관련 교사 협의체에 다녀왔어요. 초등학교 선생님들께서는 학교 안에서 학생들에게 다양한 직업 탐색의 기회를 제공하는 것이 어렵다고 하셨어요. 중학교 선생님들께서는 특히 자유학기제 교육과정 운영이나 강사 섭외에 어려움을 느끼고 계시고, 고등학교 선생님들께서는 고교학점제 시행에 대해 많이 걱정하시더라구요.
> B 학생: 학교에서 매일 앉아서 공부만 하니 좀 답답해요. 단지 머리로 공부하는 것 말고 다른 미술, 음악, 체육 같은 수업을 다양하게 만들어주시면 안 되나요?

즉답형

지역과 연계한 학생 맞춤 통합 지원 방안을 학생 자치, 교육복지 측면에서 각각 2가지 이야기하시오.

더 세계적인 미래교육

예시답안 p.158

1 AI · 디지털 교육

구상형

다음은 기존 교육과 인공지능 기반 교육에서의 상호작용 모형을 나타낸 자료이다. [가]와 [나]의 공통점과 차이점을 설명하고, [나]와 같은 상호작용 형태가 가져올 수 있는 장점 1가지를 설명하시오. 그리고 인공지능 기반 교육이 실시될 때 요구되는 교사의 역할과 AI의 역할을 각각 1가지씩 설명하시오. (단, T는 교수자, S는 학습자, AI는 인공지능을 의미한다)

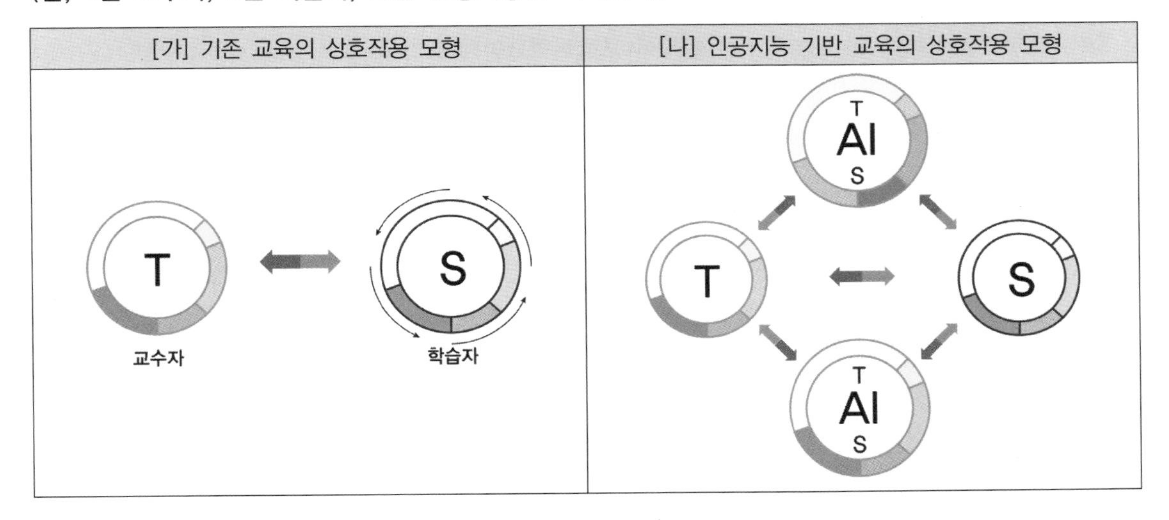

즉답형

다양한 디지털 기반 학습이 이루어지면서 디지털 리터러시 교육 또한 중요해지고 있다. 디지털 리터러시가 무엇인지 설명하고, 자신의 전공과 연계한 디지털 리터러시 교육 방안을 제시하시오.

2 공간 재구조화

구상형

[가], [나]를 참고하여 [다]의 실현 방안을 각각 1가지씩 말하시오.

[가] 저출생에 의한 학생 수 감소에 따라 초·중등학교 학생 수는 2023년 533만 명에서 2035년 322만 명으로 현재의 60% 수준으로 감소할 것으로 예측된다. 이러한 저출생 고령화의 인구구조 변화 및 지역소멸 현상 등 사회 문제의 해결 대안으로 지역 중심으로서의 학교 역할에 대한 기대가 증가하고 있다.

[나] 학교 구성원 인터뷰
- 학생 A: 친구들과 재미있게 놀 수 있는 공간이 더욱 많아졌으면 좋겠어요.
- 교원 B: 일률적인 교실 말고 다양한 교육활동이 가능한 공간이 많이 생겼으면 좋겠어요.
- 학부모 C: 특수교육 대상 학생인 우리 아이가 특수학교를 배정받지 못해 통합학교를 오게 되었는데, 우리 아이를 위한 안전한 환경이 보장되었으면 좋겠어요.
- 지역 주민 D: 학생들이 사용하지 않는 시간에는 근방 주민이 학교 시설을 함께 활용할 수 있으면 좋겠어요.

[다] 공간 재구조화의 추진 방향

추진 방향	지향점	실현 방안
참여 디자인	같이 만드는 공간	
공유 디자인	함께 누리는 공간	
포용 디자인	모두를 위한 공간	
생태 디자인	지속 가능한 공간	

즉답형

자신의 교과 특성에 맞게 교과 교실을 어떻게 재구조화하고 싶은지 말하고, 그에 따른 기대효과를 말하시오.

Chapter 05

더 건강한 안심교육

예시답안 p.161

1 생활교육과 상담

구상형

다음은 학급 내 지원이 필요한 학생들에 대한 서술 내용이다. 담임교사로서 A, B 학생을 어떻게 지원할 수 있을지 각각 2가지의 지원 방안을 제시하시오.

A 학생	공부를 해야 하는 이유를 모르겠다고 하며 수업 태도가 매우 불성실함
B 학생	최근 부모님의 이혼 후 급격히 말수가 없어지고 숙제를 해 오지 않음

즉답형

학교 부적응학생의 학부모에게 학부모상담을 위해 학교에 방문할 것을 이야기했으나 학부모는 상담을 거부한다. 이런 상황에서 어떻게 학부모를 설득할 것인지 방안 2가지를 이야기하시오.

2 학교폭력 예방

구상형

다음 자료를 읽고 피해 관련 학생, 가해 관련 학생, 주변 학생에 대한 초기 조치에 대해 각각 2가지씩 이야기하시오.

학생 A가 친구들과 장난을 치다가 학생 B의 머리를 실수로 쳤다. B가 이에 화가 나 A의 얼굴을 주먹으로 때렸다. B가 일방적으로 A에게 폭력을 가했고 두 학생이 엉겨 붙어 큰 소동이 일어났다. A의 얼굴과 몸에 큰 상처가 났다. 이 사건 이전에도 B는 A의 이름을 가지고 조롱하거나 지나가며 A의 어깨를 치는 등의 행동을 하였다. 사건 현장에는 여러 학생이 보고 있었고 동요를 하고 있다.

즉답형

피해 관련 학생의 보호자에게 사안에 대해 알리고자 할 때 어떤 내용을 전달해야 하는지 2가지 이야기하시오.

3 아동학대 예방

구상형

아래의 자료를 토대로 학생, 학부모, 교사를 대상으로 한 아동학대 예방교육의 방향을 각각 이야기하시오.

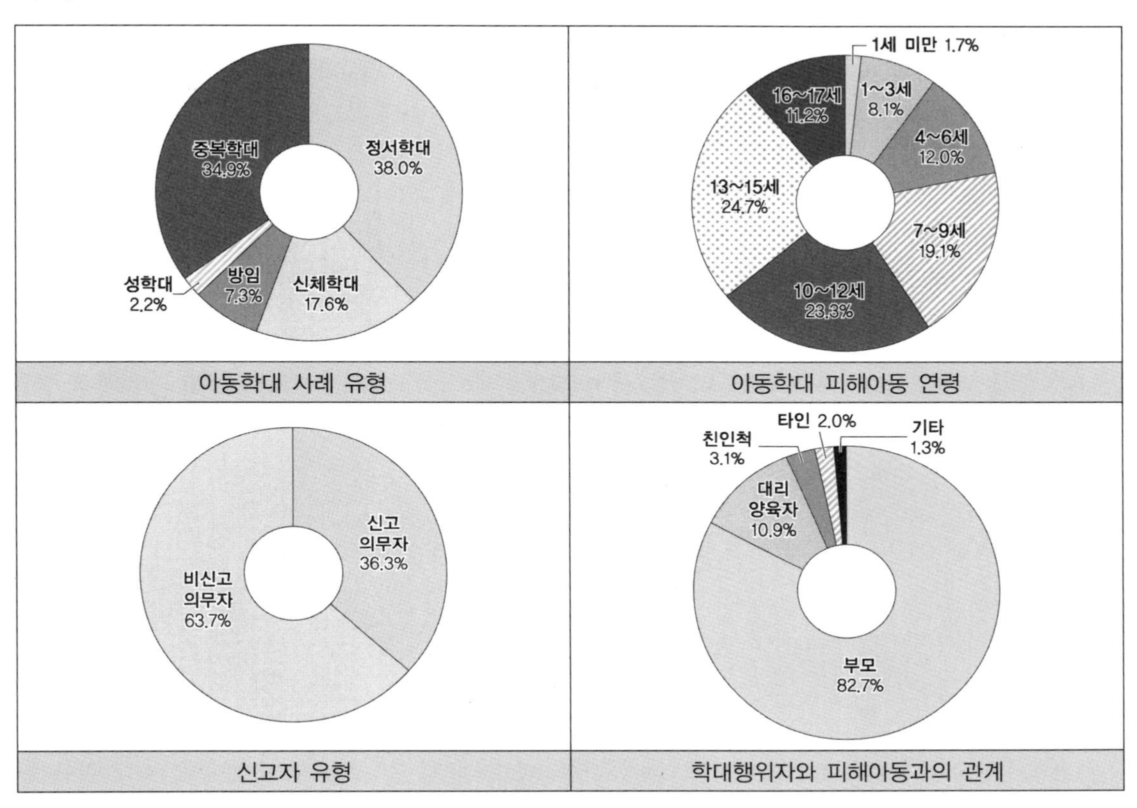

— '2022 아동학대 주요 통계', 보건복지부

즉답형

㉠이 무엇인지 이야기하고, ㉠ 발생 시 교사의 사안처리 절차와 피해학생을 위한 교사의 지원 방안을 2가지 이야기하시오.

〈 ㉠ 신고가 필요한 경우〉

(1) 아동에 대한 폭력·유기 등 (㉠) 정황이 발견된 경우
(2) 보호자가 정당한 사유 없이 아동 면담을 거절하여 (㉠)이/가 의심되는 경우
(3) 아동이 거주지에 거주하지 않거나 주소지가 확인되지 않아 소재 불명인 경우
(4) 출석 확인이 되지 않거나 이유 없이 2일 이상 연락이 되지 않는 경우
(5) 보호자 연락, 영상통화, 가정방문 등으로 (㉠) 의심이 해소되지 않는 경우
(6) 학생상담, SNS 등을 통해 자신이 학대받았다고 하는 경우
(7) 학대행위자로부터 격리 등 아동 보호가 응급한 경우
(8) 가정폭력 사안 발생으로 아동에 대한 학대가 의심되는 경우

4 안전교육

구상형

[가]~[다]의 상황에서 학생들에게 안내할 안전수칙을 각각 2가지씩 말하시오.

> [가] 생활 속 자전거 문화 활성화 시범학교로 선정되어 자전거를 타고 등·하교하는 학생 수가 점차 증가하고 있다.
> [나] 1시간 평균 미세먼지(PM10) 농도 300㎍/㎥ 이상이 2시간 이상 지속될 것으로 예상되어 미세먼지 경보가 발령되었다.
> [다] 학급별 단체 버스를 타고 현장체험학습을 가는 날인데, 일 최고기온이 33℃ 이상인 상태가 지속되어 폭염주의보가 발령되었다.

즉답형

폭염주의보가 발령된 날 야외 활동을 하던 학급 학생이 열탈진 증상*을 보인다면 어떤 조치를 취할 것인지 말하시오.

* 열탈진 증상: 의식은 있으나 체온은 약간 높음. 피부가 축축하고 땀이 많이 남. 두통, 경련, 무기력한 모습을 보임

5 학교보건

구상형

다음은 2022 개정 교육과정의 중학교 보건교과의 내용 체계이다. 이를 근거로 보건교육 주제를 한 가지 고르고 이를 3차시로 제시하시오.

내용 체계	핵심 아이디어
건강증진과 질병예방	• 우리 삶의 질에 중요한 건강을 유지, 증진하기 위해서는 건강의 연속성과 항상성 및 다양한 영향요인을 고려한 건강관리가 중요하다. • 건강관리의 생활화를 위해서는 몸과 마음의 신호를 알아차리고, 건강관리 모델과 전략, 건강생활기술, 정보, 자원을 활용할 수 있는 건강관리 역량과 사회적 지지가 중요하다.
정서와 정신건강	• 자신과 삶의 소중함에 대한 인식, 다양성 존중, 적절한 유대와 지지적 환경은 청소년기와 성인기의 건강하고 행복한 삶의 기초가 된다. • 흡연·음주 및 의약품의 오·남용은 개인과 사회의 건강 및 사회문제와 관련이 있으므로 내적인 힘과 생활기술 및 지지 체계가 중요하다.
성과 건강	• 성 건강은 개인과 가족의 행복, 국가 발전에 기본이 된다. • 성 건강관리는 성인지 관점 및 서로 다른 입장에 대한 균형 있는 접근과 이해를 필요로 한다.
건강안전과 응급처치	• 생활 속에는 늘 위험이 있을 수 있고, 다양한 건강위험은 문제가 되기 전 대체로 신호가 있으며, 도미노처럼 주변의 건강문제로 이어질 수 있으므로, 개인과 공동체의 안전 감수성 및 참여와 협력에 기반한 예방과 관리가 중요하다. • 위급 상황에서 공동체의 준비된 안전수칙 및 응급처치의 적용과 협력은 개인과 공동체의 사망 및 손상 악화 방지와 질병 회복의 결정 요인으로 작용한다.
건강자원과 건강문화	• 건강 수준은 가정환경, 성, 경제 수준 등에 따라 차이가 있으므로 건강을 옹호하고 지지하는 건강 지향적인 사회 환경이 필요하다. • 디지털 기술과 미디어, 인공지능 시대의 보건의료 환경 및 의료 서비스의 변화는 사람들의 건강정보와 건강자원의 선택 및 활용에 영향을 미친다. • 인류의 건강을 위협하는 기후변화는 지속가능한 사회를 위한 건강문화 조성 및 공동체의 책임감과 연대를 필요로 한다.

즉답형

보건 수업 중 응급환자가 생겼을 때 발생할 수 있는 학교 혼란을 줄이기 위해 필요한 사전 작업을 이야기하시오.

6 학교급식

구상형

영양교사의 일기 중 일부이다. 문제 상황 3가지를 찾고 그에 대한 해결방안을 각각 이야기하시오.

> 2024년 6월 23일
>
> 요즘 업무가 많고 또 내 뜻대로 되지 않아 힘들다. 집에 오면 아무것도 하지 못하고 누워 있다. 오늘은 그래도 생각을 정리해보며 해결책을 찾아보려 한다. 우선 학생 수 대비 적정량을 만들고 있는데도 잔반이 너무 많이 나온다. 잔반 처리비용도 늘어나서 행정실과 교장선생님 눈치가 보이기도 한다.
>
> 또, 학생들이 육류 위주의 식습관을 가지고 있어 걱정이다. 어제 한 학생이 급식실을 나서면서 "난 고기 없는 날은 급식 먹으러 안 가"라고 말하는 것을 듣게 되었다. 이렇다 보니 잔반은 채소나 어류 위주로 나오게 된다.
>
> 조리실무사님들과도 갈등이 있어 걱정이다. 잔반도 많이 나와서 학생들이 좋아하는 메뉴를 만들어 급식을 먹도록 하고 있는데 실무사님들이 "손이 너무 많이 간다", "지금 급식실 환기시설도 좋지 않은데 너무 무리하게 시키는 것이 아니냐"라고 말씀하셨다.
>
> 요즘 듣게 되는 피드백이 다 부정적이어서 속상하다.

즉답형

먹거리 생태전환을 위해 실현할 수 있는 교육활동 2가지를 이야기하시오.

S I G N A L

합격 시그널

PART

2

2024~2020 기출문제

2024 서울 중등 교과

예시답안 p.167

구상형 1

[가]의 지침을 참고하여 [나]의 교육활동으로 발생할 수 있는 문제점 3가지와 그에 대해 [나]의 A 교사가 할 수 있는 각각의 개선방안을 구체적으로 제시하시오.

[가] 중학교 생성형 AI 활용 지침

- 수업 및 교육활동에서 활용할 경우 사전에 생성형 AI의 원리와 한계점, 윤리적 사용에 대한 학생 교육 실시
- 생성형 AI 서비스 사용 시 약관을 통해 사용 가능 연령 확인

[나]

A 교사가 생성형 AI를 활용한 모둠 탐구활동을 진행하였다. 1차시에는 학생들이 생성형 AI를 활용해 기후위기, 탄소 중립에 대한 자료를 수집하고 보고서를 작성하였다. 2차시에는 모둠별로 캠페인 영상을 제작하였다. 그런데 B 학생이 AI 프로그램을 활용하여 모둠원의 목소리를 합성한 영상을 개인 SNS에 공개적으로 게시하였다.

구상형 2

[가], [나]에서 발생한 문제의 공통 원인을 말하고, 이를 해결하기 위한 교육 방안을 담임교사 차원, 학교 차원에서 각각 2가지씩 구체적으로 제시하시오.

[가]
A 학교 축제에서 학급 단위 축제 부스를 운영하기로 하였다. 한 학급에서는 귀신의 집과 포토 부스가 경합하였고, 학급투표 결과 26명 중 15대 11로 다수결에 따라 귀신의 집이 결정되었다.

학생 1: 나는 귀신의 집 싫어.
학생 2: 투표 결과로 결정된 거잖아. 다수결의 원칙을 따라야 해.
학생 1: 다수결이라고 무조건 따라야 해? 나는 처음부터 둘 다 마음에 들지 않았어.
학생 2: 너는 의견을 내라고 할 때는 아무 말도 하지 않더니 왜 이제 와서 그러는 거야?

[나]
B 학교는 생활지도 고시 관련 학칙 개정을 진행하였다. 이 과정에서 교원과 학부모의 참여율이 높았고 학생의 참여율이 저조하였다. 학교에서는 학생 공청회를 개최하여 학생의 의견을 추가적으로 수집하고자 했지만, 참여율이 늘지 않았다. 결국 다수결의 원칙에 의해 교원과 학부모의 의견을 반영한 학칙이 제정되었다.

구상형 추가질문

수업시간에 스마트폰을 사용하는 학생이 있다. 제지하여도 자신의 권리라고 주장하며 계속 사용한다. 이러한 학생을 교육적으로 지도해야 하는 이유를 말하고, 교사의 향후 지도 방안을 구체적으로 제시하시오.

즉답형

교사 A와 B중 자신은 누구의 입장과 가까운지 고르고 그 이유를 말하시오. 다음으로 교사 C의 입장에서 A와 B의 갈등 중재를 위해 선택하지 않은 교사에게 어떻게 조언할지 시연하시오.

교사 A: 급한 회의가 있어 선생님이 담당한 업무 관련 자료를 작성해주어야할 것 같아요. 퇴근시간이 다 되었지만 부탁해요.
교사 B: 저는 퇴근 후 중요한 약속이 있고 근무시간 외에는 업무를 할 수 없습니다.
교사 C: ____.

즉답형 추가질문

최근 교사의 권위가 추락했다는 말이 있다. 교사의 권위가 어디서부터 나온다고 생각하는지 3가지를 이유와 함께 이야기하시오.

2023 서울 중등 교과

예시답안 p.172

구상형 1

[가]의 목적을 활용하여 [나]의 학부모에게 교사로서 할 수 있는 답변을 3가지 이야기하고, 그에 대한 교육적 효과를 각각 말하시오. 그리고 [다]에 나온 ○○교사의 고민과 관련하여 에듀테크를 활용한 교육활동 설계 시 고려할 점 2가지를 말하시오.

[가]	• 미래사회 변화에 대응하기 위해 에듀테크를 활용해야 하며, 이를 위해 서울시교육청은 '디벗' 사업을 실시하고 있다. • 디벗: 서울 학생이 스마트기기를 학교와 가정에 가지고 다니면서 일상적 학습도구로 활용할 수 있도록 지원하는 정책. '디벗'은 'Digital+벗'의 줄임말로 '스마트 기기는 나의 디지털 학습 친구'라는 의미를 내포함
[나]	• 학부모: 요새 학교에서 태블릿 PC도 나눠주고 이를 활용해서 수업한다는데 뭘 하는지 궁금합니다. 학교에서 스마트 기기를 이용해서 다양한 수업과 평가가 가능하다고 하는데 어떤 식으로 진행되나요?
[다]	• ○○교사는 요새 에듀테크를 활용해 수업을 하는데 고민이 많다. 매 수업마다 정보 기기를 활용해 수업을 하는데, 관련 작동법이나 프로그램 실행 방법을 알려주느라 쓰는 시간이 너무 많다. 또한 시간이 갈수록 학습 내용을 전달하는 용도보단 게임 같이 흥미를 위한 방법으로만 기기를 활용하는 것 같아 학습에 대한 이해도 파악 및 그에 따른 피드백이 잘 되지 않아 걱정이다.

구상형 2

다음은 학생들과 교사들이 작성한 학교 평가 결과이다. (가)와 (나)에 나타난 문제의 공통 원인을 말하고, 제시된 4가지 문제에 대한 해결 방안을 각각 구체적으로 말하시오.

(가) 학교 평가 결과지(학생)
- 국어, 수학, 과학시간에 모두 신문 만들기 수행평가를 해서 지겨웠어요.
- 수행평가가 중간고사 이후에 몰려서 힘들었어요.

(나) 학교 평가 결과지(교사)
- 다른 선생님들이 어떻게 수업하는지 궁금해요.
- 선생님마다 생활지도 방식이 달라서 학생들이 혼란스러워해요.

구상형 추가질문

동료 교사가 찾아와 내가 담임을 맡고 있는 학급의 학생이 수업 시간에 말을 안 듣고 힘들게 한다고 이야기한다면, 동료 교사에게 어떻게 대응할 것인지 구체적으로 이야기하시오.

즉답형

다음 밑줄 친 내용에 대한 실현 방안과 이유를 하나씩 이야기하시오.

• **교사와 학생 간 대화**

학생: 선생님, 저는 선생님이 되고 싶어요. 임용고시를 합격하면 더 이상 아무 노력도 안 해도 되는 것 아닌가요?

교사: 아니란다. <u>선생님이 된 후에도 꾸준한 연구와 발전이 필요하단다.</u>

• **교사 간 대화**

멘티 교사: 좋은 교사가 되고 싶은데 좋은 교사란 어떤 교사인지 잘 모르겠습니다.

멘토 교사: 교사의 역량은 수업 지도 전문성에서 그치면 안 됩니다. 좋은 교사란 수업 내용을 전달하는 것뿐 아니라 <u>교직 전반에 걸쳐 자신을 성찰하는 태도가 중요합니다.</u>

즉답형 추가질문

학교 공간 중 바꾸고 싶은 부분이 있다면 어떻게 바꾸고 싶은지 자신의 교직관과 연계하여 이야기하시오.

2022 서울 중등 교과

예시답안 p.174

구상형 1

[가], [다]를 토대로 [나]를 읽고 [나]의 교육활동의 문제점 2가지와 해결 방안을 구체적으로 제시하시오.

[가]

2020 한국 환경위기시각은 세계 환경위기시각 9시 47분보다 9분이나 빠른 9시 56분이다. 따라서 환경위기시각을 늦추기 위한 노력은 대한민국이 4대 기후악당 국가라는 오명을 벗기 위한 노력만큼이나 절실하다. 우리에게는 더 이상 허비할 시간이 없다. 더 늦기 전에 지구온난화 1.5℃ 상승 제한을 위한 노력을 지금부터 시작해야 한다.

– ≪2021 지금 서울교육≫ 여름호

[나] A 중학교에서 계획한 생태전환교육 활동

주간	교육 활동
탄소중립선언 주간 (3.6~3.10)	• 탄소중립선언 관련 현수막 걸기 • 식목일 나무 심기 행사
잔반 줄이기 주간 (5.15~5.19)	• 잔반 남기지 않기 대회를 통해 잔반을 가장 적게 남긴 학급에 시상
환경보호 주간 (9.18~9.22)	• 학급별로 북극곰 관련 다큐멘터리 시청

[다]

가장 완전한 덕(德)에 맞추어 정신이 활동하는 것이 인간의 선(善)이다. 그것은 온 생애를 통한 것이어야 한다. 한 마리 제비가 날아온다고 봄이 오는 것은 아니다. 하루 아침에 여름이 되는 것도 아니다. 인간의 행복도 하루나 짧은 시일에 되는 것이 아니다.

– 아리스토텔레스, ≪니코마코스 윤리학≫

구상형 2

제시문에서 공통적으로 드러나는 문제점을 학교 문화 차원, 교사 개인 차원에서 말하고 각 상황에 대한 A, B 교사의 대처 방안을 말하시오.

[상황 1] A 교사가 학년 협의회에서 교과 간 융합을 통한 주제 중심 프로젝트 학습을 진행하자고 제안했으나, 다른 교사들은 자신들의 교과 특수성에 맞지 않다며 거절하였다.

[상황 2] B 교사는 교과협의회에서 온라인 수업을 활용한 블렌디드 수업을 운영하자고 제안했으나, 다른 교사들은 오프라인으로 해도 된다며 거절하였다.

구상형 추가질문

교사는 배려와 나눔을 실천하는 사람이다. 교사가 되면 참여하고 싶은 교원학습공동체와 그 구체적 방안에 대해 제시하시오.

즉답형

(가)와 (나)에 대한 자신의 입장을 말하고, 제시문을 바탕으로 학교교육이 나아가야 할 방향 3가지에 대해 구체적으로 제시하시오.

(가) 학생
- A: 원격수업을 듣는 이유를 모르겠다. 인터넷 강의랑 다를 것이 없다.
- B: 유튜브나 1인 미디어를 보면서 혼자 공부하는 것이 더 좋다.
- C: 졸업장을 따려고 학교에 다니는 것 같다.

(나)
"한국 학생들은 학교와 학원에서 미래에 필요하지도 않은 지식과 존재하지도 않을 직업을 위해 하루에 15시간을 낭비하고 있다."

– 앨빈 토플러

즉답형 추가질문

자신의 학생이 어떤 학생으로 성장하면 좋을지에 대해 이유와 함께 말하고, 이를 위해 교사에게 필요한 역량 또는 태도를 2가지 말하시오.

2021 서울 중등 교과

예시답안 p.176

02

구상형 1

다음 김 교사의 학급일지를 읽고, 긍정적 관계회복을 위하여 A와 B 학생에게 하고 싶은 조언을 각각 구체적으로 말하시오. 또한, 학급 공동체에 공감, 배려, 화해, 관계회복의 분위기를 조성하기 위하여 함께 할 수 있는 학급 활동을 구체적으로 제시하시오.

다음은 A 학생과 B 학생 사이에 일어난 사건에 대하여 김 교사가 작성한 학급 일지의 일부이다.

- 3월 : A 학생과 B 학생이 다투었다. A 학생이 지나가다가 실수로 B 학생을 쳤는데, 바로 사과하지 않았다. 이에 B 학생은 화가 나서 A 학생의 복부를 때리고 험한 욕설을 퍼부었다. 많은 학생들이 이 광경을 목격하였다.
- 4월 : A 학생과 B 학생의 사건은 경미한 학교폭력 사안으로 두 학생의 서면 동의를 받아 학교장 자체해결제로 처리되었다.
- 5월 : B 학생은 잘못을 인정했고 서로 화해를 했지만, A 학생과 B 학생은 아직도 서로 서먹해하고 있다.

〈학생 개별 면담〉

A 학생 : B의 사과를 받기는 했지만, 다른 친구들 앞에서 그런 일을 당해서 너무 자존심이 상했어요. 아직도 학급에서 B랑 마주치면 불편해요.

B 학생 : 제가 잘못한 것은 맞아요. 하지만 솔직히 A가 바로 사과했다면 이러한 일이 일어나지 않았을 것 같아요. 이 일로 부모님한테도 크게 혼났고, 다른 친구들도 저를 이상하게 보는 것 같아서 마음이 안 좋아요.

구상형 2

다음은 원격수업 상황에서 각 학생들의 사례이다. 교과교사로서 [사례 1~3]에서 문제점과 해결 방안을 각각 말하시오.

[사례 1] A 학생은 원래 수업 참여도가 좋았으나, 원격수업을 시행하면서부터 수업 참여도가 저조한 편이다. A 학생은 원격수업은 강의식 수업이 많아 집중도가 떨어진다고 한다. 또한 이해가 안 되는 부분을 바로 해결하기 어려워 답답하다고 말한다.

[사례 2] B 학생은 출석이 인정되는 부분까지만 수업을 듣고 그 이후로는 듣지 않는다. B 학생을 수업에 참여시키기 위해 끊임없이 문자를 보내고 전화를 걸어서 참여를 시키지만 그때뿐이다.

[사례 3] C 학생은 실시간 쌍방향 수업에서 시행하는 과정 중심 평가에 불만이 많다. 일부 학생들은 다른 사람의 도움을 받고, 친구들끼리 SNS를 통해 답을 공유할 수 있다고 생각하기 때문이다.

구상형 추가질문

신규 교사로서 새 학기가 시작되면 가장 먼저 하고 싶은 온라인 학급 활동을 말하고 그 이유를 자신의 교직관과 연계해서 말하시오.

즉답형

다음은 ○○중학교의 단위학교 기본학력 책임지도제에 따른 A 학생의 특징이다. 자신의 교육관과 연계하여 A 학생을 지원해야 하는 이유를 설명하시오. 또한 A 학생 지원 방안을 인지적 측면과 정의적 측면에서 각각 제시하시오.

- 국어, 수학 등 기초학력이 낮음
- 학생정서행동특성 관심군으로 선별되었으며 ADHD 증상을 보임
- 친구 관계에 어려움을 겪고 있으며 자신감이 없음
- 기초 생활 습관이 형성되지 않았고, 끼니를 거를 때가 많음

즉답형 추가질문

기본학력 책임지도제 프로그램 참여를 거부하는 학생이 있을 때 참여율을 높일 수 있는 방안을 3가지 말하시오.

2020 서울 중등 교과

ııl 예시답안 p.179

구상형 1

다음 글을 읽고 김 교사가 고려하지 못한 점과 학생에 대한 올바른 지도 방안을 사례별로 각각 제시하시오.

[사례 1] A 학생은 백혈병으로 인해 2년간 병원학교에서 학습하다가 상태가 회복되어 본래 학교로 복귀했다. 김 교사는 A 학생을 위하여 체육시간에는 무조건 쉬게 하고, 도우미 학생을 붙여주기도 했다. 그러나 A 학생은 새로운 학교생활에 적응이 어렵다고 한다.

[사례 2] 평소 환경에 관심이 많던 김 교사는 협력종합예술활동의 주제를 환경문제로 하도록 하고 역할이나 연습시간도 정해주면서 열정적으로 준비하였다. 그러나 어째서인지 학생들은 신나 보이지 않는다.

구상형 2

다음 ○○고등학교의 연간 인성교육 계획을 보고 서울시교육청 인성교육 계획과 관련하여 개선 방안을 3가지 말하시오. 그리고 본인의 교과와 연관 지어 구체적인 인성교육 방안을 1가지 말하시오.

〈○○고등학교 연간 인성교육 계획〉

인성교육 내용	일시	대상	장소	방법
○○대학교 교수 강의	7월 15일 6교시	전교생	강당	강의식
다큐멘터리 시청 및 감상문 작성	12월 23일 6~7교시	전교생	교실	강의식 및 글쓰기

구상형 추가질문

인성교육을 위하여 자신이 생각하는 교사로서 중요한 인성적 자질이 무엇인지 말하고, 이를 위해 자신이 했던 노력을 구체적으로 말하시오.

즉답형

A 학생과 B 학생 중 도와주고 싶은 학생과 그 이유를 말하고, 자신의 교육관에 따라 어떻게 지도할 것인지 말하시오.

A 학생: 저는 게임 실력이 부족하긴 하지만, 게임으로 1인 방송을 하면서 유명해지고 돈도 많이 벌고 싶어요.
B 학생: 저는 이루기 힘든 큰 꿈을 꾸고 싶지 않아요. 그냥 아르바이트로 돈 벌면서 취미생활도 하면서 소소하지만 확실한 행복을 추구하고 싶어요.

즉답형 추가질문

선택하지 않은 다른 학생에겐 어떻게 조언할 것인지 말하시오.

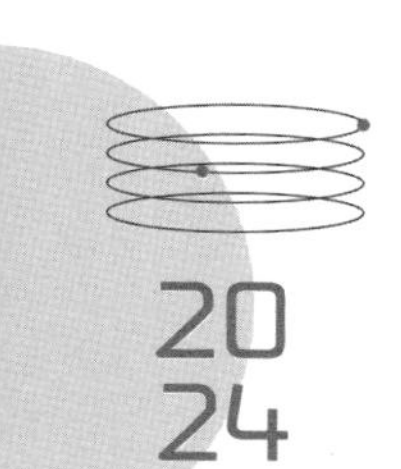

2024 서울 중등 비교과(공통)

예시답안 p.181

구상형 1-공통

제시문을 읽고 문제에 답하시오.

[가]

학생 A가 학습과 적응을 지원해주는 학교 내 다문화학생 보조인력과 함께 찾아왔다. 보조인력의 통역을 통해 학생 A와 소통할 수 있었다.

학생 A: 선생님, 수업이 어려워서 수업에 집중이 어려워요. 한국어를 잘 몰라서 선생님과 친구들이 뭐라고 하는지 모르겠어요. 그리고 학교생활 적응도 어려워요. 친구들도 없고 외로워요. 엄마가 살던 나라에서는 잘 적응했었어요. 다시 그곳으로 돌아가고 싶어요.

[나]

교사 B: 선생님, 교무부장님께서 말씀하시길 학교에 다문화 학생 수가 전체의 반이 넘었다고 하네요. 학교 내 여러 학생들이 적응에 어려움을 보이는 것 같아요. 학생들의 행복한 학교생활을 위해 다양한 프로그램을 진행하고 싶은데 어떻게 해야 할지 고민되네요.

1-1 [가]를 참고하여 다문화 학생이 경험할 수 있는 어려움을 2가지 이야기하고 이 어려움을 해결하기 위한 방안을 자신의 전공과 연결지어 2가지 말하시오.

1-2 [나]를 참고하여 자신의 전공을 기반으로 자신이 학교에서 운영하고자 하는 프로그램을 말하시오.

2024 서울 중등 비교과(상담)

예시답안 p.183

구상형 2-상담

> A 학생: 최근 삶이 무의미하게 느껴져요. 요즘 이상한 일이 있는데요, 같은 반 친구가 SNS에 제 욕을 하고 사진을 올려요. 제가 하지 말라고 해도 계속 올리고 있어요. 너무 괴로운데 어떻게 하면 좋을까요? 담임선생님도, 친한 친구도 제 곁에 있긴 하지만 제가 죽어야 이 괴로움이 없어질 것 같아요.

2-1 A 학생의 자살 위험 수준 평가 시 확인해야 할 사항 3가지를 이야기하시오.

2-2 자살 위험성이 높은 학생을 보호할 수 있는 방안 2가지를 포함하여 대화하듯이 시연하시오.

구상형 추가질문-상담

자녀의 사생활을 과도하게 침해하는 학부모 코칭 방안을 청소년 시기의 특징을 포함하여 3가지 말하시오.

2024 서울 중등 비교과(보건)

예시답안 p.185

02

구상형 2-보건

2-1 학생들의 면역력을 증진시킬 수 있는 방안을 이유와 함께 3가지 이야기하시오.

2-2 2-1에서 제시한 3가지 방안 중 1가지를 주제로 하여 다음 수업을 진행할 때 전개 과정을 시연하시오.

<table>
<tr><td>대상</td><td colspan="2">초등학교 6학년</td></tr>
<tr><td>단원</td><td colspan="2">건강의 이해와 질병 예방</td></tr>
<tr><td>학습 주제</td><td colspan="2"></td></tr>
<tr><td>학습 목표</td><td colspan="2">• 면역의 의미를 설명할 수 있다.
• 면역을 높이는 방법을 말할 수 있다.</td></tr>
<tr><td>단계</td><td>교수 · 학습 활동</td><td>시간</td></tr>
<tr><td>도입</td><td>동기 유발 및 학습 목표 제시</td><td>5분</td></tr>
<tr><td>전개</td><td></td><td>25분</td></tr>
<tr><td>정리</td><td>학습 정리 및 차시 예고</td><td>10분</td></tr>
</table>

구상형 추가질문-보건

학생들이 쉽게 접할 수 있는 약물 3가지를 말하고, 약물 오 · 남용 교육의 필요성을 말하시오.

2024 서울 중등 비교과(영양)

예시답안 p.186

구상형 2-영양

영양교사: 급식을 잘 먹지 않는 것 같은데, 그 이유가 있니?
학생: 저는 마른 몸이 좋아요. 유명한 여자 연예인처럼 마른 몸을 갖고 싶어요.
영양교사: 그럼 식사는 보통 언제 하니?
학생: 최대한 식사를 하지 않다가 정말 어지러워서 쓰러질 것 같을 때 조금 먹어요.
영양교사: 그렇구나. 그러면 몸에 이상 증세가 나타나진 않니?
학생: 3개월째 월경을 하지 않고 있긴 해요. 그래도 점점 살이 빠지고 있어서 좋아요.

2-1 제시문 속 학생이 실천해야 할 식생활 지침 2가지를 말하시오.

2-2 2-1의 식생활 지침을 포함하여 학생에게 건넬 조언 3가지를 시연하시오.

구상형 추가질문-영양

최근 서울시교육청에서는 '급식 로봇'을 시범 도입하였다. '급식 로봇' 도입 시 고려해야 할 사항 3가지와 그 이유를 각각 말하시오.

2023 서울 중등 비교과(공통)

예시답안 p.188

02

구상형 1-공통

제시문을 읽고 문제에 답하시오.

A 학생은 자주 보건실을 방문한다. 계속 배나 머리가 아프다고 하며 수업을 빠지고 누워 있으려 한다. 학급에서도 엎드려 있는 모습을 많이 관찰할 수 있고 친구들과 어울리지 않고 스마트폰으로 게임을 한다. 급식시간에도 급식을 먹으러 가지 않으며, 먹는다 하더라도 자신이 좋아하는 것만 먹으며 편식을 한다. 급식을 먹지 않을 때에는 도서관 구석에서 책을 읽거나 스마트폰을 한다. 최근에는 현장체험학습을 가지 않겠다고 하여 담임교사와 이에 대해 개별 상담을 하였다. 그랬는데도 정확한 이유를 말하지 않아 담임교사는 걱정하여 위(Wee) 클래스에 상담을 의뢰한 상황이다.

1-1 자신의 전공과 관련하여 A 학생을 지원할 수 있는 방안을 2가지 이야기하시오.

1-2 위와 같은 학생들의 학교 적응을 위해 다른 비교과교사(영양, 보건, 상담, 사서)와 교원학습공동체를 만들어 활동하고자 한다. 교원학습공동체의 주제와 구체적인 활동을 3가지 제시하시오.

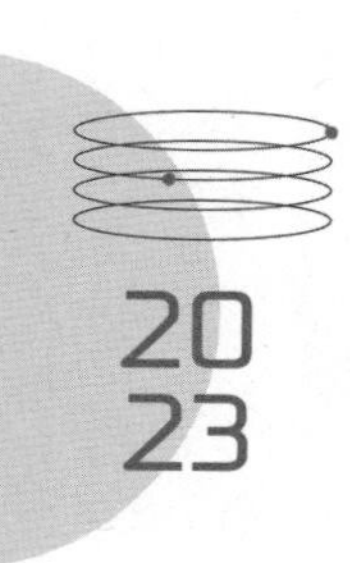

2023 서울 중등 비교과(상담)

예시답안 p.188

구상형 2-상담

제시문을 읽고 문제에 답하시오.

담임교사 :	선생님, 저희 반 이야기 들으셨죠? 이번 현장체험학습에서 돌아오던 중에 학급의 많은 학생들이 교통사고를 목격했어요.
상담교사 :	네, 들었어요 선생님. 선생님도 깜짝 놀라셨겠어요.
담임교사 :	그때 그 장면이 생각나고 가슴이 뛰네요. 저는 그래도 많이 괜찮아졌는데 아이들이 걱정이에요.
상담교사 :	아이들 상태가 어떤가요?
담임교사 :	트라우마가 생긴 것 같다고 하면서 사고 장면이 자꾸 생각난다고 해요. 또 어떤 학생들은 교실에 엎드려 있고 활동 참여도 잘 안 하면서 무기력해 보이기도 하고요.
상담교사 :	네, 그런 장면을 목격했으면 그런 반응을 보일 수 있어요.
담임교사 :	아, 어떤 학생들은 자신도 '그렇게 되면 어떡하지' 같이 부정적인 이야기를 하며 울기도 하네요. 학생들에게 도움이 필요한 것 같아요. 제가 학급에서 어떻게 도와줄 수 있을까요?
상담교사 :	네, 학생들에게 전문적인 지원이 필요한 상태입니다. ______________________.

2-1 밑줄 친 곳에 들어갈 담임교사에게 자문하기 위한 상담교사의 말을 시연하시오.

2-2 위 학급학생을 대상으로 2회기의 집단 프로그램을 만들고자 한다. 프로그램의 목표와 각 회기별 구체적인 활동을 3가지 제시하시오.

구상형 추가질문-상담

공황장애로 학업중단의사를 밝힌 학생이 있다. 이 학생을 위한 학업중단숙려제의 목적과 학업중단숙려제의 초기, 중기, 후기 상담 방안을 한 가지씩 제시하시오.

2023 서울 중등 비교과(보건)

예시답안 p.189

02

구상형 2-보건

제시문을 읽고 문제에 답하시오.

A 학생은 초등학교 5학년이며 당뇨를 앓고 있는 요보호학생이다. 체육대회 준비 중 저혈당으로 어지러움과 손떨림 증상이 있어 담임교사와 함께 보건실을 방문하였다. 보건교사의 처치 후 위 증상은 완화되었지만 혈당은 60mg/dL로 확인되었다. 그러나 A 학생은 이어달리기의 주자로 나가야 한다고, 자신이 뛰지 못하면 같은 반 친구들이 슬퍼할 것이라 이야기하며 보건실을 나가려 하고 있다.

2-1 위 상황에 대해 A 학생에게 할 수 있는 건강지도를 시연해보시오.

2-2 A 학생을 위해 담임교사와 협력할 내용을 2가지 이야기하시오.

구상형 추가질문-보건

보건교육의 영역 중 '생활 속의 건강한 선택'에서 진행할 수 있는 수업의 주제를 말하고 도입부를 시연하시오.

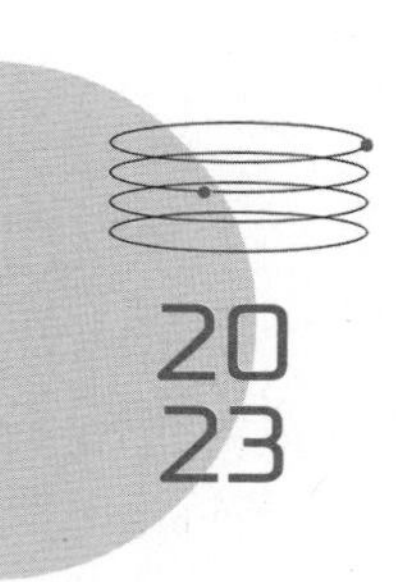

2023 서울 중등 비교과(영양)

예시답안 p.190

구상형 2-영양

〈중학생 영양소 진단 검사 결과〉

영양소	남학생	여학생
탄수화물 과잉		✓
지방 과잉	✓	
당 과잉		✓
나트륨 과잉	✓	✓
비타민 A 부족	✓	✓
비타민 C 부족	✓	
무기질 부족		✓
식이섬유 부족	✓	✓

2-1 표에 나타난 중학교 학생들의 영양상 문제점을 3가지 말하고, 이를 해결하기 위한 급식 운영 방안을 각각 말하시오.

2-2 위에서 언급한 문제점 중 1가지를 골라 이에 따라 수업을 진행할 때 학습목표를 말하고, 수업시간과 급식시간에서의 교육 방안을 각각 말하시오.

구상형 추가질문-영양

저탄소 배출을 위한 생태전환교육이 중요해지고 있다. 지역사회와 연계한 먹거리 생태전환교육 방안 3가지와 이에 따른 교육효과를 말하시오.

2022 서울 중등 비교과(공통)

예시답안 p.191

02

구상형 1-공통

제시문을 읽고 다음 교사들의 공통된 어려움을 제시하고 그에 따른 해결 방안을 3가지 제시하시오.

A 교사 : 저는 혼자 영양교사실에 있어서 다른 선생님들과 이야기 나누는 것이 어렵네요.
B 교사 : 현재 독서협력수업을 진행하고 있는데 다른 선생님들께서 이 수업이 왜 필요하냐고 하셔서 속상하네요.
C 교사 : 가끔 선생님들께서 상담을 받으면 달라지는 게 있는지 물어보시기도 하고 전반적으로 학교상담에 대해 잘 모르시는 것 같아요. 어떻게 하면 좋을까요?
D 교사 : 창의적 체험활동 시간에 보건 관련 학급별 수업을 진행하였는데 전체적으로 방송하는 것이 좋겠다고 하시네요. 제가 수업 계획을 잘못한 걸까요?

2022 서울 중등 비교과(상담)

예시답안 p.191

구상형 2-상담

다음 제시문을 읽고 질문에 답하시오.

> A 학생은 현재 중학생으로 담임선생님과 친하고, 친한 친구도 있으며 교우관계도 원만한 편이다. 초등 고학년 때부터 자해를 시작하였고 스트레스를 받을 때마다 자해를 한다. 스트레스의 원인은 부모님의 공부 강압에 있다. 최근 한 달 동안 여러 번 자해를 했고 지난 기말고사 기간에 자해를 깊게 해서 병원에 다녀왔다.

2-1 제시문을 읽고 자해의 위험 정도가 높다고 판단하는 근거를 5가지 제시하고 A 학생에 대한 상담 방안을 3가지 제시하시오.

2-2 A 학생의 담임교사가 자해학생을 걱정하여 자문을 구할 때 2가지 자문방안을 제시하시오.

구상형 추가질문-상담

학부모가 학생의 스마트폰 과의존으로 인해 자문을 구하러 왔다. 이에 대한 자문 방안 3가지를 포함하여 면접관을 학부모라 생각하고 시연하시오.

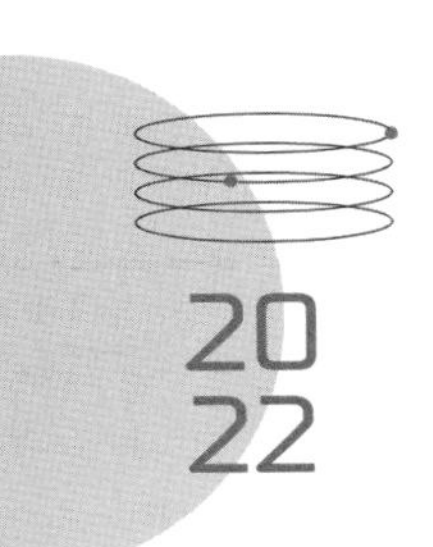

2022 서울 중등 비교과(보건)

예시답안 p.192

02

구상형 2-보건

다음은 ○○학교 학생들의 척추측만증 비율을 조사한 표이다. 이 자료를 참고하여 질문에 답하시오.

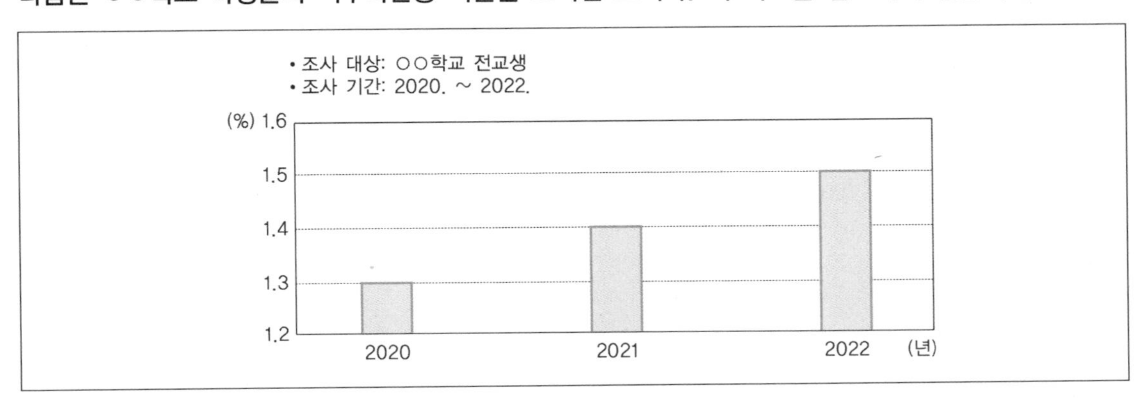

2-1 보건교육으로 척추측만증 예방을 학습목표로 하는 수업을 진행하고자 한다. 수업의 '도입—전개—정리' 단계 중 '전개' 단계에서 척추측만증 예방법(신체검진 포함)을 구체적으로 말하시오.

2-2 척추측만증 의심학생에게 조언할 수 있는 건강관리에 대해 말하시오.

구상형 추가질문-보건

학생 건강검진 결과 단백뇨 의심학생이 있다. 단백뇨의 기전을 바탕으로 문진을 어떻게 할 것인지 이야기하고 학생에게 설명할 단백뇨 관리방법을 이야기하시오.

2022 서울 중등 비교과(영양)

예시답안 p.193

구상형 2-영양

[가], [나]를 참고하여 학생에게 필요한 교육 프로그램을 구성하고자 한다. 구성할 프로그램명, 교육목표, 구체적인 활동 3가지를 말하시오.

[가]
그린급식은 기후 위기에 대응하는 먹거리의 미래를 배우고 실천하는 먹거리 생태전환교육이다. 학생들이 일상생활 속에서 그린급식에 지속적으로 관심을 가지고 참여할 수 있도록 관련 프로그램 구성이 필요하다.

[나]
다음은 △△학교 학생들이 좋아하는 급식 메뉴 선호도를 조사한 표이다.

- 조사 대상: △△학교 전교생
- 조사 기간: 2022.○.○○.~2022.○.○○.

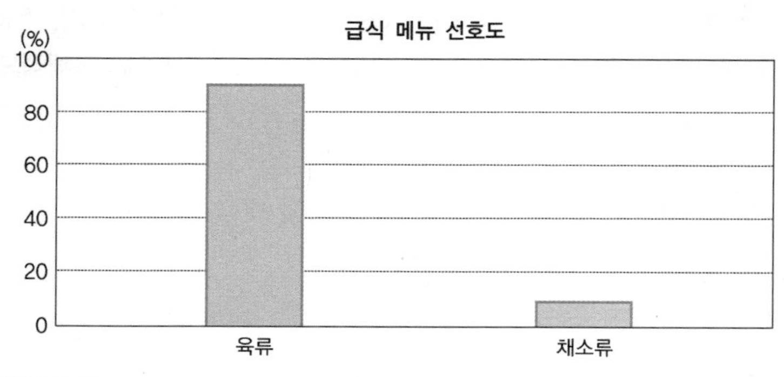

구상형 추가질문-영양

채식 급식과 관련하여 가정통신문을 배부하려고 한다. 가정통신문에 들어갈 내용을 말하시오.

2021 서울 중등 비교과(공통)

예시답안 p.194

구상형 1-공통

다음 제시문을 참고하여 A 학생에 대한 상담을 회복과 성장의 측면에서 시연하시오. 또한 두 학생의 관계회복을 위한 대화를 하려고 할 때 유의사항을 3가지 말하시오. 그리고 A, B 학생의 관계회복을 위해 함께 참여할 수 있는 자신의 전공을 연계한 동아리 프로그램을 구상하시오.

> A 학생과 B 학생은 같은 동아리에 속해 있다. A가 B를 때렸고 학교폭력으로 신고되었다. 학교장 자체해결제의 4가지 요건을 충족하여 학교장 자체해결제로 종결되었다.
>
> A 학생: 저는 B랑 친하게 지내고 싶은데 B가 안 받아줘요. 다른 친구들도 저를 이상하게 보는 것 같아요.

2021 서울 중등 비교과(상담)

예시답안 p.194

구상형 2-상담

김 교사가 상담교사에게 자문을 요청하였다. 제시문과 같이 수업 중 일어난 상황에 대한 대처 방안 2가지와, 김 교사가 A 학생을 상담하고자 할 때 상담교사로서 할 수 있는 자문 2가지, 그리고 담임교사에 대한 심리 지원 방안을 2가지 제시하시오.

> 김 교사: 선생님, 안녕하세요. 저희 반 A 학생이 수업시간에 소리 지르고 책상을 치면서 공격적인 행동을 보여요. 이럴 때 어떻게 해야 하나요? 거의 매일 이런 상황이 반복되어서 너무 힘들어요.

구상형 추가질문-상담

외부 전문기관의 연계가 필요하다는 말을 들은 학부모가 화를 내면서 거부하였다. 이에 대한 대처 방안 3가지와 학부모와의 상담을 시연하시오.

서울 중등 비교과(보건)

예시답안 p.195

구상형 2-보건

2015 개정교육과정 역량과 연관 지어 성교육 4차시를 구체적으로 구상하시오.

차시	영역	핵심 개념	내용	주제/역량
1	생활 속의 건강한 선택	성 건강	성은 생물학적, 사회·문화적으로 다양한 요인과 관련되어 있고 성 문제는 성 가치관 및 성 윤리의식과 관련되어 나타난다.	
2				
3				
4				

구상형 추가질문-보건

학생 손목 골절 시 사정해야 할 사항을 소아청소년 발달시기 특성과 연관 지어 설명하고 이에 대한 응급처치 4가지를 설명하시오.

2021 서울 중등 비교과(영양)

예시답안 p.196

구상형 2-영양

최근 자율배식을 시행하는 학교가 많아지고 있다. 하지만 자율배식을 하면 학생들이 특정 음식만 많이 가져가는 등의 문제가 나타난다. 이외 자율배식의 문제점을 다양한 측면에서 3가지 말하고, 이를 해결하기 위한 학생 참여형 교육 프로그램을 구체적으로 말하시오. (조건 : 프로그램명, 목표, 활동 포함)

구상형 추가질문-영양

여름철에 증가하는 식중독에 대하여 어떻게 예방교육을 할 것인지 학생, 교사, 조리종사원 측면에서 내용과 방법을 구체적으로 말하시오.

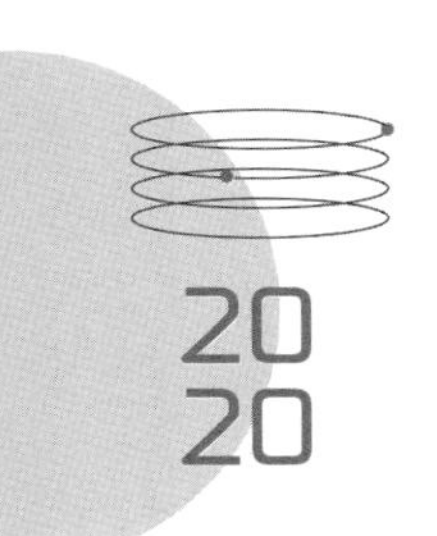

서울 중등 비교과(공통)

예시답안 p.198

02

구상형 1-공통

서울시교육청에서는 협력적 인성을 강조하고 있다. 제시문 [가]를 읽고 협력적 인성을 기르기 위한 방안을 자신의 전공과 연계하여 2가지 제시하시오. 또한 제시문 [나]를 읽고 자신의 경험과 관련지어 자신이 교사로서 적합한 이유를 말하시오.

[가]
협력적 인성교육은 자신의 내면을 바르고 건전하게 가꾸고 타인 · 공동체 · 자연과 더불어 살아가는 데 필요한 성품과 역량을 기르는 것을 목적으로 한다.

[나]
교사는 학생에게 가치 있는 존재이다. 교사는 학생의 자아 형성에 영향을 준다.

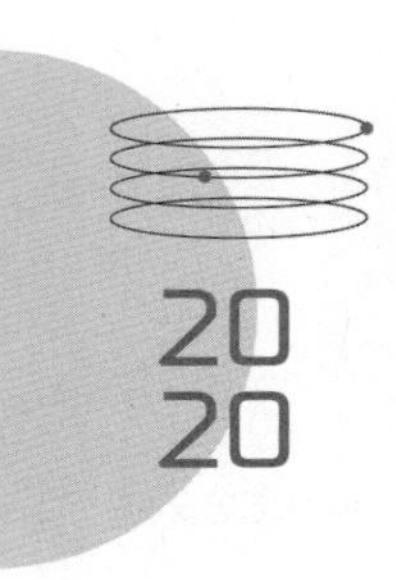

2020 서울 중등 비교과(상담)

예시답안 p.198

구상형 2-상담

다음 제시문은 교사 A, 학생 B, 학부모 C가 상담교사에게 찾아온 장면이다. 이를 읽고 A, B, C에게 상담교사로서 해줄 수 있는 이야기에 대해 각각 시연하고 이들에 대한 대처 방안을 말하시오.

> 교사　A : 우리 반 길동이가 요즘 친구들과 싸우고 말썽을 일으켜서 너무 힘들어요. 선생님이 상담 좀 해주세요.
>
> 학생　B : 친구들이 저만 미워하고 왕따 시켜요. 학교에 오고 싶지 않고 학교를 그만두고 싶은데 그냥 위(Wee) 클래스에서 상담만 받고 집에 가면 안 되나요?
>
> 학부모 C : 우리 아이는 공부는 열심히 하는데 성적이 전혀 안 올라요. 지능에 문제가 있는 게 아닐까요? 지능검사 좀 해주세요.

구상형 추가질문-상담

학생 B를 지도할 때 발생할 수 있는 문제점 3가지와 이에 대한 해결 방안을 각각 제시하시오.

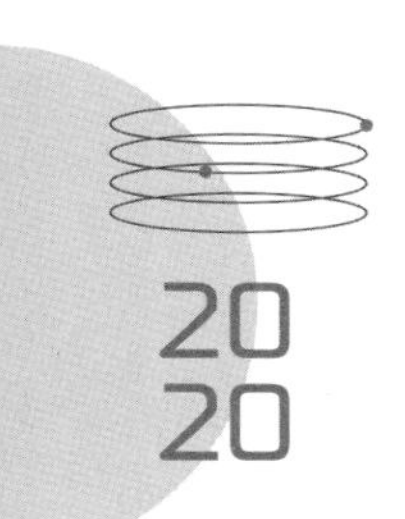

2020 서울 중등 비교과(보건)

예시답안 p.199

구상형 2-보건

다음 제시문을 읽고 보건교사로서 학생, 담임교사, 학부모에게 어떻게 이야기할지 대처 방안을 2가지씩 제시하시오.

> 1형 당뇨 진단을 받은 학생이 친구들의 시선을 피해 화장실에서 몰래 인슐린 주사를 맞아 왔다. 이유를 물어보니 친구들이 본인의 이런 모습을 보고 이상하다고 생각할 것 같아서 그랬다고 한다. 이런 상황이 계속되어 자존감이 떨어지고 우울함을 느끼고 있다. 담임교사도 학생을 위해 무엇을 어떻게 해야 하는지 몰라 부담스러워한다. 이런 상황이 안타까운 학부모는 보건교사에게 인슐린 주사를 놓아달라고 이야기하였다.

구상형 추가질문-보건

보건 수업 중 학생이 발목을 삐었다며 찾아왔다. 이에 대한 대처 방안과 그 이유를 구체적으로 제시하시오.

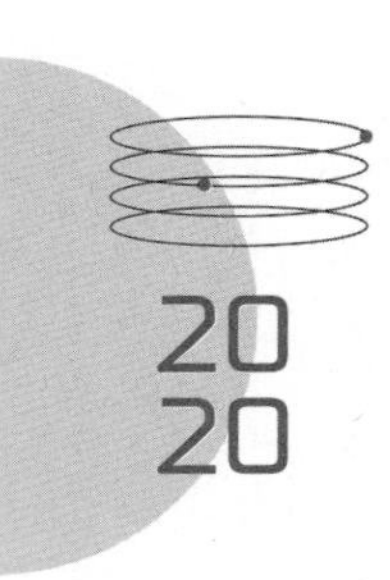

2020 서울 중등 비교과(영양)

예시답안 p.200

구상형 2-영양

채소 위주로 짜여진 식단을 제공하는 '건강한 한식의 날'을 주 1회 운영한 학교 급식에 대한 피드백을 보고, 개선 방안을 3가지 말하시오.

〈'건강한 한식의 날' 피드백〉

- 선생님들은 만족도가 높지만, 학생들은 기호에 맞지 않아 불만임
- 조리종사원들은 조리 방법이 복잡하여 불만임
- 학부모들은 학생들의 입맛에 맞지 않아 끼니를 거를까 걱정함
- 학교 관리자는 급식으로 인한 민원이 발생하지 않았으면 좋겠다는 입장임

구상형 추가질문-영양

균형 잡힌 식습관을 형성하기 위한 특색 있는 영양교육 방안을 말하시오.

2024 서울 초등

예시답안 p.201

02

구상형 1

[자료 1], [자료 2]를 읽고 AI 교육에 대한 시사점과 이에 따른 교사의 역할과 교사로서 자신의 역할 계획을 말하시오.

[자료 1]
- A 교사: 학생들이 영상 자료를 조사할 때 스스로 찾지 않고 추천 영상만 봐요.
- B 교사: 동료장학을 할 때 생성형 AI에 학생 질문을 넣었는데 그럴싸하지만 틀린 답이 나왔어요.

[자료 2]
- 디지털 교과서 논쟁 "맞춤형 학습 가능" vs "독해력 해칠 수도" – ○○일보
- ALT 스쿨의 실패: 2013년 미국에서는 ALT 스쿨이라는 미래형 학교가 문을 열었다. 에듀테크를 활용해 학생 개별 데이터를 분석하여 피드백을 구성하고, 영상 및 교육 콘텐츠로 학생들을 스스로 공부하게 했다. (중략) ALT 스쿨의 결과는 참담했다. 학생들의 심각한 학력 저하를 이끈 ALT 스쿨은 현재 대부분 문을 닫거나 다른 기관에 인수되었다. 학생들은 제시된 콘텐츠를 통해 제대로 학습하지 않았으며, 일부 학생들은 학습장애를 겪기도 하였다.

즉답형 1

6학년 학생들을 대상으로 기후위기를 주제로 한 학생 주도형 협력형 프로젝트를 수행하려고 한다. 예상되는 학생들의 질문 3가지와 그에 대한 적절한 피드백을 제공하시오.

즉답형 2

다음 제시문을 읽고 본인의 교육철학을 말하시오.

> 나는 히포크라테스나 마이모니데스, 오슬러도 가르쳐주지 않은 뭔가를 배웠다. 의사의 의무는 죽음을 늦추거나 환자에게 예전의 삶을 돌려주는 것이 아니라, 삶이 무너져버린 환자와 그 가족을 가슴에 품고 그들이 다시 일어나 자신들이 처한 실존적 상황을 마주보고 이해할 수 있을 때까지 돕는 것이다.

2023 서울 초등

예시답안 p.204

02

구상형 1

교사의 생애주기별 자신의 성장 모습을 예상하여 전문성 관점, 교육공동체 관점, 자아실현 관점 3개를 다음의 각 주기별로 하나씩 선택하시오. 또한 이와 관련지어 3개 빈칸을 키워드로 채워 제시한 후 이를 실현할 수 있는 방안을 각각 2가지씩 말하시오.

1. 교사상: 3년차, 나는 (　　　　　) 교사다.
2. 교사상: 15년차, 나는 (　　　　　) 교사다.
3. 교사상: 30년차, 나는 (　　　　　) 교사다.

즉답형 1

디지털 기반의 교육으로 전환되면서 학생들이 학교 외에서도 새로운 지식을 얻을 수 있는 경로가 다양해졌다. 학생들이 아래와 같이 말하는 상황이 발생했을 때 본인의 학생관 · 교사관 · 지식관을 반영하여 지도 방안을 말하시오.

학생 A: 선생님께서 가르쳐주신 내용이랑 제가 인터넷에서 본 내용이 달라요.
학생 B: 맞아요. 저도 봤어요.
다른 학생들: (호기심이 가득 찬 눈으로 교사를 쳐다본다.)

즉답형 2

유수불부(流水不腐): 흐르는 물은 썩지 않는다는 뜻으로, 끊임없이 운동하는 물체는 손상되는 일이 없다는 말

교사는 끊임없이 배우고 성장해야 한다. 아래의 서울시교육청 정책 중 자신이 교사가 된다면 활용하고 싶은 것을 3가지 고르고, 그 이유를 자신의 경험과 관련지어 말하시오.

기초학력 점프업	국제공동수업	기후행동 365	농촌유학
서울학생 건강더하기+	서울형 독서토론 기반 프로젝트 학습	서울형 메타버스	자·타·공·인 자전거 문화
서울형 토의·토론	서울희망교실	키다리샘	협력종합예술활동

2022 서울 초등

예시답안 p.205

구상형 1

신학년 집중 준비기간의 필요성을 2가지 말하고, 다음과 같은 조건의 학급을 운영한다면 실시하고 싶은 학급특색활동의 주제와 그 이유, 그리고 구체적인 교육활동 방안을 말하시오.

〈조건〉

- 5학년 14명(남학생 7명, 여학생 7명)
- 학교 교육 목표: 한 명 한 명이 즐겁고 행복하게 성장할 수 있는 맞춤형 교육
- 한국말이 서툴고 소극적인 다문화학생이 있음

즉답형 1

다음은 신규교사의 교단일지를 나타낸 것이다. 이를 읽고 신규교사로서 어려움을 해결할 수 있는 방안 3가지를 이야기하시오.

- 생활지도가 어렵다.
- 다음주가 학부모 상담 주간이라 긴장된다.
- 아이들의 기대에 찬 눈빛이 부담스럽다.

즉답형 2

학교 워크숍 주제인 '교사는 살아있는 교육과정'에 대한 자신의 생각을 말하고, 이와 관련하여 갖추고 싶은 교사의 자질과 그 이유를 말하시오.

2021 서울 초등

예시답안 p.206

02

구상형 1

다음 제시문을 읽고 교사에게 요구되는 역할 3가지를 말하고, 각각에 대한 구체적인 실천 방안을 말하시오.

[제시문 1] 서울시교육청(교육감 조희연)은 코로나 장기화로 인한 학교생활 적응 문제와 학생 성장의 어려움을 극복하기 위하여 특별방역집중기간이 끝나는 10월 12일(월)부터 1주간의 준비기간을 거쳐 10월 19일(월)부터 유・초・중・고 학교밀집도를 2/3로 완화하고, 학교 입문기 초1 매일 등교와 중1 등교수업을 확대한다.

[제시문 2] 등교수업에 차질이 생긴 현재, 많은 학교들이 수업을 온라인 형태로 전환하고 있다. 한 설문조사에 따르면 이러한 변화 속에서 효과적인 온라인 수업을 위한 교육과정 재구성, 평가방법 등에 대한 교사들의 부담이 증가하고 있다고 한다.

[제시문 3] 학교수업이 교사와 대면으로 진행되는 것이 아니라 원격으로 진행되다보니 아이들의 기초학력 부진, 학습 환경 부적응, 공동체 소속감 결여 등의 문제가 심각하게 발생했다. 또한 '코로나 블루(우울감)'가 아이들에게도 영향을 미치고 있다. 아동 10명 중 7명은 감염병 유행에 따른 스트레스와 불안에 시달리고 있는 것으로 나타났다.

[제시문 4] 한 교육 전문가는 "학교에서 선생님을 만나고 친구 관계를 맺고 급식을 먹는 일 등이 모두 사회성 교육"이라며 "초등학교 저학년 때 이런 교육이 제대로 이뤄지지 않으면 중・고등학교에 진학한 뒤뿐만 아니라 성장했을 때 대인관계에 문제를 겪게 될 수도 있다"고 말했다.

즉답형 1

다음 중 본인의 학생관에 가까운 문장을 고르고 그 이유를 자신의 경험과 연관지어 설명하시오.

- 너는 특별하단다.
- 너는 특별하지 않단다.

즉답형 2

서울시교육청에서는 교원학습공동체 운영을 적극적으로 권장하고 있다. 원격수업과 대면수업을 병행하는 상황에서 교원학습공동체를 활성화하기 위한 신규교사로서의 역할을 말하시오.

2020 서울 초등

예시답안 p.208

02

구상형 1

제시문에서 나타난 문제점을 3가지 찾고, 각각의 문제점을 어떻게 해결할 것인지 구체적인 해결 방안을 3가지 말하시오.

• 교사의 대화

A 교사 : 저는 3학년 담임을 하고 있어요. 요즘 학생들은 과거 학생들에 비해 수업시간에 장난도 많이 치고 집중력이 짧은 것 같아요. 수업에 경청하는 아이들이 적어 수업이 힘드네요.

B 교사 : 전 5학년을 맡고 있어요. 5학년이 되었는데도 기본적인 셈하기나 국어능력이 부족한 경우가 많아요.

C 교사 : 전 작년에는 2학년 담임을 했고 올해는 3학년 담임을 하고 있어요. 그런데 학생들이 자기중심적으로 행동해서 서로 소통하는 데 어려움을 겪네요. 함께하는 자세나 친구에 대한 배려가 부족해요.

• 학부모 대화

D 학부모 : 아이들의 기초학력이 부족한 것 같아요.

E 학부모 : 학교 수업이 어렵다고 해요. 학교 수업을 싫어하지는 않을까 걱정이에요.

즉답형 1

교사들이 행함으로써 얻는 지식인 실천적 지식은 교직에서 중요하다. 현장에서 동료교사들을 통해 배우고 싶은 실천적 지식과 그 이유는 무엇인지 말하시오.

즉답형 2

서울시교육청의 중간놀이시간이 15분에서 30분으로 확대된다. 중간놀이를 안전하고 교육적으로 운영할 수 있는 방안에 대해 말하시오.

추가질문

자신이 동료들에게 공유하고 싶은 실천적 지식과 그 이유를 말하시오.

ME
MO

PART

3

제1~15회 실전 모의고사

2025학년도 신규 교사 임용후보자 선정경쟁시험(2차)

제1회 실전 모의고사

관리번호	

서 명	

심층면접	구상시간(2문제)	15분	면접시간(5문제)	15분

예시답안 p.211

〈구상형 1〉

[가]를 참고하여 '생각을 쓰는 교실'(탐구 기반 쓰기 수업)의 교육적 효과를 말하고, [나]와 같은 설계가 가지는 장점을 말하시오. 그리고 [다]의 어려움을 겪는 학생에게 어떤 개선 방안을 안내할 것인지 각 단계별로 말하시오.

[가] 2022 개정 교육과정에서 추구하는 인간상

자기주도성	창의와 혁신	포용성과 시민성
주도성, 책임감, 적극적 태도	문제해결, 융합적 사고, 도전	배려, 소통, 협력, 공감, 공동체의식

[나] '생각을 쓰는 교실' 설계: 백워드 설계

교사 수준의 교육과정 재구성	→	평가 설계	→	수업 설계
원하는 결과 명시		판단 근거 설정		학습 경험 설계

[다] '생각을 쓰는 교실' 진행 과정에서 나타난 학생의 어려움

질문 만들기	→	탐구하기	→	쓰기
궁금한 것이 없다고 하며 질문을 만들지 못함		상식적인 수준의 이유, 단편적인 이유만을 조사함		긴 글을 쓰는 것을 어려워하며 완성도가 떨어짐

2025학년도 신규 교사 임용후보자 선정경쟁시험(2차)

제1회 실전 모의고사

관리번호		서 명	

심층면접	구상시간(2문제)	15분	면접시간(5문제)	15분

예시답안 p.211

〈구상형 2〉

[가]를 실시한다면 어떤 주제를 논제로 설정할 것인지 [나], [다]를 참고하여 구체적으로 제시하시오. 또한, 이때 자신은 [라]의 어떤 유형을 따를 것인지 이유와 함께 말하시오.

[가] 역지사지 공존형 토론수업

공존의 기반을 마련하는 새로운 토론수업 모형으로서 사회 현안을 수업의 주제로 삼음. 풍부한 자료를 바탕으로 다양한 의견을 모두 살피고, 상호 공존을 위한 대화와 합의도출과정을 경험할 수 있음

[나] 호주 국립기후복원센터 보고서

급격한 기후변화로 인해 오는 2050년에는 전 세계 대부분의 주요 도시가 생존이 불가능한 환경으로 변할 것이다. 기후 체계가 임계점에 도달하기 전에 우리의 생각과 양식을 전향적으로 뒤집을 사회적 변곡점이 필요하다.

[다] IPCC, 〈지구온난화 1.5℃ 특별보고서〉 (2018년 10월)

2015년 파리기후협약에서 국제사회는 "2100년까지 지구 평균온도가 산업화 이전보다 2℃ 이상 상승하지 않도록 하고, 1.5℃ 선을 넘지 않도록 노력한다"고 합의하였다. 그러나 현재 지구 평균온도는 이미 산업화 이전보다 약 1℃ 상승했으며, 2006~2015년(10년간) 평균온도는 1850~1900년(50년간) 평균온도보다 약 0.87℃ 상승하였다. 최근 인위적 온난화 속도가 더욱 빨라져 2030~2052년에는 산업화 이전보다 1.5℃ 이상 오를 것으로 예측된다.

[라] 논쟁성을 다루는 수업에서의 교사 역할 유형

유형	내용
배타적 중립형	교사가 학교에서 논쟁 문제를 가르치는 것 자체를 반대함
배타적 편파형	교사가 한쪽 입장만 가르치고 다른 입장에 대해서는 소홀히 다룸
중립적 공정형	교사가 자신의 견해를 밝히지 않고 다양한 관점을 제시하고, 학생이 토론을 통해 다양한 입장을 분석하고 결정하도록 함
신념을 가진 공정형	교사가 학생과 동등한 위치에서 다양한 정보를 제공하고 자신의 의견을 표현하며, 문제해결의 바람직한 방향을 제시함

– Kelly, T., 〈Discussing controversial issues : Four perspectives on teacher's role, Theory and Research in Social Education〉, 14(2), pp.113–138, 1985.

〈구상형 추가질문〉

역지사지 공존형 토론수업을 실시할 때 토론을 시작하기 전 토론에 임하는 자세로서 안내할 사항을 3가지 말하시오.

2025학년도 신규 교사 임용후보자 선정경쟁시험(2차)

제1회 실전 모의고사

관리번호	

서 명	

심층면접	구상시간(2문제)	15분	면접시간(5문제)	15분

예시답안 p.212

〈즉답형〉

[가]~[라] 사례의 교육활동 침해행위 여부를 판단하고, 그 까닭을 말하시오.

[가] 직장 내 동료 교사들이 한 명의 교사를 지속적으로 괴롭히는 경우
[나] 교육활동 중인 교사를 때릴 목적으로 학생이 주먹을 휘둘렀으나 교사가 피한 경우
[다] 학생이 창 밖에 쓰레기를 던졌는데, 우연히 창 밖 근처에서 교육활동 중인 교원이 맞은 경우
[라] 학생이 교사의 지도에 기분이 나쁘다는 이유로 하교 후에 다시 학교로 돌아와 아무도 없는 학교에서 학교 유리창을 깨트리고 소화기를 분무하여 복도를 엉망으로 만든 경우

〈즉답형 추가질문〉

교권과 학생 인권이 모두 높아지기 위하여 학교 공동체에 가장 필요하다고 생각하는 덕목을 이유와 함께 말하고, 해당 덕목을 함양하기 위해 본인이 노력한 경험을 말하시오.

2025학년도 신규 교사 임용후보자 선정경쟁시험(2차)

제2회 실전 모의고사

관리번호	

서 명	

심층면접	구상시간(2문제)	15분	면접시간(5문제)	15분

예시답안 p.213

〈구상형 1〉

학교폭력 예방을 위해 주변인의 역할이 매우 중요하다. 빈칸 ⓐ, ⓑ에 들어갈 단어를 [나]를 참고하여 [가]에서 찾아 고르고 그 이유를 이야기하시오. 또한 [다]를 토대로 한 학교폭력 예방교육의 내용을 이야기하시오.

[가]

- 주변인(Bystander): 괴롭힘 사건에 참여하지 않고 있었던 사람으로, 괴롭힘 행동을 목격한 사람 모두
- 학교폭력 주변인 유형

동조자	가해자를 돕고 지지함
강화자	가해자의 괴롭힘을 부추기고 편을 듦
방관자	괴롭힘을 목격하였지만 어느 편을 들지 않고 못 본 척하며 괴롭힘 상황에 대해 아무런 반응을 보이지 않음
방어자	피해자를 위로하거나 다양한 도움행동을 통해 학교폭력을 말리려고 노력함

[나]

학교폭력 피해 경험 학생 A: 피해를 당한 순간에 저를 도와주지 않고 쳐다보던 친구들의 눈빛도 계속 기억에 남아요. 저와 같은 경험을 한 친구들과 함께 집단상담을 했었는데, 피해를 당할 뻔한 순간에 친구들이 장난삼아 "멈춰, 멈춰, 멈춰"라고 이야기해준 것만으로도 도움이 되었다고 했어요.

[다]

학교폭력 예방을 위해서는 (　　ⓐ　　)를 (　　ⓑ　　)로 바꾸는 것이 효과적이다.

2025학년도 신규 교사 임용후보자 선정경쟁시험(2차)

제2회 실전 모의고사

관리번호			서 명	

심층면접	구상시간(2문제)	15분	면접시간(5문제)	15분

예시답안 p.213

〈구상형 2〉

[나]에 나타난 A 학교 교육복지사업의 문제점을 보완할 수 있는 학교평등예산운용 계획을 [가]를 참고하여 3가지 이야기하시오.

[가]

1. 학교평등예산: 교육복지대상학생 수와 비례하여 학교운영비를 지원해 학생·학교 간 교육 격차를 줄이고 서울교육의 균형적인 발전을 도모하기 위한 사업
2. 운영 대상: 교육복지대상학생뿐만 아니라 교육복지 사각지대 학생, 낙인감 방지를 위해 일반학생까지 포함하여 교육 프로그램 운영 가능
3. 예산 사용 범위
   - 각종 교육 프로그램 운영 및 복리후생
   - 프로그램 운영 부대경비
   - 학생교육과 직접 관련된 시설의 환경 개선
   - 교육용 기자재 구입

[나] A 학교 학교평가 결과(교직원, 학부모 대상)

Q. 우리학교의 교육복지사업은 어떤가요? 교육복지 관련 예산이 어떤 방향으로 사용되는 것이 교육취약계층의 교육기회 확대에 도움이 될까요?

A.
- 교육취약계층의 심리·정서 문제가 심각함. 특히 사회성 문제가 걱정되어 관련 지원이 필요함
- 방학 때 교육취약계층에 학습 공백이 있음. 이와 관련한 지원이 필요함
- 교육취약계층만을 대상으로 하여 낙인이 찍히지는 않을까 걱정됨
- 내년에는 물품 배부를 하지 않았으면 함. 일괄적인 물품 배부는 학생들의 복지와 관련이 없음
- 교육복지 관련 내용을 교사가 잘 알지 못하여 관련 홍보 필요
- 교육취약계층이 방과후에 떠돌아다니는 경우가 있어 보호가 필요함

〈구상형 추가질문〉

지역 연계 교육복지의 효과를 한 가지 이야기하고 그 구체적인 방안을 세 가지 이야기하시오.

2025학년도 신규 교사 임용후보자 선정경쟁시험(2차)

제2회 실전 모의고사

관리번호	

서 명	

심층면접	구상시간(2문제)	15분	면접시간(5문제)	15분

예시답안 p.214

〈즉답형〉

제시된 두 가지 마음가짐과 관련된 자신의 경험을 이야기하고 고정 마음가짐을 가진 학생을 위한 지원 방안을 2가지 이야기하시오.

성장 마음가짐(Growth Mindset)	고정 마음가짐(Fixed Mindset)
• 난 더 많이 배우고 싶어. • 능력은 변화하고 발전해. • 좀 어렵더라도 도전해봐야지. • 타인의 비판에서도 배울 부분이 있어.	• 능력은 타고나는 거야. • 도전 싫어. 쉬운 것만 할래. • 나에 대한 비판을 참을 수 없어. • 난 다른 사람들에게 똑똑하게 보여야 해.

— Dweck, 2006.

〈즉답형 추가질문〉

학생들의 학교부적응 예방은 학생의 성장에 있어서 중요하다. 학교부적응을 조기에 발견하기 위한 방안을 이야기하시오.

2025학년도 신규 교사 임용후보자 선정경쟁시험(2차)

제3회 실전 모의고사

관리번호		서 명	

심층면접	구상시간(2문제)	15분	면접시간(5문제)	15분

예시답안 p.215

〈구상형 1〉

다음은 신규교사인 김 교사가 학생들을 지도하는 상황을 나타낸 글이다. 김 교사의 지도 방식에서 문제점을 두 가지 찾고, 자신이 김 교사라면 어떻게 개선할 것인지 이야기하시오. 그리고 학생 생활교육 시 가장 중요한 것은 무엇이라 생각하는지 본인의 의견을 제시하시오.

> 2025년 3월 1일에 발령받은 김 교사는 신규교사로서 학생들을 완벽한 전인적 존재로 성장시키고자 하는 열의가 가득하다. 학생들은 미성숙하고 불완전한 존재이기 때문에 교사인 자신이 바른 생활 습관을 길러주는 것이 중요하다고 생각한다.
>
> 따라서 김 교사는 학기 초에 학급 회의를 통해 학급 마이너스 통장 프로그램을 만들었다. 학생들이 욕설 또는 폭력을 사용하거나, 친구들 간 갈등 상황을 만들거나 수업에 불성실한 태도를 보이는 등의 문제를 일으킬 때마다 점수를 감점하고, 감점된 점수가 일정 기준을 넘어서면 해당 학생이 일주일 동안 교실 청소를 담당해야 한다. 그리고 이 상황이 세 번 반복되면 학부모 상담을 실시한다. 김 교사는 이 프로그램이 잘 운영될 수 있도록 감시자 학생 한 명을 선정하여 다른 학생들이 문제 행동을 일으킬 때마다 교사에게 보고하도록 하였다.

2025학년도 신규 교사 임용후보자 선정경쟁시험(2차)

제3회 실전 모의고사

관리번호			서 명	

심층면접	구상시간(2문제)	15분	면접시간(5문제)	15분

예시답안 p.215

〈구상형 2〉

[가]를 토대로 인공지능 기반 교육의 필요성을 미래 교육 측면에서 설명하시오. [나]의 학생의 질문에 대해 교사로서 답변할 내용을 이야기하고, [다]에서 학부모가 걱정하는 상황을 예방할 수 있는 방법 1가지를 제시하시오.

[가]

"오늘날 학생들은 매우 급진적인 변화를 일으켜서 더 이상 우리 교육 시스템이 가르치기는 어렵다."

– 마크 프렌스키

[나]

학생: 생성형 인공지능 서비스에 질문하면 답을 다 알려주는데 왜 힘들게 학교를 다니고 공부를 해야 하는지 모르겠어요. 그냥 인공지능한테 물어보면 되는 거 아닌가요?

[다]

학부모: 인공지능 기반 교육을 하면 원격 매체를 더 많이 사용할 것 같은데, 이 과정에서 아이들이 유해한 내용을 접하게 되지 않을까 걱정돼요.

〈구상형 추가질문〉

인공지능 기반 교육을 실시할 때 교사로서 갖추고 싶은 역량 1가지와 그 이유를 설명하시오. 그리고 그 역량을 함양했을 때의 교육적 효과를 1가지 설명하시오.

2025학년도 신규 교사 임용후보자 선정경쟁시험(2차)

제3회 실전 모의고사

관리번호	

서 명	

심층면접	구상시간(2문제)	15분	면접시간(5문제)	15분

예시답안 p.216

〈즉답형〉

다음의 학급을 맡게 되었을 때 교사로서 어떤 교육 활동을 할 것인지 이유와 함께 이야기하시오.

학급 특징
- 남학생 12명, 여학생 12명
- 비만 판정을 받은 학생 2명
- 학교 부적응을 보이는 학생 1명

〈즉답형 추가질문〉

체육교육이 필요한 이유를 자신의 경험과 관련지어 설명하고, 체육 활동을 기피하는 학생들을 참여시킬 수 있는 방안을 1가지 제시하시오.

2025학년도 신규 교사 임용후보자 선정경쟁시험(2차)

제4회 실전 모의고사

관리번호			서 명	

심층면접	구상시간(2문제)	15분	면접시간(5문제)	15분

예시답안 p.218

〈구상형 1〉

[가]를 바탕으로 학교 안전교육의 필요성을 말하고, [나]를 참고하여 본인이 학교에서 실시할 안전교육의 주제와 내용을 구체적으로 말하시오.

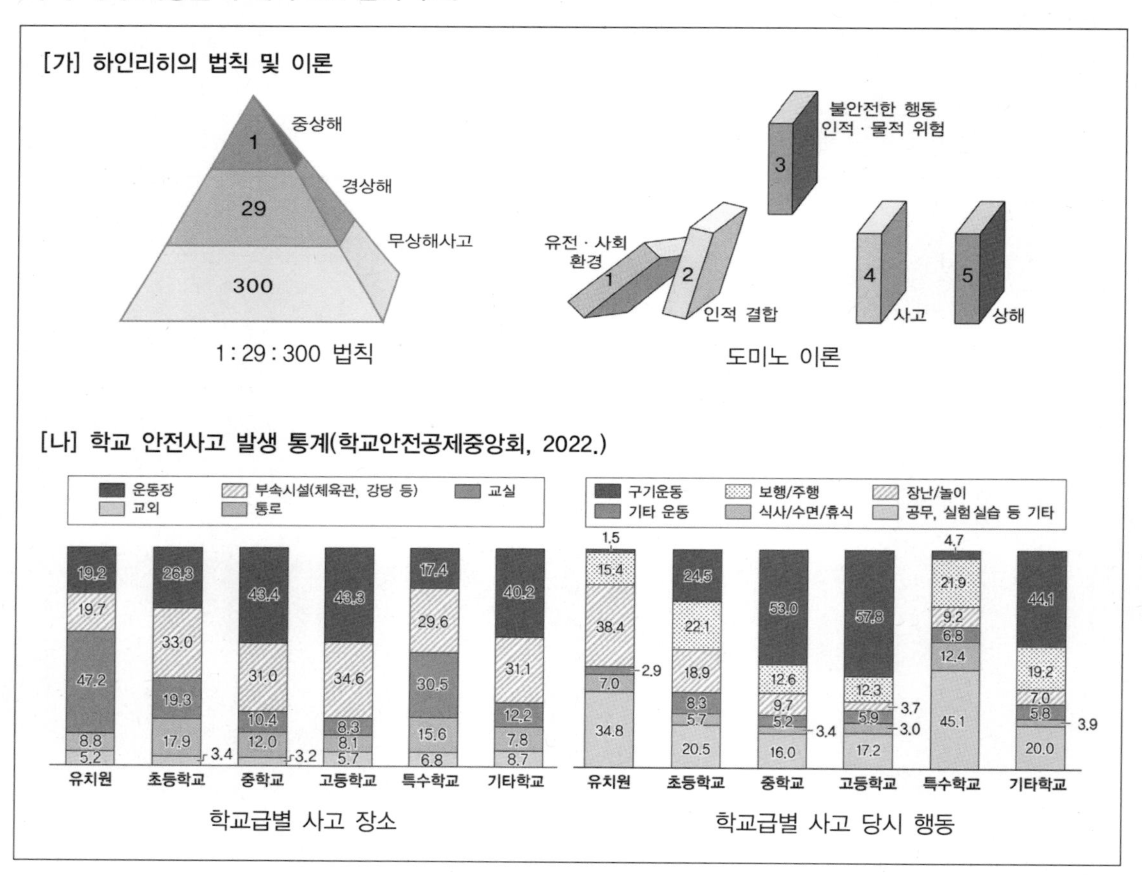

제4회 실전 모의고사

관리번호			서 명	

심층면접	구상시간(2문제)	15분	면접시간(5문제)	15분

예시답안 p.218

〈구상형 2〉

[가]를 참고하여 인공지능(AI) 교육의 필요성을 말하고, [나]의 AI를 활용한 학생 지원 방안을 각각 말하시오. 그리고 [다]를 토대로 교사의 역할이 어떻게 변화해야 할지 말하시오.

[가] 2022 개정 교육과정이 추구하는 기초 소양

- 언어 소양: 언어를 중심으로 다양한 기호・양식・매체 등을 활용한 텍스트를 대상・목적・맥락에 맞게 이해하고, 생산・공유・사용하여 문제를 해결하고 공동체 구성원과 소통・참여하는 능력
- 수리 소양: 다양한 상황에서 수리적 정보와 표현 및 사고 방법을 이해・해석・사용하여 문제해결・추론・의사소통하는 능력
- 디지털 소양: 디지털 지식과 기술에 대한 윤리의식을 바탕으로 정보를 수집・분석하고 비판적으로 이해・평가하여 새로운 정보와 지식을 생산・활용하는 능력

[나] AI를 활용한 학생 지원 방안

학생 유형	지원 방안	학생 유형	지원 방안
기초학력부진학생		특수교육대상학생	
다문화 및 탈북학생		위기학생	

[다]

AI는 인간의 인지 노동을 자동화하면서 서서히 인간을 대체할 것이다. 하지만 여기서 우리가 생각해야 할 것은 어떤 직업에서의 업무는 수십, 수백 가지의 서로 다른 인지적・육체적 노동이 혼합되어 있다는 것이다. 그 수많은 단위 작업들 중에서 일부 단순 반복적인 작업은 AI 소프트웨어가 보조하게 될 것이다. 우리는 그 도움을 받아 더 창의적이고 가치 있는 작업에 몰두할 수 있을 것이다.

〈구상형 추가질문〉

최근 생성형 AI가 빠르게 발전하고 있다. 생성형 AI를 활용한 자신의 교과 수업 방안을 1가지 구체적으로 말하고, 생성형 AI를 수업에 활용할 때 유의할 점 2가지를 말하시오.

2025학년도 신규 교사 임용후보자 선정경쟁시험(2차)

제4회 실전 모의고사

관리번호			서 명	

심층면접	구상시간(2문제)	15분	면접시간(5문제)	15분

예시답안 p.220

〈즉답형〉

A 교사와 B 교사 중 자신이 지지하는 입장과 그 이유를 제시하시오.

- A 교사: 학생들이 학급회의에서 다수결에 따라 지각을 하면 500원, 학급 규칙을 위반하면 1000원 등 벌금제도를 만들기로 했어요.
- B 교사: 학급회의를 통해 학생들이 정한 것일지라도 벌금제도를 실시하는 것은 교육적으로 좋지 않다고 생각해요.

〈즉답형 추가질문〉

학급회의에 전혀 참여하지 않으며 결정된 사항을 그대로 수긍하고 따르는 학생을 교육적으로 지도해야 하는 이유를 말하고, 교사의 지도 방안을 구체적으로 제시하시오.

2025학년도 신규 교사 임용후보자 선정경쟁시험(2차)

제5회 실전 모의고사

관리번호			서 명	

심층면접	구상시간(2문제)	15분	면접시간(5문제)	15분

예시답안 p.221

〈구상형 1〉

ⓐ를 기르는 교육을 하기 위해 교사의 태도는 어떠해야 하는지 이야기하고, ⓑ를 개발할 수 있도록 하는 수업 주제와 구체적 활동 내용 3가지를 이야기하시오.

[가] 2018년 OECD는 모든 학습자가 전인적 인간으로 성장하고 각자의 잠재력을 최대한 발휘하며 개인과 공동체, 지구의 안녕(Well-being)에 기초한 공동의 미래를 만들어내기 위해 노력할 수 있도록 하는 것이 교육의 역할이라고 밝혔습니다. 이를 위해 학생의 ⓐ 행위 주체성을 강조하고 ⓑ 변혁적 역량을 개발하여 청소년들이 새로운 가치를 창조하며 난관을 극복하는 책임감 있는 삶의 주체가 될 수 있도록 도와야 함을 이야기했습니다.

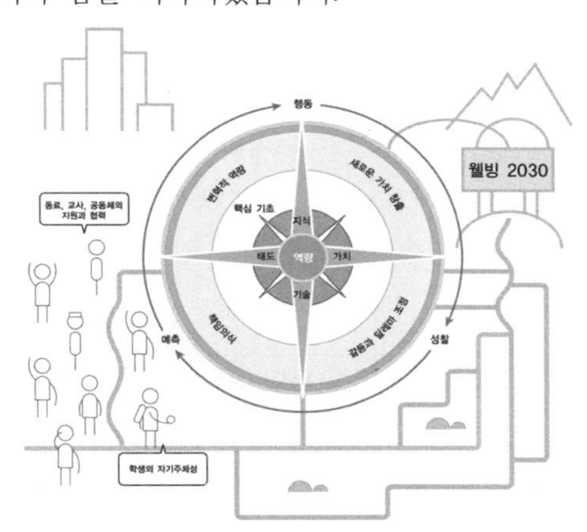

[나]

ⓐ 행위 주체성(Student Agency) : 세계에 참여하고 이를 통해 자신이 보다 나은 세계를 위하여 사람들과 사건, 상황에 영향을 미치고 있다는 책임감을 스스로 의식하는 것. 학생의 행위 주체성은 동료, 교사, 공동체의 지원과 협력이라는 협력적 행위 주체성(Co-Agency)을 바탕으로 함

ⓑ 변혁적 역량 : 학생들이 다양한 분야에서 사회를 변혁하고 더 나은 미래의 삶을 만들어가는 데 요구되는 역량으로, 새로운 가치 창조하기, 갈등과 딜레마 조정하기, 책임감 가지기 등의 하위 요소를 포함함

2025학년도 신규 교사 임용후보자 선정경쟁시험(2차)

제5회 실전 모의고사

관리번호			서 명	

심층면접	구상시간(2문제)	15분	면접시간(5문제)	15분

예시답안 p.222

〈구상형 2〉

[가]를 읽고 교사로서 A와 B 학생에게 개입할 수 있는 방안 각각 한 가지를 이야기하고, 이러한 사이버 폭력이 일어나지 않도록 하는 학급 차원의 예방 프로그램을 [나]를 토대로 제시하시오.

[가]

- 학교폭력 발생 상황: 같은 학급 학생 A와 B에게서 학교폭력 사안이 발생하였다. A가 B에 대한 욕설을 SNS에 지속적으로 올렸고, 이에 B 학생과 B 학생의 학부모는 A 학생을 학교폭력으로 신고하고자 한다.

> A: 그냥 B가 미웠고 다른 애들도 B를 미워하기를 바라서 SNS에 올렸어요.
> B: SNS에 올라간 내용들이 지워지지 않고 계속 남아 있을까봐 걱정되어요.

- 조치 후 학급 상황: 학교장 자체해결제로 사건은 종결되었지만 학급 분위기가 어수선하다. A가 B에게 서면 사과를 하였지만 B는 진실된 사과가 아니라고 생각한다. 주변 학생들이 A와 B 편을 들면서 학급은 두 집단으로 나눠지며 학급 결속력이 약화되고 있다.

[나]

학급 사이버 폭력 예방 프로그램 계획	
주제	
목적	학급 프로그램을 통해 사이버 폭력에 대해 이해하고 학급 내 사이버 폭력을 예방하기 위함
필요성	
구체적 활동 내용	① ②
함양 역량	

〈구상형 추가질문〉

〈구상형 2〉 문제의 [가] 사건 조치 후 학급 상황에서 교사로서의 대처 방안을 2가지 이야기하시오.

2025학년도 신규 교사 임용후보자 선정경쟁시험(2차)

제5회 실전 모의고사

관리번호	

서 명	

심층면접	구상시간(2문제)	15분	면접시간(5문제)	15분

예시답안 p.223

〈즉답형〉

[가], [나] 중 자신의 학교관과 유사한 문장을 고르고 그 이유를 설명하시오. 또한 이를 서울시교육청에서 실시하는 교육과 연결지어 이야기하시오.

> [가] 미꾸라지가 물을 흐려야 연못 생태계가 풍성해진다.
> [나] 미꾸라지 한 마리가 온 웅덩이를 흐린다.

〈즉답형 추가질문〉

선택한 [가], [나]의 교육을 실시할 때 필요한 교사의 자세를 이야기하시오.

2025학년도 신규 교사 임용후보자 선정경쟁시험(2차)

제6회 실전 모의고사

관리번호			서 명	

심층면접	구상시간(2문제)	15분	면접시간(5문제)	15분

예시답안 p.224

〈구상형 1〉

다음을 읽고 제시문에 나타난 문제점을 공통적으로 해결할 수 있는 교육이 무엇인지 이유와 함께 이야기하시오. 그리고 그 교육을 활성화하기 위한 방안을 담임교사 측면, 교과교사 측면에서 각각 2가지씩 제시하시오.

- 학생 A: 선생님께서 수업 자료를 읽어보라 하셨는데 장문이라 읽기 힘들었어요. 그냥 선생님께서 간단하게 요약해주셨으면 좋겠어요.
- 학생 B: 미디어에서 자주 사용되는 유행어를 맞춤법이 틀린지도 모른 채 쓰고 있었어요. 나중에 올바른 맞춤법을 알게 되어 당황했어요.
- 교사 C: 특정 상황과 맥락의 주제를 파악하지 못하는 학생들이 많아지고 있어요.
- 교사 D: 학생들이 미디어 매체를 접하면서 인문학적 소양을 함양하기 어려워지는 것 같아요.

2025학년도 신규 교사 임용후보자 선정경쟁시험(2차)

제6회 실전 모의고사

관리번호			서 명	

심층면접	구상시간(2문제)	15분	면접시간(5문제)	15분

예시답안 p.224

〈구상형 2〉

다음은 ○○학교 학생들의 특징을 나타낸 것이다. 교사로서 학생들의 어려움을 해결할 수 있는 방안을 각각 1가지씩 이야기하시오. 그리고 세 학생의 학교 적응력을 높일 수 있는 학급 차원의 프로그램을 1가지 제시하시오.

- 학생 A : 학부모와의 갈등이 잦아 가출을 자주 하며, 학교도 자주 결석함. 팔에 멍이 가득한 것을 발견했는데 정황상 아동학대가 의심됨
- 학생 B : 가정 형편이 어려워 밤늦게까지 아르바이트를 하느라 학교에서는 대부분의 수업시간에 졸고 있음. 기초학력 지원 대상으로 선정됨
- 학생 C : 학급에서 친한 친구를 아직 사귀지 못함

〈구상형 추가질문〉

신규교사로 발령을 받은 후 학급에 교육복지 대상 학생이 있는 것을 알게 되었다. 이 학생들과 함께 하고 싶은 교육 활동을 이야기하시오.

2025학년도 신규 교사 임용후보자 선정경쟁시험(2차)

제6회 실전 모의고사

관리번호	

서 명	

심층면접	구상시간(2문제)	15분	면접시간(5문제)	15분

예시답안 p.225

〈즉답형〉

서울시교육청에서는 학생들의 예술 경험을 위해 다양한 예술교육을 지원하고 있다. 다음 중 실시하고 싶은 예술교육 1가지를 고르고, 해당 교육 시 유의할 점을 1가지 이야기하시오.

초등예술하나, 협력종합예술활동, 학생예술동아리

〈즉답형 추가질문〉

학생들 간 예술 경험의 격차가 있을 때 이를 해소하기 위해 교사로서 무엇을 할 것인지 이야기하시오.

2025학년도 신규 교사 임용후보자 선정경쟁시험(2차)

제7회 실전 모의고사

관리번호			서 명	

심층면접	구상시간(2문제)	15분	면접시간(5문제)	15분

예시답안 p.226

〈구상형 1〉

[가], [나]의 통계자료를 보았을 때 학생들에게 필요한 교육과 그 이유를 말하고, 본인이 해당 교육을 실시한다면 다룰 구체적인 주제와 내용을 말하시오. 그리고 [다]를 바탕으로 교사로서 지녀야 할 자세를 말하시오.

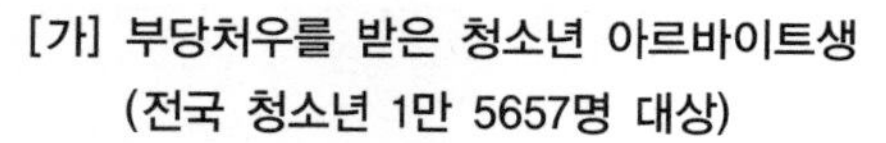
[가] 부당처우를 받은 청소년 아르바이트생
(전국 청소년 1만 5657명 대상)

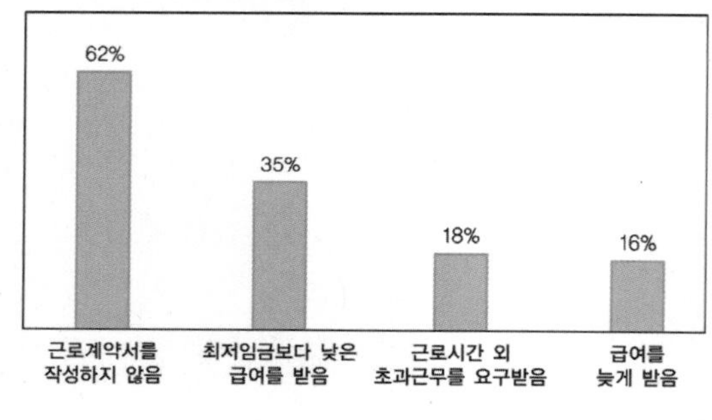

[나] 노동인권 침해 시 청소년의 대처

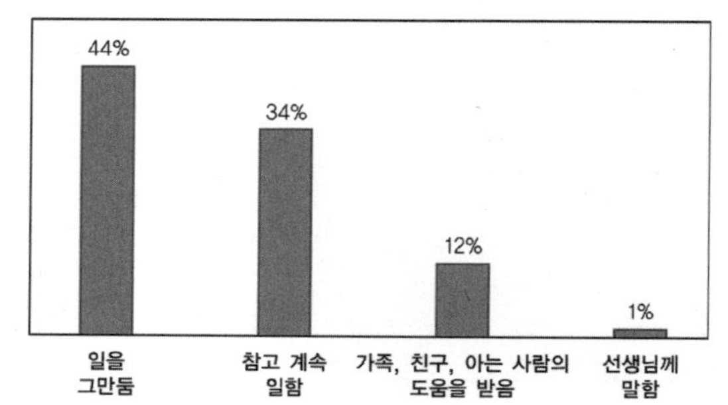

[다] 노동인권 관련 인터뷰 내용

- 고등학교 교원 A: 기존에는 노동인권이 학교에서는 터부시되었는데 지금은 그 정도는 아닙니다. 다만, 저도 처음에는 노동이라는 단어를 들으면 불온하고 정치색이 있으며, 반사회적인 이미지가 떠올랐습니다.
- 중학교 교원 B: 대부분의 교원이 안정적인 환경에서 안정적으로 대학을 나오고 직업을 가지면서 스스로 노동자라고 인식하지 못하는 것 같고, 노동자는 힘든 일을 하는 사람으로만 이해하고 있습니다.
- 초등학교 교원 C: 초등학교에서는 아직은 바로 닥친 상황이라고 생각하지 않습니다.

2025학년도 신규 교사 임용후보자 선정경쟁시험(2차)

제7회 실전 모의고사

관리번호		서 명	

심층면접	구상시간(2문제)	15분	면접시간(5문제)	15분

예시답안 p.226

〈구상형 2〉

[가]를 토대로 [나], [다]를 읽고 [나]의 학생 B, C에게 필요한 자질 및 담임교사로서의 교육 방안을 각각 말하시오. 또한 [다]와 관련하여 자신의 교과에서 실천할 수 있는 민주시민교육 방안을 구체적으로 제시하시오.

[가] 학교민주시민교육 관련 법령

- 「교육기본법」 제2조(교육이념)
  교육은 홍익인간(弘益人間)의 이념 아래 모든 국민으로 하여금 인격을 도야(陶冶)하고 자주적 생활능력과 민주시민으로서 필요한 자질을 갖추게 함으로써 인간다운 삶을 영위하게 하고… (생략)
- 서울시교육청 학교민주시민교육 진흥조례 제3조(책무)
  ④ 교사는 학생들로 하여금 성숙한 비판 능력과 자립적인 견해를 가질 수 있도록 학교민주시민교육의 기본원칙을 최대한 보장하여야 한다.
- 서울특별시교육청 학생자치활동지원 조례 제3조(책무)
  ③ 학교의 설립자·경영자, 학교의 장과 교직원은 학생들의 자치활동 참여를 최대한 보장하여야 한다.

[나] A 교사의 학급회의 사례

A 교사는 학급 학생들이 격주마다 학급회의를 통해 학급의 주요 의제에 대하여 의견을 나누도록 하고, 회의 결과를 학급 운영에 반영하고 있다. 몇 달간 학급회의를 관찰한 결과 두 학생이 눈에 띄었다.

학생 B	• 학급회의 시간에 잠을 자거나 책을 읽는 등 전혀 참여하지 않음 • 학급회의로 결정된 모든 사안에 대하여 인정하고 잘 따름
학생 C	• 학급회의 안건에 대하여 자신의 의견을 적극적으로 잘 표현함 • 자신과 다른 의견을 무시하거나 비난하기도 함

[다] 서울시교육청의 학교민주시민교육

서울시교육청에서는 민주시민교육 실천교원 네트워크 구성, 실천 팀별 공개 수업 및 나눔회 운영, 학교 간 교원학습공동체 연계 운영, 실천 사례집 발간 등을 통해 모든 교과에서 민주시민교육을 실천할 수 있도록 장려하고 있다.

〈구상형 추가질문〉

학기 중의 학생자치 활성화를 위하여 신학년 준비기간에 실시할 수 있는 방안을 구체적으로 제시하시오.

2025학년도 신규 교사 임용후보자 선정경쟁시험(2차)

제7회 실전 모의고사

관리번호	

서 명	

심층면접	구상시간(2문제)	15분	면접시간(5문제)	15분

예시답안 p.227

〈즉답형〉

A 교사와 B 교사 중 자신에게 가까운 입장을 선택하여 그 이유를 말하시오.

- A 교사: 수행평가의 비중을 확대하여 수행평가 100%로 하고, 지필평가는 치르지 않았으면 좋겠어요.
- B 교사: 평가에서 수행평가는 최소한으로 실시하고, 지필평가를 위주로 실시하고 싶어요.

〈즉답형 추가질문〉

교사로서 학생평가역량을 강화하기 위하여 어떤 노력을 할 것인지 3가지 말하시오.

2025학년도 신규 교사 임용후보자 선정경쟁시험(2차)

제8회 실전 모의고사

관리번호			서 명	

심층면접	구상시간(2문제)	15분	면접시간(5문제)	15분

예시답안 p.228

〈구상형 1〉

다음 A 교사의 수첩을 읽고 B 학생에게 필요한 지원 방안을 [가]에 근거하여 3가지 이야기하시오.

[가] 학생맞춤통합지원

교육공동체의 협력적 소통을 통해 도움이 필요한 학생을 조기에 발굴하고 개입, 지역사회와 연계시키는 등 학생 개개인의 상황에 따른 맞춤형통합지원을 제공함으로써 교육 사각지대를 해소하고 학생의 전인적 성장을 도모함

[나] A 교사 상담일지

내담자	1학년 △반 ☆번　이름 : B	담당 교사	A
상담 일자	상담 내용		
3월 28일 14:20~14:30	국어, 수학 진단평가 결과 기초학력 미달로 나왔음을 안내. 원래 공부에 관심도 없고 공부를 해야 하는 이유도 모르겠다고 함. 해도 해도 늘지 않아 학습을 포기하게 되었음. 그래도 최근 국어시간에 연극수업을 진행하면서 시나리오를 작성하고 외우는 것에 흥미를 느낌. 방과후 학교에 연극 강좌가 있는데 수강하고 싶지만 가능할지 모르겠다고 함		
4월 30일 8:50~9:00	현장체험학습 신청서를 내지 않아 상담. 엄마가 돈이 없어 현장체험학습비를 주지 못했다 함 → 학부모 상담 필요		
4월 30일 16:00~16:20	학부모 상담 결과 최근 경제사정이 안 좋아져 현장체험학습비를 내지 못 할 것 같다고 함. 아이에게 부족함 없이 지원해주고 싶지만 그러지 못한 현실에 속상함 토로		
5월 3일 12:20~12:40	점심시간 급식을 먹지 않고 학급에 엎드려 있는 모습 확인. 최근 들어 수업시간에도 엎드리거나 멍 때리는 등 무기력한 모습이 지속적으로 확인되어 상담 진행. "요즘 부모님도 자꾸 싸우고, 학교도 재미없고 사는 이유가 없다. 이렇게 살 바에는 죽는 게 나을 것 같다"라고 이야기함		

2025학년도 신규 교사 임용후보자 선정경쟁시험(2차)

제8회 실전 모의고사

관리번호			서 명	

심층면접	구상시간(2문제)	15분	면접시간(5문제)	15분

예시답안 p.228

〈구상형 2〉

[가]를 바탕으로 [나]를 읽고 [나]의 학생 B에게 교사로서 해줄 수 있는 말을 시연하시오. 또한 학생들의 성인지 감수성을 높이기 위한 방안을 3가지 이야기하시오.

[가]

- 공정한 세상 가설: 이 세상은 공정하고 나쁜만 아니라 우리는 이 세상으로부터 공정한 대우를 받고 있다는 믿음
- 공정한 세상 가설을 믿는 사람은 그렇지 않은 사람에 비해서 차별을 인정하지 않을 가능성이 높음

[나]

상황: 수업시간에 교사가 요즘은 남자들도 집안일을 도와줘야 한다고 말했다. 학생 A가 "선생님, 집안일을 도와주는 것이 아니라 같이 하는 것 아니에요?"라고 의문을 제기했고 교사는 생각해보니 그렇다며 미안하다고 하고 정정하였다. 그러자 학생 B는 "재는 저렇게 불편해서 세상을 어떻게 살아가냐. 지금이 조선시대도 아니고 충분히 남녀가 평등하게 잘 살아가고 있는데. 저런 발언들이 남녀갈등을 조장하는 거야. 선생님 말 틀린 것 하나 없어요~ 왜 저런 발언에 사과하세요?"라고 말하였다.

〈구상형 추가질문〉

학생이 조심스럽게 와서 자기가 성폭력을 당한 것 같다고 이야기한다. 이에 대한 교사의 대처를 이야기하시오.

2025학년도 신규 교사 임용후보자 선정경쟁시험(2차)

제8회 실전 모의고사

관리번호		서 명	

심층면접	구상시간(2문제)	15분	면접시간(5문제)	15분

예시답안 p.229

〈즉답형〉

또래상담 행사로 고민 대나무숲을 만들었다. 아래 고민들을 해결하기 위한 교사의 지원 방안을 각각 이야기하시오.

> **〈고민 대나무숲 - 누구에게도 말하지 못할 당신의 고민을 공유해보세요〉**
> 학생 1 : 우리반 친구가 싫어요. 그냥 한 공간에 같이 있는 것조차 싫은데, 어떻게 하죠?
> 학생 2 : 휴대폰 중독 어떻게 해결하나요? 공부에 집중도 안 되고, 밤늦게까지 시간 가는 줄 모르게 휴대폰을 사용해요. 잠도 잘 못 자다 보니 다음날 지장이 있는데도 고쳐지지가 않아요.

〈즉답형 추가질문〉

정서적 어려움을 가지고 있지만, 문제가 없다며 교사와의 상담을 거부하는 학생이 있다면 어떻게 할 것인지 말하시오.

2025학년도 신규 교사 임용후보자 선정경쟁시험(2차)

제9회 실전 모의고사

관리번호		서 명	

심층면접	구상시간(2문제)	15분	면접시간(5문제)	15분

예시답안 p.230

〈구상형 1〉

다음 상황에 대하여 본인이 김 교사라면 어떻게 대처할 것인지 이야기하시오.

[가]	한 학생이 쉬는 시간에 김 교사 몰래 학교 밖으로 외출하였다. 김 교사는 뒤늦게 이 상황을 다른 학생에게 전달받았다.
[나]	협력종합예술활동에서 학생들이 의견을 주고받던 중 언성이 높아지는 것을 듣고 김 교사가 무슨 일인지 물어보니 작가 역할을 맡은 두 학생이 대본을 작성하는 과정에서 서로 원하는 스토리라인이 다르다며 대치하고 있다.
[다]	학교 수업의 의미를 느끼지 못하고 수업 듣는 것을 매우 괴로워하며 미인정 결석을 자주 하는 학생이 있어 김 교사는 상담을 몇 차례 해보았지만 여전히 학교에 잘 오지 않는다. 학생은 앞으로 학교에 오지 않겠다며 학업 중단 의사도 보였다.

2025학년도 신규 교사 임용후보자 선정경쟁시험(2차)

제9회 실전 모의고사

관리번호		서 명	

심층면접	구상시간(2문제)	15분	면접시간(5문제)	15분

예시답안 p.230

〈구상형 2〉

다음은 생성형 AI를 활용한 수업 사례를 나타낸 것이다. 사례를 참고하여 생성형 AI 활용 수업이 불러올 수 있는 이점과 부작용을 이야기하시오. 그리고 본인의 전공과 연계하여 실시할 수 있는 생성형 AI 수업 활동을 이야기하시오.

[사례 1] 음악시간에 코드를 학습한 후 AI를 이용해 오늘 날씨를 노래로 표현해보는 한 마디 작곡 활동을 하였다. 학생들은 AI를 이용해 결과물이 빨리 나오는 것을 보고 만족해했다.

[사례 2] 사회 공동체에 대해 학습하는 시간에서 AI를 이용해 공동체 속 사람들의 입장에 대해 조사해보는 활동을 한 후 여러 입장에 대해 이해하는 시간을 가졌다. 하지만 학생들은 AI의 답변에서 나온 인종차별적인 내용을 비판적으로 바라보지 못하고 AI의 답변을 그대로 발표하였다.

〈구상형 추가질문〉

인공지능 시대를 살고 있는 학생들에게 학교만이 길러줄 수 있는 미래 역량에는 무엇이 있는지 2가지 이야기하시오.

2025학년도 신규 교사 임용후보자 선정경쟁시험(2차)

제9회 실전 모의고사

관리번호	

서 명	

심층면접	구상시간(2문제)	15분	면접시간(5문제)	15분

예시답안 p.231

〈즉답형〉

자신의 전공과 다른 교과목을 연계하여 생태전환교육 수업 방안을 계획하고, 수업 주제와 기대효과를 함께 이야기하시오.

〈즉답형 추가질문〉

생태전환 학교문화 조성을 위해 교사로서 어떤 활동을 하고 싶은지 2가지 이야기하시오.

2025학년도 신규 교사 임용후보자 선정경쟁시험(2차)

제10회 실전 모의고사

관리번호			서 명	

심층면접	구상시간(2문제)	15분	면접시간(5문제)	15분

예시답안 p.232

〈구상형 1〉

[가]~[다] 사례를 읽고 공통적으로 나타나는 문제점과 학교에서 취해야 할 조치를 말하시오. 그리고 사례별 각 교사의 즉각적인 대응 방안을 제시하시오.

[가]
김 교사는 얼마 전 수업 중에 몰래 스마트폰을 사용하는 학생을 발견하여 스마트폰을 가방에 넣도록 타일렀다. 그러자 해당 학생은 “왜 본인만 지적하냐”며 책상 위에 있던 교과서를 김 교사를 향해 던지며 위협하였다.

[나]
이 교사는 한 학급 학생이 다른 학생을 괴롭힌다는 신고를 받고 해당 학생을 불러 상담을 진행하였다. 그날 밤, 해당 학생은 자신의 SNS에 이 교사에 대한 욕설과 모욕이 담긴 게시물을 전체 공개로 작성하여 퍼뜨렸다.

[다]
박 교사는 수업을 진행하며 모둠별 순회 지도를 하던 중 한 학생이 교사의 특정 신체 부위를 몰래 촬영하고 있는 것을 발견하였다.

2025학년도 신규 교사 임용후보자 선정경쟁시험(2차)

제10회 실전 모의고사

관리번호		서 명	

심층면접	구상시간(2문제)	15분	면접시간(5문제)	15분

예시답안 p.232

〈구상형 2〉

[가]의 두 질문에 대하여 어떻게 답변할 것인지 말하고, [나]에 나타난 운영 방식의 문제점과 개선 방향을 각각 2가지씩 말하시오. 그리고 자유학기제 내실화를 위하여 교사에게 필요한 역량과 그 이유를 말하시오.

[가] ○○중학교 신입생 입학식 날 자유학기제에 관한 질문

- 학생 A: 자유학기제라는 것이 처음이라 무엇인지 잘 모르겠어요. 저는 영화에 관심이 많은데, 이와 관련한 수업을 자유롭게 들을 수 있는 건가요?
- 학부모 B: 1학년 2학기에 자유학기제를 실시하며 지필평가를 치르지 않아 아이의 학습능력이 저하될까 걱정됩니다. 이에 대하여 학교는 어떻게 대비하고 있나요?

[나] C 교사의 자유학기제 주제 선택 활동 운영 계획서

프로그램명	2학년 과학 선행 대비반		
대상	1학년 학생 20명 * 20명 초과 시 1학기 수행평가 점수 우수자 우선 선발		
목표	2학년 때 학습할 내용을 예습하며 과학탐구능력 등 과학적 소양을 기를 수 있도록 함		
내용	2022 개정 교육과정 중학교 2학년 과학 교육과정에 따름		
차시 구성	차시	주제	내용과 방법
	1	물질의 특성	실험을 통해 밀도, 용해도, 녹는 점, 끓는 점 등을 이해한다.
	2	지권의 변화	디벗을 활용해 지권의 층상 구조와 특징을 조사하고 발표한다.
	3	빛과 파동	직접 만든 잠망경을 통해 빛의 굴절 원리를 이해한다.
	4	식물과 에너지	실험 및 현미경 관찰을 바탕으로 식물의 호흡과 광합성에 대해 이해한다.

〈구상형 추가질문〉

중학교 3학년 자기개발 시기를 활용하여 진로연계교육을 운영할 때 실시하고 싶은 교육 프로그램과 해당 프로그램의 교육적 효과를 말하시오.

2025학년도 신규 교사 임용후보자 선정경쟁시험(2차)

제10회 실전 모의고사

관리번호		서 명	

심층면접	구상시간(2문제)	15분	면접시간(5문제)	15분

예시답안 p.233

〈즉답형〉

다음 중 자신이 되고 싶은 교사상에 가까운 유형과 그 이유를 말하고, 이를 바탕으로 어떻게 학급을 운영할 것인지 구체적인 방안을 말하시오.

- 학급 학생 저마다의 특성을 고려하여 유연하게 학급을 운영하는 교사
- 학급 학생 모두에게 똑같은 규칙을 적용하여 동등하게 학급을 운영하는 교사

〈즉답형 추가질문〉

자신이 선택하지 않은 유형의 교사가 학급을 운영할 때의 장점을 말하시오.

2025학년도 신규 교사 임용후보자 선정경쟁시험(2차)

제11회 실전 모의고사

관리번호	

서 명	

심층면접	구상시간(2문제)	15분	면접시간(5문제)	15분

예시답안 p.234

〈구상형 1〉

[가]의 A~D 학생에 대한 지원 방안을 각각 [나]와 연관지어 이야기하시오.

[가]

- A 학생: 중도입국학생으로 한국어와 한국 문화에 익숙하지 않음
- B 학생: 특수교육대상학생으로 통합학급학생들에게 따돌림을 당하고 있음
- C 학생: 가정폭력에 노출되어 있고 가출을 자주 하며 학교를 그만두고 싶다고 함
- D 학생: 온라인에서 만난 성인과 교제하고 싶다고 함

[나] UN 아동관리협약 일반 원칙

- 비차별: 모든 아동은 본인과 부모, 후견인의 인종, 피부색, 성별, 언어, 종교, 정치적 의견, 출신, 재산, 장애 여부, 태생, 신분 등과 관계없이 동등한 권리를 누려야 합니다.
- 아동 최선의 이익: 아동에게 영향을 미치는 모든 것을 결정할 때는 아동 최선의 이익을 최우선으로 고려해야 합니다.
- 생존과 발달의 권리: 아동은 특별히 생존과 발달을 위해 다양한 보호와 지원을 받아야 합니다.
- 아동 의견 존중: 아동은 자신의 잠재능력을 최대한 발휘할 수 있도록 적절한 사회활동에 참여할 기회를 갖고, 자신의 생활에 영향을 주는 일에 대해 의견을 말할 수 있어야 하며, 그 의견을 존중받아야 합니다.

2025학년도 신규 교사 임용후보자 선정경쟁시험(2차)

제11회 실전 모의고사

관리번호			서 명	

심층면접	구상시간(2문제)	15분	면접시간(5문제)	15분

예시답안 p.235

〈구상형 2〉

[가]는 미래교육지구를 운영하는 B 지역구의 A 학교에 대한 SWOT 분석이다. [가]를 토대로 [나]의 네 가지 전략의 방향과 구체적인 활동 방안을 각각 제시하시오.

[가] A 학교의 SWOT 분석

분류	내용
S(Strengths, 내부 강점)	학생과 학부모는 학교 교육활동을 신뢰함. 교사의 열의가 많음
W(Weaknesses, 내부 약점)	학생 수가 많고 교사 수가 부족함. 학교 내 유휴교실 부족. 맞벌이 부부가 많아 학생이 혼자 있거나 사교육에 의존하는 시간이 많음. 한정된 예산으로 질 높은 교육활동이 어려움
O(Opportunities, 외부 기회)	풍부한 마을 교육 환경(박물관, 수학관, 미술관, 체험기관 존재). 주거지역과 상업지역이 공존하는 곳으로 다양한 직업군 존재. 가까운 곳에 구청, 교육청, 주민센터, 지역아동센터 존재
T(Threats, 외부 위기)	주변 학교 교사들 간 교류 없음. 지역사회와 학교의 교류가 적음

[나]

전략	전략 방향	활동 방안
S-O 전략 강점을 기회로 살리기		
W-O 전략 약점을 보완하여 기회를 살리기		
S-T 전략 강점으로 위기를 극복하기		
W-T 전략 약점을 보완하고 위기를 극복하기		

〈구상형 추가질문〉

지역과 연계한 자신의 전공교육 방안을 예술교육과 체육교육별로 하나씩 이야기하시오.

2025학년도 신규 교사 임용후보자 선정경쟁시험(2차)

제11회 실전 모의고사

관리번호			서 명	

심층면접	구상시간(2문제)	15분	면접시간(5문제)	15분

예시답안 p.236

〈즉답형〉

[나]의 학생 A를 지도할 때 교사가 어떤 태도를 지녀야 할지 [가]를 토대로 이야기하고, 이를 바탕으로 A 학생에게 해줄 수 있는 말을 시연하시오.

> [가]
>
> 거울 뉴런: 타인의 행동을 보는 것만으로도 내가 그 행동을 하는 것처럼 활성화되는 뉴런. 행동뿐만 아니라 감정 또한 거울 뉴런을 통해 인식될 수 있음
>
> [나]
>
> 수업시간에 주변 학생들의 수업을 방해하는 학생 A에게 주의를 주었으나, 학생이 문제 행동을 수정하지 않아 수업이 끝난 후 따로 생활교육을 실시하였다.
>
> 학생 A: 선생님, 왜 저한테만 뭐라고 하세요? 선생님은 제 마음을 몰라주세요.

〈즉답형 추가질문〉

2022 개정 교육과정에서 추구하는 인간상은 '포용성과 창의성을 갖춘 주도적인 사람'이다. 포용성, 창의성, 주도성 중 한 가지를 골라 관련 경험을 이야기하고, 학생이 이를 개발할 수 있도록 지원하는 교육 방안을 이야기하시오.

2025학년도 신규 교사 임용후보자 선정경쟁시험(2차)

제12회 실전 모의고사

관리번호			서 명	
심층면접	구상시간(2문제)	15분	면접시간(5문제)	15분

예시답안 p.237

〈구상형 1〉

다음은 여러 교육 관련 사례를 나타낸 것이다. 각 사례에 대해 교사로서 어떻게 해결할 것인지 구체적으로 이야기하시오.

[사례 1] 학부모 A: 우리 아이가 디벗을 집에 들고 왔는데 웹툰 사이트에 접속해 만화만 보고 있네요. 학교에서 관리가 안 되는 건가요?

[사례 2] 학 생 B: 학교 수업을 따라가기가 너무 어려워요. 공부를 해서 성적을 올리고 싶은데 수업이 너무 어려워요.

[사례 3] 학 생 C: 친구들이 발표시간에 진지하게 임하지 않고 장난식으로 대하는 경우가 많아 수업 분위기가 흐려져요.

2025학년도 신규 교사 임용후보자 선정경쟁시험(2차)

제12회 실전 모의고사

관리번호			서 명	
심층면접	구상시간(2문제)	15분	면접시간(5문제)	15분

예시답안 p.237

〈구상형 2〉

[가]는 동 교과를 담당하는 두 교사의 대화를 나타낸 것이다. A 교사와 B 교사 중 자신은 어느 입장에 가까운지 선택하고 그 이유를 이야기하시오. 그리고 [나]와 같은 학생 피드백을 받았을 때 본인이라면 각 학생들에게 어떻게 답변할 것인지 이야기하시오.

[가]

A 교사 : 저희 교과는 양이 많아 진도 나가기가 빠듯한 것이 사실입니다. 따라서 저는 활동식 수업을 적게 할지라도 빠르게 진도를 나가서 학생들이 모든 내용을 한 번씩 다 살펴보고 공부할 수 있도록 하는 것이 중요하다고 생각합니다.

B 교사 : 교과의 양이 많아 빠르게 진도만 나가면 오히려 학생들이 교과 내용을 제대로 이해하기 어렵지 않을까요? 저는 진도를 모두 나가지 않더라도 학생들이 배운 내용만큼은 제대로 이해하는 것이 중요하다고 생각해서 천천히 진도를 나가는 것이 좋을 것 같습니다.

A 교사 : 진도를 다 못 끝내고 다음 학년에 올라갔을 때 배우지 못한 부분과 연계된 학습 내용이 나오게 된다면 학생들이 더 혼란스럽고 학습에 어려움을 겪을 것입니다.

B 교사 : 모든 내용을 급하게 가르치면 학생들이 제대로 이해하지 못한 채 기계적인 암기를 하게 되어 결국 제대로 된 지식의 이해와 적용이 어려워질 것입니다.

[나]

학생 C : A 선생님은 기본 내용만 충실하게 알면 된다고 하셨는데 그럼 어려운 것은 공부하지 않아도 될까요?

학생 D : B 선생님께서 가르쳐주시지 않은 내용은 공부를 하지 않아도 될까요?

〈구상형 추가질문〉

같은 학년을 함께 가르치는 동 교과교사와 수업 방식에서 의견이 달라 갈등이 생겼을 때 신규교사로서 어떻게 대처할 것인지 이야기하시오.

2025학년도 신규 교사 임용후보자 선정경쟁시험(2차)

제12회 실전 모의고사

관리번호			서 명	

심층면접	구상시간(2문제)	15분	면접시간(5문제)	15분

예시답안 p.238

〈즉답형〉

다음은 ○○학교에서 학년 전환기 시기에 시행할 진로교육 계획을 설명한 것이다. ○○학교 진로교육의 개선방안을 3가지 이야기하시오.

〈○○학교 진로교육 계획〉

교시	진로교육	활동 내용	방법
1교시	진로교사와 함께하는 진로직업의 이해	진로교육의 개념과 필요성을 배운다.	강의
2교시	직업 다큐멘터리 시청	진로교사가 선정한 직업군에 관한 다큐멘터리를 시청한다.	자료 시청
3교시	직업군 체험하기 (선착순 신청)	K-POP 댄서, 미술 심리치료사, 웹툰 작가, 미용사 체험, AR 체험	체험
4교시	소감문 작성하기	진로의 날에 대한 소감문을 작성한다.	글쓰기

〈즉답형 추가질문〉

학년 전환기에 실시하고 싶은 프로그램을 2가지 이야기하시오.

2025학년도 신규 교사 임용후보자 선정경쟁시험(2차)

제13회 실전 모의고사

관리번호			서 명	

심층면접	구상시간(2문제)	15분	면접시간(5문제)	15분

예시답안 p.239

〈구상형 1〉

[가]를 읽고 학생 도박의 위험성에 대하여 말하시오. 그리고 [나], [다]를 토대로 최근 학생 도박이 증가하고 있는 원인을 분석하고, 학교 차원에서의 학생 도박중독 예방 방안을 제시하시오.

[가] 도박중독에 관한 연구 결과

- 도박중독 문제를 가지고 있는 청소년들에 대한 종단 연구 결과, 도박중독 문제는 성인기까지 계속 나타남 – Winlers, 2002.
- 문제성 도박 및 병적 도박자의 약 70%가 청소년기에 도박을 시작했다고 보고함 – 이민규, 2003.

[나] 학생 도박에 관한 언론 보도

- 9세 초등생도 '베팅' … 청소년 '사이버 도박' 심각 – 천지일보, 2024. 4. 26.
- '한탕' 굴레에 갇힌 청소년들 … 10대 온라인도박 중독 '심각' – 대전일보, 2024. 7. 1.
- "게임인 줄 알았는데, 늪으로" … 청소년 노리는 불법 도박사이트 – 아시아경제, 2024. 7. 25.
- "친구 데려오면 2만 8000원" … 교실에 도박 퍼뜨린 슈퍼전파자 – 동아일보, 2024. 7. 26.

[다] 학생 도박 문제 실태

- 도박 참여: 사행성(돈내기) 게임을 경험해본 청소년이 25.8%로 청소년 흡연율(4.5%) 보다 높고, 그중 38.8%가 재학 중에 도박을 경험함
- 도박 유형: 돈내기 게임의 종류는 오프라인 뽑기 게임(77.1%), 온라인 외 내기 게임(12.9%), 온라인 카드/화투 게임(7.8%), 기타 인터넷 카지노 게임(3.5%)순으로 나타남
- 온라인 돈내기 게임 이용 기기: '스마트폰/태블릿'으로 접속하는 비율(58.6%)이 가장 높게 나타남
- 돈내기 게임 참여 연령: 돈내기 게임에 최초 참여하는 연령은 만 10~12세(40.2%), 만 13~15세(25.5%), 만 7~9세(19.5%), 만 16~18세(8.2%)순으로 나타남

2025학년도 신규 교사 임용후보자 선정경쟁시험(2차)

제13회 실전 모의고사

관리번호		서 명	

심층면접	구상시간(2문제)	15분	면접시간(5문제)	15분

예시답안 p.240

〈구상형 2〉

[가]를 토대로 [나], [다]를 읽고, [나]의 학급 상황에 따른 [다]의 각 요구에 대하여 담임교사로서 어떻게 대응할 것인지 말하시오. 그리고 [다]와 같은 모습이 나타나는 공통적인 원인이 무엇인지 말하시오.

[가] 「장애인 등에 대한 특수교육법」 제2조(정의)

"통합교육"이란 특수교육대상자가 일반학교에서 장애 유형·장애 정도에 따라 차별을 받지 아니하고 또래와 함께 개개인의 교육적 요구에 적합한 교육을 받는 것을 말한다.

[나]

우리 학교는 통합교육을 실시하고 있으며, 올해 담임을 맡은 반에도 자폐 스펙트럼 장애를 지닌 특수교육대상학생 A가 있다. 학교에서는 개별화교육지원팀을 구성하여 회의를 열고, A의 학부모 B의 참여 및 동의하에 A의 개별적 특성과 학습 수행 수준을 고려하여 개별화교육계획을 수립하였다. 이에 따라 A는 국어, 수학 교과수업은 특수학급에서 진행하고 이외 교과수업은 일반학급에서 진행하고 있다.

[다]

A의 학부모 B	왜 A가 특수학급에 가서 따로 수업을 들어야 하나요? 개별화교육지원팀 회의에서는 모두 동의하기는 했지만, 집에 돌아와 곰곰이 다시 생각해보니 학교에서 비장애학생들과 다르다고 차별하는 것 같아서 마음이 바뀌었어요. A가 모든 수업을 통합학급에서 들을 수 있도록 해주세요.
학급 학생 C	A가 교실에 있을 때 갑자기 돌아다니거나 뛰어다니는 등의 행동을 많이 해요. 쉬는 시간, 수업시간 가릴 것 없이 그런 모습을 계속 보다 보니 정신적으로 너무 스트레스를 받아요. B를 다른 반으로 보내거나 저를 다른 반으로 보내주세요.
학급 학생의 학부모 D	A가 수업시간에 수업을 방해하는 행동을 많이 한다고 전해 들었어요. 특수교육대상학생만을 위한 통합학급을 운영한다고 다른 학생들의 학습권을 침해해도 되는 건가요? 그 학생이 우리 아이 학급에서 수업을 듣지 못하도록 해주세요.

〈구상형 추가질문〉

통합교육의 교육적 효과를 특수교육대상학생과 비장애학생 측면에서 각각 1가지씩 말하고, 장애 공감 문화를 형성하기 위한 학급 프로그램 1가지를 구상하시오.

2025학년도 신규 교사 임용후보자 선정경쟁시험(2차)

제13회 실전 모의고사

관리번호			서 명	

심층면접	구상시간(2문제)	15분	면접시간(5문제)	15분

예시답안 p.241

〈즉답형〉

제시문에 나타난 학생의 담임교사로서의 대응 절차를 말하시오.

> 학급 학생과 개별 상담을 진행하였는데, 학생은 학원 때문에 큰 스트레스를 받고 있다고 말하였다. 이유를 물어보니 학원 선생님이 숙제를 다 하지 않으면 손바닥으로 등이나 머리를 때리기도 하고, 질문에 정확한 대답을 하지 못하면 다른 학생들이 보는 앞에서 머리를 밀며 공개적으로 모욕을 준다고 하였다. 얼마 전에는 늦게까지 학원에서 내준 숙제를 하느라 너무 피곤한 나머지 학원 수업시간에 책상에 엎드려 있었더니 학원 선생님이 팔뚝을 주먹으로 때려 멍이 들었다고 한다.

〈즉답형 추가질문〉

앞서 제시된 아동학대 피해학생 및 피해학생의 보호자와 대화 시 유의해야 할 사항을 말하시오.

2025학년도 신규 교사 임용후보자 선정경쟁시험(2차)

제14회 실전 모의고사

관리번호	

서 명	

심층면접	구상시간(2문제)	15분	면접시간(5문제)	15분

예시답안 p.242

〈구상형 1〉

학교를 세운다면 어떤 학교를 세우고 싶은가? 아래의 표에 따라 구상해보시오.

1	나의 교직관
2	교육의 목표는 무엇인가?
3	교육 목표를 이루기 위해 무엇을 가르칠 것인가? (교육 내용)
4	교육 내용을 잘 전달하기 위해 어떻게 가르칠 것인가? (교육 방법)
5	학교 특색 사업은 무엇인가?

2025학년도 신규 교사 임용후보자 선정경쟁시험(2차)

제14회 실전 모의고사

관리번호		서 명	

심층면접	구상시간(2문제)	15분	면접시간(5문제)	15분

예시답안 p.242

〈구상형 2〉

다음은 교사의 상담일지이다. 상담 내용에 대한 각 조치가 적절하지 않은 까닭을 말하고 이를 개선한 적절한 조치를 각각 제시하시오. 또한 학교 내 장애공감문화를 만들기 위한 방안을 2가지 이야기하시오.

〈교사의 상담일지(3월)〉

날짜	이름	상담 내용	조치
24. 3. 5.	A	올해 친구들은 자신을 너무 많이 도와줌. 휠체어로 스스로 이동할 수 있음에도 친구들이 대신 해주려고 함. 그런 행동을 원하지 않는다고 말하면 친구 관계가 멀어질까봐 걱정됨	친구들이 도와주고 싶은 마음에 그런 거니 이해해주길 요청
24. 3. 9.	B	C 학생이 자신의 말을 따라 해서 불편함. 수업시간에 상동행동을 계속 해서 방해가 됨	C 학생은 장애학생이기 때문에 B 학생의 무조건적인 이해가 필요함을 전달
24. 3. 28.	C	통합학급 적응기간이 끝나고 특수학급에 가는 것이 싫음. 친구들과 가까이 지내고 싶어서 통합학급에 계속 있고 싶음	C 학생이 원하는 대로 통합학급에 더 있도록 안내

〈구상형 추가질문〉

학생 B의 불편함으로 학생 C의 학부모와 상담을 진행하고자 할 때 상담 전략을 2가지 이야기하시오.

2025학년도 신규 교사 임용후보자 선정경쟁시험(2차)

제14회 실전 모의고사

관리번호			서 명	

심층면접	구상시간(2문제)	15분	면접시간(5문제)	15분

예시답안 p.243

〈즉답형〉

(나)의 학생을 위한 지원방안을 각각 이야기하고 이때 교사가 지녀야 할 태도를 (가)를 토대로 이야기하시오.

(가)
나무의 나이테가 우리에게 가르치는 것은 나무는 겨울에도 자란다는 사실입니다. 그리고 겨울에 자란 부분일수록 여름에 자란 부분보다 더 단단하다는 사실입니다.

— 신영복, ≪서화 에세이≫

(나)
- 학생 A: 학업, 친구 관계 등에서 어려움을 경험했을 때 쉽게 포기함
- 학생 B: 친구들과 어울리고 싶지만 어울리는 방법을 몰라 혼자 있음

〈즉답형 추가질문〉

3월 학부모 총회 시 안내할 학급경영 방안을 자신의 교육철학을 바탕으로 학부모에게 말하는 것처럼 시연하시오.

2025학년도 신규 교사 임용후보자 선정경쟁시험(2차)

제15회 실전 모의고사

관리번호			서 명	
심층면접	구상시간(2문제)	15분	면접시간(5문제)	15분

예시답안 p.245

〈구상형 1〉

[가]와 [나]는 서울형 독서 모델을 활용한 수업 사례를 나타낸 것이다. 각각의 사례에서 잘못된 점을 찾고 이에 대한 개선점을 이야기하시오. 그리고 [다]를 참고하여 오늘날 독서교육의 방향이 어떻게 나아가는 것이 좋을지 이야기하고, 의미 있는 독서교육을 실시하기 위해 교사에게 필요한 역량 1가지를 설명하시오.

[가] 김 교사는 학급에서 아침 책 산책 프로젝트를 진행하고 있다. 학생들의 인생에 대한 철학관을 길러주기 위해 ≪논어≫를 학급 대표 도서로 선정하였고, 이를 읽고 내용을 요약하는 독서기록장을 쓰도록 하고 있다. 하지만 어째서인지 독서를 하는 학생보다 문제집을 푸는 학생이 더 많은 것 같다.

[나] 이 교사는 수업시간에 탐구 기반 쓰기 수업을 진행하고 있다. 학생들이 독서를 했는지 확인하기 위해 책에 나온 내용에서 사실 기반 질문들을 만들어 제공하고, 학생들이 책에서 정답을 찾아 쓰도록 하고 있다. 하지만 학생들이 크게 흥미를 느끼는 것 같지 않다.

[다] '지식 두 배 증가 곡선(Knowledge Doubling Curve)'을 보면 인류의 지식 총량이 100년마다 두 배씩 증가했었고, 1990년대부터는 25년으로, 현재는 13개월로 그 주기가 점점 단축되었으며, 2030년이 되면 3일에 두 배씩 증가할 것이다.
— 미국 미래학자, 풀러(Fuller)

2025학년도 신규 교사 임용후보자 선정경쟁시험(2차)

제15회 실전 모의고사

관리번호			서 명	

심층면접	구상시간(2문제)	15분	면접시간(5문제)	15분

예시답안 p.246

〈구상형 2〉

다음은 교사들의 고민을 나타낸 것이다. 이 고민을 해결하기 위해 본인이라면 어떻게 대처할 것인지 이야기하시오. 그리고 이러한 상황에서 교사들에게 공통적으로 필요하다고 생각되는 태도와 그 이유를 이야기하시오.

- 상담교사 A: 우리 학교는 경제적 취약 및 적응 취약 학생이 많아 학생들을 위한 복지 및 심리 프로그램을 많이 구성하고 있다. 그 중 담임 선생님들께서 같이 해주실 수 있는 프로그램에 대해 안내 메시지를 드렸지만 신청자가 적어 걱정이다. 내가 운영할 수 있으면 좋을 텐데 학생들의 상담 신청이 많아 시간을 내기도 쉽지 않다.
- 영양교사 B: 학생들이 육류와 탄수화물 음식을 좋아하고 채소가 들어간 메뉴가 많이 나오는 날은 급식을 잘 먹지 않아 걱정이다. 담임 선생님께 협조를 구해보고자 하는 생각이 들다가도 영양과 급식 관련 업무이니 내가 잘 해결해보고 싶다는 생각이 든다.
- 보건교사 C: 학생들이 보건 수업은 그저 쉬는 시간, 자는 시간으로 인식하는 것 같아 속상하다. 학생들이 기본적으로 알아야 할 성교육, 약물교육 등 실생활에 도움이 되는 건강 관련 수업을 준비하지만 학생들은 지루한 표정을 짓고 있다. 내 수업시간에만 자는 것인지 다른 시간에도 원래 이러는 것인지 알 길이 없다. 담임 선생님께 학생의 특성에 대해 알려달라 했지만 담임 선생님 시간에는 그러지 않는다며 당황해하셨다.

〈구상형 추가질문〉

소통이 부족한 학교의 문제점을 2가지 이야기하시오. 그리고 본인이 경력 20년차 교사가 되었다고 가정했을 때 동료교사의 어려움을 목격하였다면 어떻게 할 것인지 이야기하시오.

2025학년도 신규 교사 임용후보자 선정경쟁시험(2차)

제15회 실전 모의고사

관리번호			서 명	

심층면접	구상시간(2문제)	15분	면접시간(5문제)	15분

예시답안 p.247

〈즉답형〉

교사가 되겠다고 다짐하게 된 계기를 본인의 경험과 관련지어 이야기하고, 교사가 되었을 때 학생들과 가장 하고 싶은 것을 1가지 이야기하시오.

〈즉답형 추가질문〉

본인의 교직관을 바탕으로 신규교사로서 학교에 발령받았을 때 학생들을 어떤 마음가짐으로 대할 것인지 이야기하시오.

예시답안

PART 01 주제별 핵심문제 예시답안
PART 02 2024~2020 기출문제 예시답안
PART 03 제1~15회 실전 모의고사 예시답안

PART

1

주제별 핵심문제 예시답안

Chapter 01 더 질 높은 학교교육 예시답안

본책 p.8

1 교직관

구상형

1. 빈칸(교직관): 버팀목

(1) 버팀목: 물건이 쓰러지지 않게 대는 나무

(2) 교사와 '버팀목' 연결

학생들은 성장 과정에서 당연히 많은 좌절을 경험하게 됨. 그 좌절을 스스로 이겨낼 수 있어야 하는데 그럴 때 함께 버텨주는 버팀목이 되고 싶음. 직접적으로는 도움이 필요하다면 적절한 도움을 주기도 하고, 간접적으로는 학생을 따뜻한 눈으로 바라보고 꾸준히 믿어주는 존재가 되고자 함

2. 지원 방안

(1) 학생의 상태 파악

상담을 통해 학생을 걱정하는 마음을 전달하고 학생에게 관심을 기울임. 학생이 혼자가 아니라는 것을 전달하고 교사와 함께 방법을 찾아보자고 안내

(2) 위(Wee) 클래스 연계

현재 학생의 정서적 어려움을 정확히 파악하는 한편, 전문적 개입이 필요한 상황이므로 전문상담교사와 연계 필요. 의뢰 전 학생의 상태를 잘 파악 후 전달. 의뢰 후에도 학생이 상담을 잘 받고 있는지와 학급에서 어떤 개입이 이루어져야 하는지 등을 전문상담교사와 논의

(3) 관심사에 대한 피드백

학생이 현재 관심 있어 하는 것이 있기 때문에 관련 내용을 함께 이야기해보거나 관련 정보를 전달함. 공통 관심사를 가진 또래와 연결하여 함께 활동할 수 있도록 함

(4) 생활습관 점검

무기력할수록 기본적인 생활습관이 무너지는 경우가 있으므로 식사와 수면의 중요성을 이야기해주고 가정에도 전달하여 건강한 생활습관을 다시 찾도록 함

Comment

교직관을 단어로 표현할 수 있으면 좋습니다. 이때 교직관을 멋지게 만드는 것도 중요하지만, 그 교직관을 통해 어떻게 내 교직생활을 이끌어갈 것인지 구체적인 방안을 마련하는 것도 중요합니다. 나의 교직관에 기초한 활동을 꼭 생각해보세요.

즉답형

1. 최선을 다하는 교사

(1) 이유

학생들과의 만남에 있어서 완벽하면 좋겠지만, 교사도 사람이기 때문에 실수하거나 미숙할 수도 있다고 생각함. 하지만 교사로서 할 수 있는 것들을 최선을 다해 꾸준히 함으로써 학생들이 "그래도 선생님께서는 최선을 다해 나를 성장할 수 있도록 도와주셔"라고 생각했으면 좋겠음

(2) 노력

① 학급운영

아침 조회시간 활용 칭찬샤워: 교사가 학생들에게 칭찬을 해주고 다른 학생들도 서로 칭찬을 해주어 학생들의 자신이 장점을 발견하고, 매일 아침을 즐겁게 시작할 수 있도록 함

② 수업

과정중심평가 강화: 수업 중간이나 과제 중간 피드백 과정을 늘려 학생들이 성취를 잘 하고 있는 부분은 구체적으로 칭찬하고 부족한 부분은 보완할 수 있도록 함

2. 믿음직한 교사

(1) 이유

교사가 학생들에게 믿음을 주어야 학교라는 공간이 심리적·물리적으로 가까워지고 학생들이 많은 것을 배우고 꿈꿀 수 있고, 필요할 때 기댈 수 있기 때문

(2) 노력
① 학급운영
상담을 활성화하여 개인적인 라포 형성하기: 신뢰는 특정 상황에서 형성되기보다는 꾸준한 노력에 의해 형성되는 것임. 따라서 담임교사와의 상담을 활성화하여 학생들이 신뢰를 느낄 수 있도록 함
② 수업
수업 전문성을 향상시키기 위한 교원학습공동체에 가입함: 다양한 선생님들과 함께 수업에 대해 공부하고 논의하며 공동연구, 공동실천을 실행함

▶▶ 추가예시답안: 재미있는 교사, 전문적인 교사, 따뜻한 교사, 꾸준한 교사 등

2 교사 지원

구상형

1. [나]의 질문에 대한 답변

(1) 교사 A에 대한 답변 예시
교원학습공동체는 현재 우리 교육의 문제를 공동으로 해결하는 힘이 될 수 있음. 미래에 대한 불확실성으로 인해 '무엇을, 어떻게' 배우고 가르쳐야 할지 판단하기 쉽지 않은데, 함께하는 학습을 통해 변화에 적응할 수 있음. 변화를 주체적으로 수용하고 대응할 수 있는 역량은 혼자가 아닌 협력적인 주체로 함께할 때 형성될 수 있음. 또한 이를 통해 교사의 전문성이 향상됨으로써 공교육의 질이 높아지고, 학생들이 질 높은 교육을 받을 수 있음
(2) 교사 B에 대한 답변 예시
교원학습공동체는 함께 공부하고 적용하는 경험을 공유하며 전문가로서 같이 성장하는 것을 목표로 함. 따라서 공동연구와 더불어 공동실천과 공동성찰의 과정이 꼭 필요함

2. C 학교의 교원학습공동체 운영 방식의 문제점

(1) 모든 교사가 필수적으로 하나 이상의 교원학습공동체에 참여하도록 함(교원학습공동체 참여 여부를 교사 다면평가 지표에 반영함)
(2) 3명의 인원으로 교원학습공동체 개설을 못 하게 함
(3) 교사들이 원하는 주제의 교원학습공동체를 운영할 수 없도록 함

3. C 학교의 교원학습공동체 운영 방식의 개선방안

(1) 교원학습공동체는 '자발적' 학습공동체임
→ 활동을 희망하는 교사에 한해서 참여하도록 해야 함
(2) 학교 안 교원학습공동체는 활동을 희망하는 교원 3인 이상이 모이면 누구나 가능함
→ 3명의 인원으로도 교원학습공동체를 개설할 수 있도록 하되, 사전 홍보 등을 통해 더 많은 교원이 자발적으로 참여할 수 있도록 유도해야 함
(3) 학교 안 교원학습공동체는 '교육과정 재구성', '수업·평가', '생활교육' 세 영역 중 선택하여 운영할 수 있음
→ 세 영역에 해당하는 어떤 주제로든 활동할 수 있도록 해야 하며, 제한을 두어서는 안 됨

즉답형

교육활동 침해행위 예방교육의 필요성

교원에 대한 교육활동 침해는 교원들의 심리적 소진을 유발하고 사기를 저하시켜 학교 교육력을 저해하고 학생들의 학습권까지 침해하는 결과를 초래함. 교원과 학생이 상호 존중하는 안전한 교육환경에서 모든 학생들이 제대로 교육을 받고, 교원들이 교육역량을 적극적으로 발휘할 수 있도록, 학교에서는 모든 교육공동체를 대상으로 교육활동 보호의 중요성에 대한 인식을 높이고, 교육활동 침해행위에 대한 예방교육을 통해 피해를 최소화하여야 함

3 교육과정 - 수업 - 평가 혁신

구상형

1. [가]

(1) 과정 중심 평가는 이전의 전통적인 평가 방식과 달리 학생의 학습 과정과 결과에 대한 안내와 피드백을 지속적으로 제공함으로써 학생 자신이 교육 목표에 얼마만큼 도달했는지, 부족한 점은 무엇인지를 구체적으로 알게 되고 보완할 수 있음
(2) 일제식 지필평가와 다르게 학생의 학습 과정과 결과를 모두 평가함으로써 학생의 인지적 능력뿐만 아니라 학습 동기, 학습 태도 등의 정의적 능력도 개선할 수 있어 전인적인 성장이 이루어짐
(3) 교사는 과정 중심 평가를 통해 파악한 학생의 현재 수준, 보충학습이나 심화학습을 위해 필요한 정보를 바탕으로 수업을 개선할 수 있음

2. [나]

(1) 교사가 학생의 학습 수준과 발달 상황 등을 고려하여 평가하기 때문에 학생들의 평가 부담을 낮춤
(2) 교과 수업시간 중에 평가를 실시하고, 평소 학교에서 가르친 내용과 기능에 대하여 평가하며, 학생들의 다양한 역량을 균형 있게 평가하기 때문에 학생들의 평가 부담은 낮음
(3) 과정 중심 평가는 일회성의 평가로 그치지 않고 지속적인 피드백을 바탕으로 학생의 수행 정도, 성취 정도를 보완해나가는 방식으로 이루어지기 때문에 학생의 평가 부담은 낮아질 수 있음

3. [다]

(1) 개별 학교는 '학업성적관리 시행지침'에 근거하여 '학업성적관리규정'을 제정하고 평가 계획과 시행, 결과 처리 등의 사항을 관리하고 있으며 이를 학부모와 학생에게 사전에 안내함. 이렇게 사전에 안내한 평가 계획에는 구체적인 평가 기준(루브릭)이 제시되어 있으며, 이에 따라 평가가 이루어지기 때문에 교사의 주관성을 낮추고 평가의 객관도를 높일 수 있음
(2) 상세한 평가 계획에 근거하여 과정 중심 평가를 실시하며, 평가 결과는 학생이 직접 확인하도록 하여 이의 신청 기회를 부여하기 때문에 교사의 주관성에 의해서만 평가를 진행할 수는 없음
(3) 동료평가, 자기평가 등의 과정 중심 평가를 함께 실시함으로써 교사의 주관성을 보완하고 객관도를 높일 수 있음

즉답형

1. **공감과 이해**

교육과정 재구성을 반대하는 까닭에 대하여 물어보고, 그러한 마음을 이해하고 공감함

2. **교육과정 재구성의 필요성**

학생 수준과 수업 현실을 고려하여 교육과정을 재구성함으로써 핵심 성취기준을 달성할 수 있도록 하는 '함께 만들어가는 교육과정'의 필요성을 언급

3. **교육과정 재구성의 장점**

학생 수준과 수업의 현실적 여건을 고려한 수업이 가능해져 오히려 교사에게 더욱 도움이 될 수 있음을 언급

4. **협력 제안**

혼자 한다면 어려울 수 있지만, 동 교과교사로서 함께 교육과정 재구성을 한다면 더욱 수월하게 할 수 있음을 말하며 함께 노력해보자고 제안함

5 자유학기제

구상형

1. 예시 1

(1) 프로그램명: 학교 사용 설명서
(2) 실시 시기: 3월 초
(3) 주제: 우리학교 주요 공간 탐색 및 이해
(4) 핵심 역량: 공동체 역량, 자기주도적 역량
(5) 구체적인 활동 내용
- 1차시: 제공된 미션을 통해 도서관, 급식실, 위(Wee) 클래스 등 학교 공간 탐색 · 이해하기
- 2차시: 다른 학생들에게 소개할 수 있는 각 공간에 대한 사용 설명서를 모둠별로 제작하기
- 3차시: 모둠별로 제작한 '학교 사용 설명서'를 서로 소개하고 공유하기

2. 예시 2

(1) 프로그램명: 공동체로서 함께 성장하는 우리
(2) 실시 시기: 2~3학년 지필고사 기간
(3) 주제: 사춘기 시기 학생들의 협업능력, 의사소통능력 함양
(4) 핵심 역량: 공동체 역량, 협동 역량
(5) 구체적인 활동 내용
- 1차시: 갈등이 나타난 광고 영상을 보고 이에 대한 토론 진행, 갈등을 개선할 수 있는 방안에 대하여 토의하기
- 2차시: 대화가 단절된 가족 간의 모습을 보여주는 영상을 보며 영상 속 문제점과 올바른 대화의 필요성에 대한 생각을 온라인 담벼락 플랫폼을 통해 공유하기
- 3차시: 원활한 의사소통 및 협업을 위해 필요한 태도 · 요소가 무엇인지 의견을 나누고 이에 대한 투표를 통해 학급 의사소통 규칙 세우기

즉답형

1. 교과 예시: 국어

(1) 활동명: 꿈꾸는 소설 쓰기
(2) 수업 목표: 소설의 구성과 특징을 이해하고 직접 창작할 수 있다.
(3) 운영 방법: 도서관을 활용해서 꿈과 관련된 다양한 소설을 접하고, 꿈과 희망을 담은 소설을 직접 창작하기. 매 시간 중간에 피드백을 주어 완성도를 높일 수 있도록 함

2. 교과 예시: 역사

(1) 활동명: 영화로 보는 역사
(2) 수업 목표: 영화를 통해 역사를 이해하며 역사적 사고력을 함양할 수 있다.
(3) 운영 방법: 한 차시당 하나의 영화를 보고 관련된 역사적 사건을 살펴보고, 이를 바탕으로 학생들이 직접 참여하고 활동하는 학생 참여형 수업 진행
예 영화를 각색한 간단한 역사 연극 만들기, 영화 속 역사적 인물 가상 인터뷰하기 등

3. 교과 예시: 도덕

(1) 활동명: 나를 살피는 심리학
(2) 수업 목표: 심리학을 바탕으로 자신을 성찰하고 스스로를 긍정적으로 바라볼 수 있다.
(3) 운영 방법: 자존감, 자기 충족적 예언 등 심리학 이론을 학생들의 수준에 맞게 구성하여 설명하고, 관련 심리학 실험 · 검사 등을 바탕으로 자신을 성찰하는 기회를 제공함. 또한 자기자비, 자기긍정 등에 대하여 학습하고 자기긍정 선언문을 작성하며 스스로를 긍정적으로 바라볼 수 있도록 함

6 고교학점제

구상형

1. 고교학점제 교육적 효과

(1) 교사 측면
교원의 심화과목 지도 역량 강화가 기대됨. 교사 자신만의 수업을 운영하고 학생을 성취도로 평가함으로써 소인수과목 · 전문교과 교과 지도 역량과 교육과정-수업-평가-기록의 일체화를 통해 교원의 성장수업 · 평가에 대한 전문성과 자율성을 보다 폭넓게 존중받을 수 있음

(2) 학생 측면
자신의 적성과 진로에 따라 필요한 과목을 선택하며 자기주도성을 기를 수 있음. 맞춤형 교육을 받을 수 있을 뿐 아니라, 기초학력이 적정 수준 이상이 되어야 졸업할 수 있기 때문에 사회적응에 필요한 기초학력까지 갖출 수 있을 것으로 기대됨

2. 학생 A의 고민을 해결할 수 있는 교육활동

(1) 학기 초 마니또 프로그램을 실시하여 학급 친구들 서로를 알아가는 시간 갖기
(2) 조회시간을 이용하여 학급 소식을 알리는 카드뉴스 만들기, 우리 반 친구들 칭찬 보드 작성하기 등 다양한 학급 특색 프로그램 운영
(3) 주말이나 방과후에 화합을 위한 학급 미니 체육대회 실시

즉답형

시연 예시

"고교학점제란 학생이 자신의 진로와 적성에 따라 다양한 과목을 선택해 이수하고, 누적 학점이 기준에 도달할 경우 졸업을 인정받는 교육과정 이수 · 운영 제도란다. 쉽게 이야기하자면 너의 진로 계열과 관련된 과목들을 직접 선택하고 수업을 듣는 것이라고 보면 돼. 보통 대학 입시와 관련된 과목은 1학년 때 필수적으로 듣도록 되어 있기 때문에 2학년 때부터 본격적으로 너의 진로에 맞는 과목들을 수강하면 된단다. 선생님이 고교학점제 워크북을 줄 테니 여기서 네가 희망하는 진로와 관련된 과목이 무엇이 있는지 한번 알아보고 마인드맵을 작성해보는 것을 추천해. 그리고 서울시교육청 유튜브에 들어가면 고교학점제와 관련된 다양한 정보 콘텐츠들이 많이 있어. 이 둘을 참고한다면 과목 설계에 도움을 받을 수 있을 거야. 또 궁금한 것이 있다면 언제든지 찾아와."

7 혁신미래학교

구상형

1. ㉠: 혁신미래학교

2. 혁신미래학교가 필요한 이유

(1) 입시 중심의 경쟁교육은 학생들이 협력 및 공감의 가치를 배울 수 없고 친구들을 경쟁자로 인식하게 하는 문제점이 있음. 줄 세우기식 평가로 인해 학생들의 개별 성장보다 우열 가리기에 초점이 맞추어져 있어 학생 개개인의 성장을 지원할 수 있는 맞춤형 교육 및 평가가 필요함. 따라서 학생 개별 맞춤형 교육과정, 학생의 주도성을 높이는 수업, 배움과 성장 중심의 평가로 나아가야 함
(2) 관료적인 국가의 통제 아래에서는 학교의 여건 및 실정을 반영하지 못하므로 학교의 자율성과 자치를 인정할 수 있는 협력과 공존의 학교 문화가 필요함
(3) 기존의 경쟁적인 분위기 속에서 학생들 간 교육 격차를 벌리는 것에서 벗어나 모든 학생들의 평등한 교육 및 교육 공공성을 실현할 수 있는 교육, 미래를 대비할 수 있는 교육을 통해 학교 구성원들이 함께 노력하는 공동체로의 전환이 필요함

즉답형

혁신미래학교를 위해 노력할 점

1. 디지털 기반 교수·학습 방법 연구

혁신미래학교에서는 개별 맞춤형 수업·평가를 중요시하고 있으므로, 학생 개개인에게 맞는 디지털 수업을 배우는 교원학습공동체에 참여하거나 에듀테크 활용 연수에 참여하여 디지털 기반 교수 학습을 연구할 것임

2. 교직원회의 적극적 참여

혁신미래학교에서는 민주적 학교자치 구현을 중요시하므로 교직원회의 참여 시 의견을 적극적으로 이야기하고, 다른 선생님들의 의견을 경청하여 민주적인 토론이 이루어지도록 기여할 것임

3. 생태전환 실천 동아리

혁신미래학교에서는 기후환경 위기를 맞아 급변하는 사회에서의 미래 교육을 중요시하므로 생태전환 동아리를 구성하여 학생들과 생태전환 실천 캠페인을 진행할 것임

8 협력적 독서·인문교육

구상형

1. 문제점

(1) 학교급이 올라갈수록 독서량 감소, 해가 바뀌면서 전체 독서량 감소
(2) 스마트폰, 텔레비전, 인터넷, 게임 과의존으로 독서에 대한 흥미 부족
(3) 학업으로 인한 독서 시간 부족
(4) 제한적인 독서 환경(학급문고 부족, 학교 도서관 이용 불편 등)

2. 독서교육 활성화 방안

(1) 교과와 연계하여 서울형 독서 기반 프로젝트, 서울 학생 첫 책 등의 모형 활용 수업 실시
(2) 도서관을 청소년 문화카페와 같은 열린 구조로 재구조화하여 도서관 접근 가능성 높이기, 학급문고 비치
(3) 독서 골든벨, 독서감상문·감상화 대회 등 여러 독서 관련 행사 실시

즉답형

개별 활동 지원 방법

(1) 학급문고를 비치하고 학급문고 도우미를 선정하여 학생들이 언제든지 책을 쉽게 접할 수 있도록 함
(2) 다양한 독서기록장 양식(마인드맵 그리기, 감상화 그리기, 네 컷 만화 그리기 등)을 제공하여 학생들 본인의 내면 성찰을 기록하고 감상평을 남겨 포트폴리오를 만들 수 있도록 함
(3) 독서에 대한 학생들의 흥미도와 관심도를 상담 또는 설문지를 통해 조사한 후, 이를 바탕으로 한 추천 도서 목록을 제공하여 학생들이 책을 선정할 때 어려움이 없도록 함

9 진로교육

구상형

1. 바람직하지 못한 점

(1) 진로교육이 일회성 행사로 끝남
(2) 활동 내용이 전부 강의식으로 구성되어 있어 체험·실습의 기회가 없음
(3) 탐색할 수 있는 학과를 성별로 구분지음으로써 성차별적 요소가 반영되어 있음

2. 개선 방안

(1) 단순 일회성 행사로 끝날 것이 아니라 사후 활동을 구성하여 꾸준한 진로교육이 이루어지도록 함. 강의를 들은 후 비슷한 진로를 원하는 학생들끼리 모둠을 구성하여 관련 정보를 제공하고, 서울직업진로박람회 등에 참여할 수 있도록 안내하는 등의 후속 활동을 진행하여야 함
(2) 강의식이 아닌 체험 중심의 기회를 제공할 수 있어야 함. 이를 위해 직업계고 방문 학과 체험회, 꿈길 연계 체험 프로그램 등을 운영함
(3) 성차별적인 요소를 없애고 학과 선택 시 학생이 자신의 적성과 소질에 맞는 직업군을 탐색할 수 있도록 하고, 다양한 직업군을 탐색할 수 있도록 좀 더 다양한 학과 멘토를 섭외함

즉답형

운영 부스 예시

1. 과학

카페인 추출 실험을 활용한 성분 분석 및 연구원 체험

2. 미술

미니 조각상 만들기 활동을 통한 조각가 체험, 네 컷 만화 그리기를 통한 만화가 체험

3. 음악

한 마디 작곡·작사하기 활동을 통한 작곡가·작사가 체험

4. 수학

친구들의 MBTI 통계 그래프 만들기를 통한 통계원 체험

5. 영양

5대 영양소가 들어간 식단 만들기 활동을 통한 영양사 체험

6. 체육

맨몸 운동, 기구 운동 등을 활용한 헬스 트레이너 체험

7. 역사

사료 해석 및 문화재 소개 활동을 통한 박물관 도슨트 체험

10 학교체육교육

구상형

1. 청소년기 학교체육교육이 필요한 이유

제시문에 따르면 학교 안 학생들의 신체활동 시간이 적은 편이며, 저체력 학생이 점차 증가하고 있음. 디지털 기기 사용 증가 등 좌식 생활이 많아지면서 학생들의 신체 운동량이 적어지고 이는 비만, 체력 저하 및 다양한 합병증으로 이어질 가능성이 있음. 따라서 학생들이 건강한 신체를 유지하고 튼튼한 체력을 키우기 위해서는 체계적인 학교체육교육이 필요함

2. 체육교육 방안

(1) 스마트건강관리교실을 개방하여 학생이 주도적으로 건강을 관리할 수 있는 기회를 제공. 쉬는 시간, 점심시간 등 학생이 필요할 때 방문하여 다양한 체육 교구들을 이용해 조금씩 운동할 수 있도록 함

(2) 운동 난이도와 종목을 다양화한 스포츠클럽 활동을 운영하여 모든 학생들이 자신의 체력 수준에 맞는 운동을 할 수 있도록 함

즉답형

여학생들의 신체 운동 활성화 방안

(1) 학급 내 조회시간을 이용한 스트레칭
청소년 체조를 활용하여 큰 활동량이 필요하지 않아 교실에서도 쉽게 참여할 수 있는 스트레칭을 주기적으로 실시하여 모든 여학생들이 부담 없이 신체 운동을 즐길 수 있도록 함

(2) 줄넘기 데이 운영
교내 학급별 줄넘기 개수 채우기 데이를 운영하고 남녀 체력 차이를 고려하여 목표 개수를 정한 후, 할당량을 채우면 보상 제공

(3) 공간 재구조화
여학생들이 언제 어디서나 운동을 쉽게 할 수 있도록 운동복으로 쉽게 갈아입을 수 있는 탈의실 마련, 쉽게 접근할 수 있는 스마트건강관리교실과 같은 체육 활동 공간 구축, 자전거 타기 활성화를 위한 자전거 구비 등 다양한 체육 활동 공간과 간단하게 이용할 수 있는 체육 교구를 구비함

(4) 여학생들이 관심 있어 하는 운동
설문조사를 통해 요가, 필라테스, 케이팝 댄스 등 여학생들의 관심 분야를 활용함

11 학교예술교육

구상형

1. 문제점

(1) 교사 주도형 활동
협력종합예술활동은 역할, 분야, 내용 등 활동 전반에 대해 학생들이 주도하여 참여하는 활동이어야 하지만 교사가 모든 활동을 계획하고 지시하였음

(2) 이론 중심 수업
협력종합예술활동은 학생 중심 예술체험 활동으로, 체험 중심의 활동이 이루어져야 하지만 역사적 사실에 근거한 쪽지 시험을 실시하는 등 이론 중심의 활동이 주를 이루고 있음

(3) 활동의 목표와 평가의 목적이 맞지 않음
협력종합예술활동을 통해 예술을 감상하고 공동체와의 공감 · 소통 등의 가치를 배우는 것이 활동의 목표가 되어야 하지만, 이러한 점을 평가하지 않고 교과 이론 내용을 위주로 학업 성취를 평가하고 있음

2. 해결 방법

(1) 학생 중심 활동
협력종합예술활동으로 각 학생들이 맡을 역할, 예술 분야, 구체적인 내용에 대하여 학생들이 중심이 되어 참여할 수 있는 기회를 제공해야 함. 이를 위해 학급 회의시간을 열어 학생들이 직접 의견을 내고 계획하도록 안내함

(2) 체험 중심의 활동
학생들이 이론 수업에서 벗어나 협력종합예술활동을 직접 계획하고 경험할 수 있도록, 필요한 자료들을 직접 찾고 내용에 관해 토론할 수 있는 다양한 토론 · 토의, 협력학습, 역할놀이 등 학생 참여형 중심 모형을 활용하여 내용을 구성하도록 함

(3) 활동 목표에 맞는 발표 기회 제공
학생 주도형 발표 기회로 교복입은 예술가 영화제 · 뮤지컬 · 연극 발표회 등을 제공하여 학생들의 활동을 올바른 목표에 따라 평가하고 피드백하는 시간을 제공함

즉답형

1. 학생 주도

학생 주도 및 참여 · 체험 중심의 교육 패러다임으로 나아가기 위한 예술교육 중요성이 증대되어 이를 실현하기 위함

2. 인성

변혁의 시대를 살아가기 위한 창의융합적 사고력과 협력적 인성을 함양하는 학교예술교육에 대한 요구가 증대되었기 때문임

3. 보편교육

기존의 엘리트를 위한 예술교육에서 벗어나 모두를 위한 보편교육으로서, 누구든지 언제 어디서나 예술을 경험할 수 있는 교육의 장으로서 학교예술교육이 필요함

4. 감성

자신의 고유성을 이해하고, 감각적 판단력 함양 및 예술적 표현 · 감상 능력을 키우기 위함

5. 예술 향유

학생들을 예술 언어와 예술 감성이 풍부하고, 예술을 즐기고 누리며 예술과 더불어 살아가는 사람으로 성장시키기 위함

6. 인공지능

인공지능 시대에도 인간 중심으로 사고하면서 인간 고유의 창의성, 예술 감수성을 발현할 수 있도록 하기 위함

02 더 평등한 출발 예시답안

본책 p.18

1 기초학력 지원

구상형

맞춤형 기초학력 지원 방안

(1) 학생 A
토닥토닥 키다리샘 프로그램을 이용하여 <서울 ABC> 워크북을 활용해 학생이 알파벳을 잘 익힐 수 있도록 보충 지도 실시

(2) 학생 B
상담을 통해 심호흡, 현재에 집중하기 등의 방법을 안내하고, 시험・불안에 대한 비합리적 사고를 점검하면서 불안에 대한 마음을 잘 관리할 수 있도록 함

(3) 학생 C
경계선 지능에 해당하는지 검사를 의뢰하고 경계선 지능일 경우 서울학습도움센터와 연계하여 학습 상담 실시. 경계선 지능이 아닐 경우에는 기초튼튼반을 운영하여 해당 학생에 대한 개별 보충 교육을 실시함

(4) 학생 D
먼저 수학 기초학력이 부족한 것인지, 국어 기초학력이 부족한 것인지를 정확하게 진단하기 위해 국어와 수학 기초학력 검사 도구를 활용해 정확한 기초학력 진단을 내림. 만약 수학 기초학력이 부족한 경우 또래 멘토링을 활용해 문장으로 되어 있는 것을 수학적 기호로 표현하는 법을 연습해보도록 하고, 국어 기초학력이 부족한 경우 문장해석능력을 키울 수 있도록 문장이 의미하는 바를 찾아보는 연습과 함께 짧은 문장으로 된 책을 읽을 수 있도록 함

▶▶▶ 토닥토닥 키다리샘, 또래 멘토링, 기초튼튼반은 다른 상황에도 모두 적용이 가능합니다.

즉답형

기초학력 진단 방법

(1) 관찰
학생의 학교생활 전반을 관찰해보면서 징후를 판단함. 예를 들어 수업 때 듣고는 있지만 멍하게 있는 경우, 문제풀이 활동을 하였으나 풀지 못하는 경우, 기초적인 어휘나 알파벳 등을 모르는 경우 학생에게 기초학력 지원이 필요한 것은 아닌지 의심할 수 있음

(2) 문제풀이 활동
기초학력을 진단해볼 수 있는 예제를 세 개 보여주고 학생이 직접 풀이과정을 설명해보는 활동을 실시. 이를 통해 단순히 학생의 참여 태도가 적극적이지 않은 것인지 아니면 정말 기초학력이 부족한 것인지 진단

(3) 상담교사와 연계하여 심리・정서 문제 파악
학생의 기초학력 부족 원인이 인지적인 차원이 아니라면 심리・정서적 차원에서 비롯된 것일 수 있으므로 상담교사와 협력을 통해 현재 학생이 정서적 어려움을 겪고 있는지 파악

2 특수교육 및 통합교육

구상형

1. 자료 분석

(1) 표 1: 특수교육대상학생 수는 점점 증가하고 있음
(2) 표 2: 특수교육대상학생은 영역별로 다양함. 특히, 지적장애와 자폐성장애가 반 이상을 이룸

2. 준비 방법

(1) 특수교육대상학생 영역별로 어떤 교육적 지원이 필요한지 연수 등을 통해 공부하기
(2) 특수교육대상학생과 학부모 상담 방법에 대해 특수교사와 협력하기

즉답형

장애공감문화 형성을 위한 방법

(1) 장애인에 대한 편견을 높이는 단어 사용 조사 후 용어 바꾸기 캠페인 진행
(2) 통합학급에서는 특수대상학생과 함께하는 스포츠 활동, 예술 활동 등을 통해 비장애학생들과 특수대상학생들이 많이 접촉할 수 있도록 함
(3) 다양성의 날 시행: 단순 장애인식 개선을 위한 장애이해교육이 아니라 다양성 존중을 위한 문화 형성이 필요. 우리는 모두 다르며 서로 존중해야 함을 전달
(4) 장애 체험 활동: 비장애학생들이 다양한 장애 상황에 직접 참여하도록 함. 이때 장난식이 되지 않도록 장애공감의 필요성을 계속적으로 안내함

3 교육복지

구상형

1. 학생맞춤통합지원

도움이 필요한 학생을 학생 개개인의 상황에 따라 맞춤형으로 지원하고, 복합 위기일 경우 다양한 부서와 협력하여 통합지원을 제공함

2. 학생맞춤통합지원 방안

(1) A 학생: 경제 취약, 적응 취약(정서 취약)
　① 주민센터에 교육비, 교육급여를 신청할 수 있도록 안내(연중 신청 가능)
　② 학생통합지원팀에 현장체험학습비 지원 협의 및 지원
　③ 각종 교육복지 관련 장학금, 바우처 신청 안내
　④ 새꿈프로그램 신청을 통해 문화 향유 기회 확대
　⑤ 학생, 학부모와 주기적인 상담 및 필요 시 위(Wee) 클래스 연계
(2) B 학생: 적응 취약(정서, 기초학력 취약)
　① 학생, 학부모와 주기적인 상담
　② 위(Wee) 클래스와 연계하여 불안, 학기 초 적응 등과 관련한 전문적인 도움을 받을 수 있도록 안내
　③ 학급 내 적응 활동 실시: 마니또, 학급놀이, 생일축하 활동, 칭찬 샤워 등
　④ 사제 멘토링 진행: B 학생을 포함하여 학급 학생들과 함께 소집단 멘토링 진행
　⑤ 기초학력 지원: 두드림 학교 지원, 1:1 학습 멘토링 진행

즉답형

1. 다문화학생

(1) 언어에 어려움을 겪을 시 이중(다중)언어 프로그램 안내
(2) 서울다문화교육지원센터(다+온센터) 안내: 센터 프로그램(다문화 · 세계시민교육 · 문화예술 프로그램), 방과후 동아리 등
(3) 기초학력 멘토링 ‘다가치 멘토링’
(4) 다문화학생 보호자 대상 교육 정보지 ‘다가감’ 제공, 학교 공문서 · 교육자료 번역

2. 탈북학생

(1) 탈북학생 1:1 맞춤형 멘토링
(2) 토요거점 방과후학교 연계
(3) 방학학교 안내: 학습멘토링 여름 방학학교, 진로탐색 겨울 방학학교
(4) 남북학생 및 학부모 연합 동아리

4 학업중단 예방

구상형

1. 맞춤형 지원 방안

(1) 학생 A
  ① 서울다문화교육지원센터 '다+온센터'를 통한 지원: 다문화학생 한국어 교실, 다문화학생 및 학부모 상담 프로그램, 학부모 역량 강화 프로그램 등을 안내
  ② 가정 방문: 아버지가 응답이 없으실 경우 어머니에게 양해를 구하고 가정 방문을 통해 아버지와의 학부모 상담 진행, 학생 A에게 다+온센터를 통한 연계 교육이 필요한 이유를 상세히 설명드림
(2) 학생 B
  ① 올바른 진로 가치관 설정 및 진로 탐색 장려: 미래의 경제 활동을 계획해본 것에 대해서는 존중하는 태도를 보이면서도 여러 직업 중 배달을 선택한 이유를 먼저 물어봄. 만약 그 이유가 다른 노력을 들일 필요 없이 돈만 벌 수 있다는 인식 때문이라면 청소년기에는 다양한 꿈을 가질 수 있고 무궁무진한 진로를 탐색할 수 있는 방법이 많다는 것을 알려줌
  ② 학업 흥미 유발: 여러 진로를 위해서는 학교의 수업이 도움이 될 수 있다는 점을 충분히 설명하여 학업에 대한 관심이 생기게 유도하고 출석을 장려함
  ③ 다양한 진로 체험 안내: 학생의 적성과 특성에 맞는 직업군을 탐색해볼 수 있도록 서울시 진로직업박람회와 여러 진로 관련 체험, 진로 검사 등을 소개함

2. 학급 차원의 활동

(1) 학급 마니또 활동
마니또 활동을 통해 친구들과 서로 도움을 주고받으며 상호작용함으로써 학교생활에 대한 즐거움을 느낄 수 있도록 함
(2) 학급 단합 미니 체육대회
체육대회를 통해 친구들과 함께 협력하며 스포츠를 즐기면서 친구들과의 유대감, 소속감을 느낄 수 있도록 함

즉답형

"선생님은 학업중단 숙려제를 통해 ○○이가 진지하게 결론을 내린 것에 대해 존중하고 공감해. 여러 상담 프로그램을 받으면서 너의 미래를 여러 방면으로 생각해 봤겠지만, 그래도 ○○이가 학교를 떠나기 전 선생님이 몇 가지 조언을 해주고 싶어서 이렇게 불렀어.
우선 ○○이처럼 학업중단을 결심한 친구들을 위한 '친구랑'이라고 하는 센터가 있어. 친구랑에서 여러 학습 지원 프로그램과 진로 체험 프로그램을 실시하고 있고, 고민이 있을 때 상담도 계속해서 받을 수 있단다. 또 교육참여수당이라고 해서 교육활동 지원비도 신청할 수 있으니 필요할 때 적극적으로 이용하길 바라.
학업중단을 결정했다고 해서 누군가가 너를 비난할 자격은 없단다. 간혹 고등학교를 졸업하지 않았다는 이유만으로 너를 평가하고 무시하는 사람들도 있겠지만, 너는 항상 존중받아야 하고 소중한 존재라는 것을 잊지 말고 당당하게 잘 지냈으면 해. 언제든지 고민이나 어려움이 있을 때는 부담 없이 선생님께 연락을 주렴."

Chapter 03 더 따뜻한 공존교육 예시답안

본책 p.22

1 생태전환교육

구상형

1. 필요성 시연 예

(1) 학생 A

"한 해에 생산되는 플라스틱의 양은 우리나라가 전 세계 4위인데, 이 중에는 재활용되지 않고 바다로 흘러가는 것들이 많단다. 이렇게 발생한 미세플라스틱을 해양 생물들이 섭취하면서 결국 우리 식탁으로 다시 돌아오게 돼. 그렇기 때문에 플라스틱 사용을 줄이는 것이 중요하단다. 조금 귀찮고 무겁기는 하지만 텀블러 사용을 통해 플라스틱 사용을 줄여보면 어떨까?"

(2) 학생 B

"선생님도 예전에 같은 생각을 한 적이 있단다. '나 하나 한다고 당장 바뀌는 것도 없는데 이걸 왜 해야 하지?'라는 생각이 들어 편하게 살아보려 했어. 그런데 선생님의 친구는 환경 보호에 앞장설 수 있는 행동이라면 작은 것이라도 꾸준히 하더라고. 그 친구를 보는데 내 자신이 부끄러웠고 다시 환경 보호를 실천했단다. 그러던 우리 둘을 보고 학급의 친구들도 하나 둘 동참하기 시작했어. 처음에는 혼자 하는 것 같아 외롭고 지치기도 하지만, 내가 하고 있는 행동이 주변 사람들에게 영향을 주면서 공동체 전체가 참여하는 보람된 순간으로 다가오게 된단다."

2. 전교생 대상 생태전환교육 프로그램

(1) 그린 급식 인증제

친환경 재료를 활용한 그린 식단의 날에 다 먹은 것을 인증하고 참여도가 높은 학생들에게는 비건 간식 등의 보상 제공

(2) 환경 퀴즈

서울시교육청에서 제공하는 생태전환교육 영상을 시청하고 그 내용과 관련된 퀴즈를 풀어보면서 생태 관련 지식을 얻을 수 있도록 함

(3) 탄소제로 실천 챌린지

환경교육 주간을 맞아 텀블러 사용 등 탄소제로 행동을 실천하는 챌린지 진행

즉답형

1. 오늘은 내가 우리 반 에너지 지킴이

하루에 한 명씩 에너지 지킴이를 선정하여 학급에서 낭비되고 있는 대기 전력을 관리하고, 이동 수업 시 전등 끄기 등을 실천할 수 있도록 함

2. 에어컨 온도 1℃ 올리기

학급에 지나치게 낮은 온도로 설정되어 있는 에어컨 온도를 1℃ 높이는 캠페인을 할 수 있도록 지도함

3. 그린 식단 만들기

야채 비빔밥, 키토 김밥, 샐러드와 같은 채식을 활용한 먹거리를 함께 만들어보고 평소 탄소를 많이 배출하는 육식 식단에서 탄소 배출이 적은 그린 식단을 학생들이 체험할 수 있도록 함

2 세계시민 · 통일교육

구상형

1. 필요한 교육: 세계시민교육

2. 이유

(1) 글로벌 사회 문제들을 해결하기 위해서는 글로벌 협력과 연대가 중요함. 이에 따라 [가]에 나타나듯 학생들이 더불어 사는 사람으로서 성장할 수 있도록 도모하는 세계시민교육이 필요함

(2) 전 지구적인 문제를 해결하고 위기를 극복하기 위해서는 [가]에 나타나듯 차별 금지, 다양성 존중 등의 원칙에 따른 세계시민교육을 통해 학생들이 모든 종류의 차이를 넘어 협력과 연대를 할 수 있는 사람으로 성장할 수 있도록 해야 함

3. 교사로서 필요한 역량

공동체 역량, 다문화 감수성 역량, 글로벌 역량, 세계시민 역량 등

즉답형

융합수업을 통한 세계시민교육 실천 방안

(1) 국어+사회: 모의 UN을 통해 국제 이슈 이해하기
  ① 모둠별로 신문 국제면을 위주로 토의를 통해 국제 이슈를 선정함 (자율성)
  ② 모둠별로 선정한 이슈가 모의 UN에서 다루어져야 하는 이유를 발표함
  ③ 투표를 통해 모의 UN 안건용 이슈를 확정함 (현장성)
  ④ 선정된 이슈에 따른 관련국을 학생들이 제시하도록 하고, 각 모둠별로 국가를 선택함
  ⑤ 안건으로 선정된 이슈에 대하여 각 모둠별로 담당 국가의 입장이 반영된 입장표명서를 작성함
  ⑥ 각 모둠별로 작성한 입장표명서를 발표하고, 안건에 대하여 민주적인 토론을 진행함 (체험 중심)
  ⑦ 국가별로 의견을 나누면서 서로 간의 의견을 조율하고, 합의점을 찾아 국제 이슈에 대한 평화적 해결 방법을 모색해봄
  ⑧ 최종 결의문을 함께 작성함 (역량 중심)

(2) 역사+사회+미술: 평화의 중요성
  ① 교과서에 수록된 주요 전쟁에 대하여 학습하고 참전자 인터뷰, 영화나 드라마 속 전쟁 모습, 뉴스 보도 등을 통해 해당 전쟁에 대한 간접 경험을 제공함 (자율성)
  ② 전쟁의 직접적인 문제점뿐만 아니라 전쟁이 일상생활 속 사람들에게까지 미치는 간접적인 영향에 대한 이야기를 나누며 평화의 중요성을 깨달음
  ③ 모둠별로 평화에 대한 다양한 생각을 모음 (현장성)
    예 평화란 무엇인가, 평화와 비평화, '평화'하면 떠오르는 단어, 상황 · 사건 · 일상에서 '평화'를 누리기 위해서 우리가 할 수 있는 행동 등
  ④ 토의한 내용을 바탕으로 모둠별로 평화에 대한 미술 작품을 제작함 (체험 중심)
    예 포스터, 카드뉴스, 함축적 그림작품 등
  ⑤ 작품을 서로 공유하며 느낀 점과 생각, 질문과 답변을 주고받음 (역량 중심)

3 민주시민교육

구상형

1. 학생 B

(1) 상대방을 멍청하다고 표현하는 것은 혐오 표현임을 알리고 이에 대하여 즉시 제지하고 경고함
(2) 토론 과정에서 지켜야 할 규칙에 대하여 안내하고, 나와 다른 의견을 가진 친구를 존중하는 자세로 임할 수 있도록 함

2. 학생 C

(1) 아무리 풍부한 자료를 접할지라도 빠른 시간 내에 의견 · 생각을 바꾸는 것은 혼란스러울 수 있는 일임을 공감함
(2) 반대 입장을 살펴보았기 때문에 반론을 생각할 때 용이하며, 생각의 지평을 넓히고 '역지사지'해보는 과정 자체가 의미 있는 과정임을 알려주어 그 과정 속에서 배움의 기쁨을 느낄 수 있도록 격려함

3. 학생 D

(1) 역지사지 공존형 토론은 합의 자체가 아닌, 합의로 나아가기 위해 서로의 의견과 근거를 존중하는 과정을 더 중요하게 생각함을 알려줌
(2) 합의에 이르지 못한 경우에도 자신의 의견에 대하여 근거를 바탕으로 시민적 예의를 갖추어 말하고 상대를 존중하며 경청과 대화를 실천한 것에 대해 충분히 격려함

즉답형

보이텔스바흐 합의에 따라 민주시민교육 시 지켜야 할 기본 원칙 3가지

(1) 강압적인 교화와 주입식 교육을 해서는 안 됨
학생에게 '올바른 견해'라는 이름으로 특정 이념이나 주장을 강제로 주입하거나 학생 스스로의 판단 과정을 방해해서는 안 됨. 자유로운 토론과 참여를 통한 교육방식으로 이루어져야 함

(2) 논쟁 상황을 그대로 재현해야 함
학문적 · 사회적 논쟁은 수업에서도 논쟁적으로 다루어져야 함. 또한 이와 관련된 다양한 관점을 제시하고, 이를 바탕으로 대안에 대한 논의가 이루어져야 학생 스스로 판단할 수 있는 능력을 키울 수 있음

(3) 학생 본인의 이해관계를 스스로 판단할 수 있도록 해야 함
사회적 논쟁이 학생 본인의 이해관계에 어떤 영향을 주는지 분석할 수 있어야 함. 즉, 논쟁에 대한 자신의 관심과 입장을 분석할 수 있도록 하여 스스로 시민적 역량을 기를 수 있도록 해야 함

Comment

보이텔스바흐 합의는 1976년에 독일(구 서독) 교육계에서 보수 · 진보 양 진영이 합의한 3가지 교육 원칙으로서, 청소년들이 사회적 다양성에 대해 이해하고 주체적 판단능력을 함양할 수 있도록 한 것이에요. 이후 독일뿐 아니라 많은 나라에서 보편적 교육원칙으로 교육 현장에 적용되었어요.

4 학생인권

구상형

1. 공통적으로 나타나는 문제점: 차별 · 혐오표현이 만연하게 나타남

2. 문제점을 해결하기 위해 학교가 해야 하는 역할

(1) 차별에 민감해야 하며, 혐오표현 예방을 위해 교사 · 학생 대상 지속적인 교육을 실시해야 함

(2) 혐오표현을 묵인하고 수용하는 문화가 형성되지 않도록 혐오표현을 규제하는 방안을 마련해야 함

3. 교사로서 실시할 교육

(1) 차별 · 혐오표현에 대한 인식을 점검하고, 이를 학생들 스스로 개선할 수 있는 캠페인 실시

(2) 학생들이 일상생활에서 자주 사용하는 혐오표현에는 무엇이 있는지 조사하고, 혐오와 차별이 없는 학교를 만들기 위해서는 어떤 노력을 해야 하는지 모둠별로 발표하기

즉답형

1. 학급 프로그램 예시

(1) 인권 친화적 학교 문화를 만들기 위한 뮤직비디오 제작

(2) 내용

학교생활을 하며 인권이 침해되었던 경험을 공유하고 이를 개선하여 인권 친화적 학교 문화를 만들기 위해서는 어떤 노력을 해야 하는지, 어떤 점을 개선해야 하는지 토의함. 곡을 선정하고 모둠별로 파트를 나누어 토의한 내용에 따라 파트별 노래를 개사함. 학급별 현장체험학습을 나갔을 때 뮤직비디오에 필요한 장면들을 촬영한 뒤 이를 편집하여 한 편의 뮤직비디오를 완성함

(3) 이유

학창시절 친구들과 노래를 부르는 것을 좋아해서 학기말 시간이 많을 때 친구들끼리 재미 삼아 우리들만의 뮤직비디오를 제작한 적이 있었음. 좋아하는 노래를 바탕으로 하나의 뮤직비디오를 완성해내니 재미로 시작했을지라도 놀라운 성취감을 느낄 수 있었음. 또한 친구들끼리 하나의 팀으로서 무언가를 완성해냈다는 성취감도 느낄 수 있었음. 이러한 경험을 바탕으로 학급 학생들과 한 편의 뮤직비디오를 만들어 공동체성을 기르고 싶음. 또한 직접 토의한 내용을 바탕으로 직접 개사한 노래를 뮤직비디오로 만드는 것이니 학생들이 스스로 정한 인권 친화적 문화 조성 방안들을 더욱 잘 지키고자 노력할 것으로 기대됨

2. 교사 측면에서 학생인권이 존중되었을 때의 장점

인권 존중 학교 문화가 조성되고 상호 인권 의식이 확립되어 교사의 인권도 보호받을 수 있으며, 안정적인 교육활동을 진행해나갈 수 있음

5 인성교육

구상형

1. 중점적으로 다룰 덕목

(1) '나눔' 예시

나눔은 자발적으로 남을 돕는 일을 실천할 수 있는 역량으로, '나'만 생각하는 것이 아닌 다른 사람까지도 함께 생각하는 것임. 개인적이고 경쟁적인 사회 풍토로 학생들 사이에서도 점차 서로를 도우며 나눔을 실천하는 모습이 사라져가고 있음. 그러나 학교뿐만 아니라 사회는 필수적으로 다른 사람들과 관계를 맺고 살아가야 함. 따라서 다른 사람들과 함께 어우러져 살아가기 위해서는 서로를 존중하고 공감하며 남을 배려하고 도와주는 역량이 필요함

(2) '존중' 예시

사이버폭력, 혐오, 교권 침해 등이 큰 사회적 이슈로 대두되고 있음. 특히나 온라인에서는 갈등상황이 발생했을 때 타인을 존중하지 않고 오히려 타인에게 더욱 노골적이고 공격적인 모습을 보이기도 함. 따라서 바람직한 소통 방식과 건전하고 따뜻한 학교 문화를 조성하기 위하여 학생들이 타인 존중의 태도를 기르는 것이 중요하다고 생각함

2. 해당 덕목을 함양시키기 위한 공동체형 인성교육 방안

(1) 나눔 – 고령층을 대상으로 한 마을 봉사활동

① 학생 토의: 급속하게 변화하는 디지털 환경에 적응이 쉽지 않은 고령층은 생활 속에 많은 불편이 있음. 이와 관련해 학생들이 어떻게, 왜 봉사활동을 진행해야 하는지에 대하여 토의하며 각자의 의견을 나눔

② 디지털 기기 사용 안내서 제작: 일상생활에서 당연한듯 사용되고 있지만 고령층은 사용하기 어려워하는 스마트폰, 키오스크 등의 디지털 기기에 대한 기본적인 사용 안내서를 학생들이 주체적으로 제작함. 이때, 고령층이 알아보기 쉽게 글자와 이미지를 크게 작성하는 등 고령층의 특성을 고려하여 제작하도록 함

③ 학생 봉사활동 실시: 마을 내 경로당 등 현장을 방문해 디지털 교육을 진행함으로써 나눔을 실천함. 일회성의 봉사활동으로 끝나지 않고 문자

전송, 동영상 시청, 음악 감상, 키오스크 주문 방법 등으로 차시를 나누어 지속적으로 진행함으로써 [다]에 나와 있는 학생 인성과 관련한 위기 상황인 '개인적인 사회풍토'에서 벗어나 포용적인 공동체 문화로 발전할 수 있도록 함

(2) 존중 – '고운 말 예쁜 말 캠페인'(교실 내 언어순화 캠페인)

① 학생 주체 캠페인: 진행 전 학생들이 직접 학급회의를 통해 언어순화 캠페인의 필요성을 이해할 수 있도록 함. 학생들 사이에서 서로를 존중하지 않음으로써 자주 나타나는 혐오표현, 문제언어 등을 조사하고 파악하여 이를 개선하는 방안을 논의할 수 있도록 함. 이를 바탕으로 학생들이 주체적으로 캠페인을 체험하고 실천할 수 있도록 함

② 지속적인 진행: 학생들이 논의한 내용을 바탕으로 캠페인을 실천함(비속어 사용하지 않기, I-message 사용하기 등). 관련 포스터를 제작하여 교내에 게시하는 등 학급에서만의 활동으로 끝나지 않도록 함. 또한 일회성 행사가 되지 않도록 매달 학급자치 시간에 한 달간의 언어문화를 점검하여 잘한 부분은 칭찬하고, 못한 부분은 개선하기 위한 시간을 갖도록 함으로써 [다]에 나와 있는 학생 인성과 관련한 위기 상황인 폭력적인 또래 문화에서 벗어날 수 있도록 함

③ 가정과 연계: [다]에 나와 있듯이, 가정에서의 기본 생활습관 형성 부족이 인성과 관련한 위기 상황으로 제시되기도 함. 따라서 학부모에게 협조를 요청하여 학생들이 보여주기식 캠페인에서 끝나지 않고 가정에서도 노력하여 올바른 언어 습관이 기본 생활습관으로 자리 잡을 수 있도록 함

즉답형

1. '인성 틈새 채움 교육' 방안 2가지

(1) 과학(생물) 교과와 연계하여 1인 1식물 기르기 활동 진행: 점심시간마다 식물에 물을 주고 관찰일지를 작성

(2) 국어 교과와 연계하여 언어 개선 캠페인 진행: 쉬는 시간, 점심시간 동안 학생들 스스로 자신들이 사용하는 언어를 탐구하고, 언어 문화 개선의 필요성을 인식한 뒤 이와 관련하여 캠페인 진행

2. 기대효과

(1) 생명존중의식을 함양할 수 있으며 식물을 도맡아 기르면서 책임감이 증진됨

(2) 바른 언어 사용 습관이 정착될 수 있으며, 올바른 의사소통 역량이 함양됨

이외 거시적인 효과

- 수업시간뿐만 아니라 쉬는 시간, 점심시간 등 모든 시간을 활용하여 빈틈없는 인성교육이 이루어짐으로써 인성 친화적인 학교 문화가 조성됨
- 쉬는 시간, 점심시간에도 친구들과 함께 활동을 진행함으로써 친밀감이 상승하고 심리·정서적 결손을 극복하는 데 도움이 됨

6 서울미래교육지구(마을교육공동체)

구상형

1. A 교사: 진로교육과 관련한 지역연계
(1) 자치구 진로직업센터와 협업을 강화하여 체험 중심 맞춤형 진로탐색활동을 지원함
(2) 마을의 기업, 대학 등과 연계하여 직업 현장 체험
(3) 자유학기(년)제에서는 지역 특성을 반영하여 주제 선택활동 운영(생태전환, 과학관, 수학관 활용)
(4) 고교학점제 대비 소인수과목 등 다양한 과목 개설을 위해 학계, 산업계 전문가 등 지역인재 활용

2. B 학생: 예술, 체육교육과 관련한 지역연계
(1) 지역 내 문화재단, 미술관, 공연장 등과 연계하여 예술활동 지원
(2) 지역 내 예술인들과 협업하여 방과후활동 개설, 동아리 활동 강사 지원(방과후 국악, 오케스트라 동아리)
(3) 지역 내 스포츠 시설, 종목별 체육회와 협력하여 리그 및 지역대회 운영

즉답형

지역연계 학생 맞춤 통합 지원 방안
(1) 학생 자치 측면
① 다가치학교 활용 지역 문제해결 프로젝트 진행: 청소년 자치배움터를 중심으로 학생들이 지역의 문제를 수집하고 해결해보는 실천적 프로젝트 진행 예 쓰레기 문제, 흡연구역 등
② 청소년 활동 공간 활용 마을 축제 진행: 청소년 문화의집, 청소년 센터, 도서관 등 청소년 활동 공간을 활용하여 해당 공간에서 진행하는 프로그램을 확장한 마을 축제 진행
예 예술작품 전시 활동, 책 축제 등
(2) 교육복지 측면
① 교육후견인제 활용: 지역에서 사회적 보호자 역할을 수행하는 교육후견인을 학생과 연결하여 학생의 학습·정서·돌봄을 지원함
② 지역 내 유관기관과 연계: 지역 내 유관기관(지역아동센터, 지역교육복지센터, 아동복지관, 지역 돌봄기관 등)과 연계하여 교육복지 안전망 구축

04 더 세계적인 미래교육 예시답안

본책 p.29

1 AI · 디지털 교육

구상형

1. [가]와 [나] 비교

(1) 공통점
교수자와 학습자 간의 상호작용이 일어남

(2) 차이점
[가]에서는 상호작용이 교사와 학생에서만 일어나는 반면, [나]에서는 인공지능이 추가적인 교수자, 학습 팀원으로 가세하는 상호작용이 일어남

2. [나]의 장점

(1) 교사와 AI의 협업을 통한 개별화 교수·학습
맞춤형 교수·학습을 통한 교과학습능력 향상, 개별화 피드백 등 개별 맞춤형 교육 가능

(2) 교실 수업 개선
AI가 탑재된 교수·학습 도구를 활용함으로써 미래 교육에 맞는 혁신 수업 가능

(3) 학생들의 AI 활용 능력 향상
AI 네이티브 등 AI를 이해하고 이를 유용하게 활용하는 방법을 학습할 수 있음

3. 인공지능 기반 교육에서의 역할

(1) 교사
인간적 사고과정 유도, 상위의 사고과정 유도, 학습 또는 학급 관리 역할 등

(2) 인공지능
패턴화되고 노동 집약적인 활동(채점 · 과제 관리 · 자료 수집 · 통계 보고), 교수설계, 교육과정 운영, 업무 추진 등에 대한 최적안 제시 등

즉답형

1. 디지털 리터러시

디지털 사회 구성원으로서 자주적인 삶을 살아가기 위해 필요한 기본 소양으로, 윤리적 태도를 가지고 디지털 기술을 이해 및 활용하여 정보를 탐색 및 관리, 창작함으로써 문제를 해결하는 실천적 역량

2. 전공 연계 디지털 리터러시 교육 방안

(1) 사회, 도덕
유튜브에 성행하는 여러 가짜뉴스를 식별하는 법 찾기, 이를 바로잡을 수 있는 방법을 토론 및 실천하기, 다양한 사회 현안에 대한 올바른 근거 찾아보기 활동 등

(2) 국어, 미술
디지털 윤리에 어긋나는 악플 사례 찾아보기, 이를 해결할 수 있는 홍보 포스터 만들어보기

(3) 과학
기후위기, 지구온난화, 지구 평평설 등과 같은 주장을 반박할 수 있는 올바른 과학적 근거 및 수학적 통계 찾아보기

(4) 정보
올바르게 정보를 습득할 수 있는 플랫폼 소개하기

(5) 체육
스포츠 관련 심판에서 편향된 시각이 담긴 사례 및 AI · 디지털 기술을 이용한 사례 비교 · 분석하기

2 공간 재구조화

구상형

[다]의 실현 방안

(1) '참여 디자인' 실현 방안
[나]에서 학생 A, 교원 B의 인터뷰 내용처럼 학생·교원 등이 원하는 공간 재구조화 방향에 대한 적극적인 의견수렴 과정을 거쳐 학생들을 위한 다목적 공용 공간, 참여 소통 공간 및 교사 교육과정과 연계한 유연한 교육환경을 조성함
예 학생들이 자유롭게 모여 놀 수 있는 실내 놀이터, 교실 뒤편에 실내화를 벗고 앉아 놀 수 있는 공간, 접이식 문으로 수업 규모에 따라 크기를 조정할 수 있는 교실 등

(2) '공유 디자인' 실현 방안
① [가]에 나타난 현상처럼 인구구조 변화 및 지역소멸 위기로 인해 편의 시설이 더 이상 설립되지 않는 지역의 학교에는 대지 내 여유 부지를 활용하여 편의 시설을 만들고 이를 지역 사회에 개방하도록 함 예 체육센터, 수영장, 평생교육센터 등
② [나]에서 지역 주민 D의 인터뷰 내용처럼 학교 시설을 지역 주민에게 개방함 예 주차장, 도서관 등

(3) '포용 디자인' 실현 방안
① [나]에서 학부모 C의 인터뷰 내용에서 드러나듯, 안전한 환경을 조성하기 위하여 모두를 위한 디자인(Design for All)을 통해 물리적·사회적으로 안전한 학교를 조성함
② 교내 소통을 활성화하는 복도 게시판의 높낮이를 조절할 수 있도록 설치, 운동장 및 학교 교육 공간을 이동할 때 불편하지 않도록 경사로 설치 등

(4) '생태 디자인' 실현 방안
[나]에서 교육 B의 인터뷰 내용처럼 다양한 생태교육 활동을 실시할 수 있는 생태교육 공간을 구축함
예 학교 숲, 교내 텃밭, 실내 정원 등

위의 내용에 덧붙여, [가]의 내용을 참고하였을 때 학생 수가 급격하게 감소함에 따라 학교에 남는 유휴 공간이 많아지므로 이를 활용하여 '~디자인'을 위한 공간을 조성하겠다는 등의 내용이 답변에 포함되면 좋아요.

즉답형

1. 영어(제2외국어)

(1) 재구조화 방안
원형 테이블이 있고, 테이블 앞쪽 벽면에 대형 모니터가 설치되어 있으며, 원형 테이블 중앙 홀에는 사방 모니터가 갖추어져 있는 공간

(2) 기대효과
원형 테이블로 의사소통 및 정보 교환이 빠르게 이루어질 수 있음. 실시간 화상수업으로 이루어지는 국제 공동수업 등이 용이해짐. 사방 모니터로 모든 학생들이 화상수업이 진행되고 있는 장면을 실시간으로 확인하며 모두가 쉽게 참여할 수 있음

2. 미술

(1) 재구조화 방안
한쪽 벽면에 유리 폴딩도어를 설치하고, 야외 데크를 설치함. 야외 데크를 통해 교내 생태공간으로 이어질 수 있도록 재구조화

(2) 기대효과
생태와 연계한 미술 수업 가능. 폐쇄된 공간이 아닌 자연과 연결된 개방감 있고 다채로운 공간이 학생들의 창의성 및 예술적 감수성을 더욱 자극할 수 있음. 수업 시간에 활용했던 붓, 물통 및 수채화 그림 등을 야외 데크에서 자연 건조하기에 용이

3. 과학과

(1) 재구조화 방안
AR·VR 기기를 활용할 수 있는 디지털 공간, 모둠별 활동이 용이한 공간(책상 배치 등)을 조성하는 한편, 폴딩도어로 각각의 공간을 구분할 수 있도록 재구조화

(2) 기대효과
교과 개념(예 지진, 화산, 다양한 실험 등)을 직접 AR·VR 기기로 체험하여 생생한 학습이 가능하고, 모둠별 활동 공간을 통해 다른 교과와 융합한 STEAM 프로젝트 수업이 가능함. 또한 각각의 공간은 폴딩도어로 구분하여 수업의 집중도를 높일 수 있음

4. 비교과

(1) 재구조화 방안

① 보건: 보건교육실에 심장충격기와 사용 설명서, 흡연 관련 폐 모형 등 학생들이 직접 보고 심각성을 깨닫거나 체험할 수 있는 체험 공간 설치

② 영양: 급식실에 학생들이 급식 메뉴 건의를 할 수 있는 소리함, 칠판 설치

③ 사서: 도서관을 청소년 문화 카페 형식으로 탈바꿈

(2) 기대효과

① 보건: 응급처치교육 및 금연교육에 대한 학생들의 흥미와 관심을 고취할 수 있음

② 영양: 학생들의 요구를 파악하기 용이하며 이를 식단에 반영함으로써 급식 만족도를 높일 수 있음

③ 사서: 청소년 문화카페로 탈바꿈하여 도서관을 어렵고 딱딱한 공간이 아닌 편안한 공간으로 인식하여 접근성이 좋아짐으로써 도서관 이용률이 높아질 수 있음

Chapter 05 더 건강한 안심교육 예시답안

본책 p.31

01

1 생활교육과 상담

구상형

1. A 학생

(1) 학생과 개인 상담
수업 태도가 불성실한 것에 대해 꾸짖지 않고 학생의 행동 이유와 상황을 탐색함. 이때 공감과 경청이 필요함

(2) 다양한 프로그램 안내
학생의 욕구와 관심사를 탐색할 수 있도록 다양한 기회 제공(진로 체험, 학교 또는 교육지원청에서 제공하는 다양한 프로그램 참여 안내 등)

(3) 함께 수업 참여 계획 세우기
수업에 참여할 수 있도록 도와주고 싶다는 뜻 전달, 구체적인 목표를 정해 수업에 참여할 수 있는 계획 세우기 등

2. B 학생

(1) 학생의 상황 공감, 경청
숙제를 해 오지 않음을 꾸짖지 않고 해 오지 못한 이유를 탐색하고 경청함

(2) 학부모 상담
상담을 통해 가정에서 B 학생의 모습과 가정의 지원 정도 파악하기, 부모에게 학교에서 B 학생의 모습 전달하기

(3) 지지체계 형성
어려움을 이해하고 함께 버텨주기, 사회적 지지체계가 될 수 있는 또래 집단과의 유대감 향상을 위한 학급 활동 진행 예 칭찬 샤워, 스포츠 활동 등

즉답형

학부모상담을 거부하는 학부모 설득

(1) 학부모의 입장 공감 및 경청
학교로 오는 상담이 부담될 수 있음을 공감, 상담을 거부하는 이유 경청(시간 문제, 죄책감, 낙인 등 이유 파악)

(2) 학생 상황 전달(장점 많이 이야기)
교사와의 상담은 거부하지만 학생에게 관심이 없지 않기 때문에 학생의 학교생활이 궁금했을 것. 따라서 교사가 학생에게 많은 관심을 기울이고 있다는 것을 전달하며 방어를 낮출 수 있음

(3) 가정에서 지도할 때의 어려움에 대해 물어보기
가정에서도 어려움을 느낀다면 그에 적절히 공감하고 학교에서도 같은 어려움을 느끼고 있어 걱정됨을 전달

(4) 학부모를 탓하고자 부르는 것이 아니며, 아이의 건강한 성장을 위해 함께 논의가 필요함을 안내

2 학교폭력 예방

구상형

1. 피해 관련 학생 조치

(1) 피해 관련 학생과 가해 관련 학생을 우선 분리

(2) 가벼운 상처는 학교 보건실에서 치료하고, 심한 상처인 경우 병원으로 신속히 이송

(3) 피해 관련 학생의 마음을 안정시킴(심호흡, 안정을 유도하는 말 등)

(4) 신변 안전이 확보되면 상황에 대해 간단히 파악하고, 이후 진행될 조치에 대해 안내하고 학부모에게 연락

2. 가해 관련 학생 조치

(1) 피해 관련 학생과 가해 관련 학생을 우선 분리

(2) 피해 관련 학생의 상태가 위중하거나 외상이 심한 경우 가해 관련 학생 역시 충격을 받아 예측하지 못한 돌발행동을 할 수 있음. 이에 주의를 기울이며 대화를 시도함

(3) 질책이나 맞장구는 삼가고 중립적으로 가해 관련 학생의 입장을 청취
(4) 이후 진행될 조치에 대해 안내하고 학부모에게 연락

3. 주변 학생 조치

(1) 현장 접근 통제 후 주변 학생의 충격 수준을 파악
예 심하게 불안해하거나 우는 학생이 있는지 조용히 파악
(2) 힘들어 하는 학생이 있는 경우 지도교사가 있는 안전한 공간에서 휴식, 진정할 수 있도록 안내
(3) 상황을 정리하여 전달하고, 사안이 잘 처리될 수 있도록 이에 대한 언급을 자제할 것 당부. 특히, 사안 관련 학생들에 대한 낙인을 찍어 따돌리는 일이 없도록 주의시킴
(4) 학생들이 동요하거나 의구심을 갖는지 등을 모니터링하고, 필요한 경우 학교의 사안처리과정을 안내하여 불안 요소를 해소함

즉답형

(1) 우선 발생 사실을 전화로 통보하고 내교하거나 유선으로 연락하여 구체적 상황 설명, 이때 근거 확보 권장 예 상담일지를 반드시 기록, 통화 녹음(동의 이후)
(2) 신고 접수 내용과 사안조사관의 조사, 전담기구, 학교장 자체해결 또는 심의위원회 개최 등 향후 진행 절차에 대해 안내
(3) 사안조사가 진행됨에 따라 접수된 사안의 내용이 달라질 수 있음을 안내. 조사 완료 후에 조사 결과를 바탕으로 재안내함을 고지. 이때 학교폭력 조치 결과 등에 대해 예단하여 안내하지 않아야 함
(4) 피해 관련 학생과 보호자에게는 보호를 위한 긴급조치가 가능함을 안내하고 요구 및 의견을 청취[『학교폭력예방법』 제16조(피해학생의 보호)]
(5) 자녀의 피해에 대한 속상함과 놀람에 대해 공감하고, 학생이 귀가했을 때 심적 안정이 필요함을 전달

3 아동학대 예방

구상형

1. 아동학대 예방교육 방향-학생

(1) 자료 분석
아동학대 피해아동 연령을 보았을 때 다양한 연령의 아동들이 아동학대 피해를 받고 있음
(2) 예방교육 방향
아동의 발달 수준에 맞는 예방교육이 필요함. 또한 도움을 받을 수 있는 어른에게 도움을 요청할 수 있도록 해야 함

2. 아동학대 예방교육 방향-학부모

(1) 자료 분석
학대행위자와 피해아동과의 관계 중 부모의 비율이 가장 높음. 또한 아동학대 사례 유형은 정서학대 비중이 높음
(2) 예방교육 방향
학부모가 자신의 양육 방식을 돌아볼 수 있도록 안내자료를 지속적으로 제공함. 학부모의 양육태도에 문제가 있을 경우 아동학대로 이어지지 않도록 상담하고 전문기관에 의뢰함

3. 아동학대 예방교육 방향-교사

(1) 자료 분석
신고자 유형에서 신고의무자의 신고 비율이 낮음
(2) 예방교육 방향
교직원은 아동학대 신고의무자로서 업무 중 아동학대 사실을 발견하였을 때 즉시 신고해야 함을 전달. 또한 아동학대의 여러 사례들을 구분할 수 있도록 사례 중심의 실제적인 교육이 필요함

즉답형

1. ㉠: 아동학대

2. 사안처리 절차
(1) 아동학대 징후 발견
(2) 학생상담을 통한 상황 파악
(3) 관리자와 담당 부장에게 보고, 학대 가해자가 보호자가 아닐 경우 보호자에게 알림
(4) 신고기관에 신고

3. 피해학생을 위한 교사의 지원 방안
(1) 학대 상처 등 신체적 피해 치료: 보건교사에게 연계
(2) 불안한 마음 공감, 경청: 최선을 다해 도움을 줄 테니 안심하도록 이야기
(3) 위(Wee) 클래스, 아동보호전문기관 등과 연계하여 전문적인 상담을 받을 수 있도록 안내

Comment

아동학대 사안에서 가장 중요한 부분은 학생의 입장에서 생각하는 것입니다. 현재 학생은 장기간 학대 상황에 놓여왔을 텐데 얼마나 힘들까요? 답변을 구상하기 어려울 때는 '어떻게' 학생의 어려움을 이해하고, 학생을 보호하고, 마음을 어루만져줄 것인지 천천히 설명하시면 됩니다. 학생을 위하는 따뜻한 마음, 안정된 태도가 드러나면 좋습니다.

4 안전교육

구상형

1. [가] 상황 안전수칙
(1) 안전모(헬멧)와 팔꿈치・무릎 보호대, 장갑 등 안전 장비를 반드시 착용한다.
(2) 자신의 몸(키, 팔다리 길이 등)에 맞는 자전거를 탄다.
(3) 자동차가 많이 다니는 곳은 되도록 이용하지 않는다.
(4) 자전거도로가 있으면 자전거도로에서 타고, 자전거도로가 없으면 도로의 우측 가장자리로 통행한다.
(5) 횡단보도를 건널 때는 내려서 자전거를 끌고 건너간다.

2. [나] 상황 안전수칙
(1) 가능한 한 외출을 삼가고 외출 시에는 보호 안경, 마스크, 긴소매 의복을 착용한다.
(2) 외출하고 실내로 돌아온 후에는 손발 등을 깨끗이 씻고 양치질을 한다.
(3) 창문을 닫고 공기청정기와 가습기를 사용하여 실내 공기를 쾌적하게 유지한다.
(4) 눈이 가렵다고 손으로 만지지 말고 물로 씻거나 점안제를 사용한다.
(5) 물을 자주 마신다.

3. [다] 상황 안전수칙
(1) 현장체험학습
① 차량을 탑승할 때 안전벨트가 작동하는지 확인하고 도착 전까지 안전벨트를 착용한다.
② 차량 출발 후 완전히 정차하기 전까지 좌석에서 일어나지 않으며 운행 중에는 이동하지 않는다.
③ 휴게소 하차 전 출발 시각과 차량 번호를 기억하고, 휴게소 내에서는 다른 차에 주의하여 안전보행한다.
④ 응급 상황이 발생할 경우 인솔교사에게 알리고 현지 경찰서(112), 소방서(119), 교육청, 병원 등에 즉시 도움을 요청한다.
(2) 폭염주의보
① 최대한 햇볕을 피해 그늘로 걷는다.
② 가볍고 얇은 옷을 입고, 모자나 양산 등으로 햇볕을 가린다.
③ 자외선 차단제로 피부를 보호한다.

즉답형

열탈진 증상에 대한 조치
(1) 시원한 장소(통풍이 잘 되는 그늘, 에어컨이 작동되는 실내)로 옮김
(2) 노출된 피부에 물을 뿌리고, 부채나 선풍기 등으로 몸을 차게 식힘(얼음 주머니가 있을 경우 이마, 목, 겨드랑이, 가랑이 등에 대어 몸을 식힘)
(3) 차가운 물이나 음료수를 먹이고, 염분을 섭취하게 함
(4) 보건 교사에게 알리고 필요시 119에 연락하여 의료기관으로 이송시킴

5 학교보건

구상형

보건교육 주제 예시

(1) 정서와 정신건강 중 의약품의 오・남용
(2) 선택 이유
최근 청소년 대상 마약 등 약물 사용이 사회적으로 이슈가 되고 있기 때문. 이와 관련해 2024년 서울시 교육청 학교 마약류 및 약물 오・남용 교육의 시간을 늘렸음
(3) 3차시 주제
① 약물의 의미, 약물・담배・술의 위험: 약물・담배・술에 대한 사건과 기사 찾아보기, 최근 청소년 대상 마약 사례 조사하기
② 약물・담배・술의 거절: 약물・담배・술의 거절이 어려운 상황에 대한 역할극 실시
③ 의약품의 올바른 사용: 약물에 대한 안전한 선택을 위한 홍보 포스터 만들어보기

즉답형

사전 작업 예시

(1) 보건교육 운영 시 응급관리대책과 후송체계를 사전에 수립하고 전체 교직원 연수를 실시
(2) 보건교육 실시 중 보건실 관리 대체인력 확보: 대체인력(학교보건지원강사 등) 혹은 해당 반의 담임교사가 있도록 함
(3) 보건실 문에 보건교사의 행선지(수업 교실 등)를 표시, 수업시간표를 게시하여 긴급한 경우 연락이 용이하게 함
(4) 보건실과 인접한 곳에 보건교육실을 설치하여 보건교육 중 응급상황 시 신속하게 대응할 수 있도록 지원

6 학교급식

구상형

1. 문제 상황

(1) 잔반이 많이 나옴
(2) 육류 위주의 식습관을 갖고 있는 학생들
(3) 조리실무사와의 갈등: 조리, 급식실 근무환경 등

2. 해결방안

(1) 잔반
① 생태전환교육과 연계하여 잔반 줄이기의 중요성 안내
② 잔반 없는 식단 공모하여 식단에 반영: 잔반 없는 식단을 공모하고 그 결과를 식단에 반영하여 잔반 없는 날과 함께 운영
(2) 육류 위주의 식습관
① 영양교육 실시: 균형 잡힌 식습관의 중요성을 전달하고 생태전환교육의 일환으로 그린급식 홍보
② 채소, 어류 등 학생들이 잘 먹지 않는 식품을 활용한 메뉴 개발: 영양교사 커뮤니티를 활용하여 메뉴와 피드백 공유
(3) 조리실무사와의 갈등
① 현재 학교 상황을 전달하고 협조를 부탁하며 레시피를 간소화하여 안내
② 급식실 환기시설 개선 관련하여 관리자와 협의

즉답형

(1) 음식물 쓰레기 줄이기 캠페인 진행: '잔반 없는 날' 행사 진행하고 우수학급 표창
(2) 편식 교정 등 식사지도를 통한 음식물 남기지 않기 교육 실시
(3) 학생 개인별 식사량 조절을 위하여 배식 조절대 비치 및 활용
(4) 그린급식 바(Bar) 운영
(5) 채식 식단 공모 및 식단 반영
(6) 학생・학부모・교직원 대상 그린급식, 생태환경 관련 교육 실시

ME
MO

PART

2

2024~2020 기출문제 예시답안

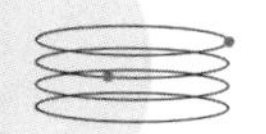

2024 서울 중등 교과 예시답안

본책 p.40

02

구상형 1

1. [나]의 교육활동으로 발생할 수 있는 문제점 3가지

(1) 생성형 AI 서비스의 사용 가능 연령 확인 및 보호자 동의 과정이 결여되었을 수 있음
(2) 생성형 AI가 제공하는 정보에 오류가 포함되어 있을 수 있음
(3) 생성형 AI 및 결과물을 활용하는 과정에서 저작권 및 타인의 개인정보 침해 우려가 있음

2. [나]의 A 교사가 할 수 있는 각각의 개선방안

(1) 사전에 생성형 AI 사용 가능 연령 확인
가령 주로 사용하는 Open AI 서비스의 경우 중고등학생에 해당하는 만 13세 이상~18세 미만은 부모나 법적 보호자의 동의가 필요함. 따라서 생성형 AI를 수업에서 활용하기 전에 사용 가능 연령을 확인한 뒤 필요시 가정통신문을 통해 생성형 AI가 무엇인지, 그리고 이를 수업의 어떤 부분에서 왜 사용하는지 등의 사항을 안내하고 부모나 법적 보호자의 동의를 받도록 함
(2) 사전에 AI 리터러시 교육 실시
생성형 AI 기술이 작동하는 기본 원리에 대하여 이해하고, 생성형 AI의 기술적 특성으로 인해 오류가 포함된 내용을 생성할 수 있음을 안내하는 과정을 포함한 AI 리터러시 교육을 실시함. 사례를 보여주고, 생성형 AI가 제공한 정보의 진위 여부를 확인할 수 있는 방법 등에 대한 교육을 실시함
(3) 사전에 AI 윤리교육 실시
생성형 AI와 그로 만든 결과물을 윤리적으로 활용해야 함을 철저하게 주지시켜야 함. 실제로 생성형 AI를 활용한 딥페이크가 범죄로 악용되었던 사례 등을 소개하고, 타인의 얼굴·목소리 등을 무단으로 합성하여 이를 유포하는 행위는 비윤리적인 행위임을 알려줌

구상형 1번 답변드리겠습니다. 먼저, [가]의 중학교 생성형 AI 활용 지침을 참고하여 [나]의 교육활동으로 발생할 수 있는 문제점 3가지를 말씀드리겠습니다. 첫째, 현재 [나]에서는 학생들이 생성형 AI를 활용한 모둠 탐구활동을 진행하고 있는데, 이전에 생성형 AI 서비스의 사용 가능 연령 확인 및 보호자 동의 과정이 결여되었을 수 있습니다. 둘째, 생성형 AI가 제공하는 정보에는 오류가 포함되어 있을 수 있습니다. 예를 들어 [나]에서는 생성형 AI를 활용해 자료를 수집하여 보고서를 작성하였는데, 이때 자료에 틀린 내용이 있을 수 있고 틀린 내용이 무분별하게 보고서에 사용되었을 수 있습니다. 셋째, 생성형 AI와 그로 만든 결과물을 활용하는 과정에서 저작권 및 타인의 개인정보 침해 우려가 있습니다. B 학생이 모둠원의 목소리를 합성한 영상을 SNS에 공개적으로 게시하였는데, 이는 타인의 목소리 저작권 및 개인정보를 침해한 것으로 볼 수 있습니다.

다음으로, [나]의 A 교사가 할 수 있는 각각의 개선방안을 구체적으로 제시하겠습니다. 첫째, 사전에 생성형 AI 사용 가능 연령을 확인해야 합니다. 가령 주로 사용하는 Open AI 서비스의 경우 중고등학생에 해당하는 만 13세 이상~18세 미만은 부모나 법적 보호자의 동의가 필요합니다. 따라서 생성형 AI를 수업에서 활용하기 전에 사용 가능 연령을 확인한 뒤 필요시 가정통신문을 통해 생성형 AI가 무엇인지, 그리고 이를 수업의 어떤 부분에서 왜 사용하는지 등의 사항을 안내하고 부모나 법적 보호자의 동의를 받도록 해야 합니다. 둘째, 사전에 AI 리터러시 교육을 실시해야 합니다. 생성형 AI 기술이 작동하는 기본 원리에 대하여 이해하고, 생성형 AI의 기술적 특성으로 인해 오류가 포함된 내용을 생성할 수 있음을 안내하는 과정을 포함한 AI 리터러시 교육을 실시해야 합니다. 예를 들어 사례를 보여주고, 생성형 AI가 제공한 정보의 진위 여부를 확인할 수 있는 방법 등을 알려줄 수 있습니다. 셋째, 사전에 AI 윤리교육을 실시해야 합니다. 학생들에게 생성형 AI 및 결과물을 윤리적으로 활용해야 함을 철저하게 주지시켜야 합니다. 실제로 생성형 AI를 활용한 딥페이크가 범죄로 악용되었던 사례 등을 소개하고, 타인의 얼굴과 목소리 등을 무단으로 합성하여 유포하는 행위는 비윤리적임을 알려주어야 합니다. 이상입니다.

구상형 2

1. [가], [나]에서 발생한 문제의 공통 원인: 학생들이 자신의 의견을 표현·개진하는 데 소극적임

2. 문제를 해결하기 위한 교육 방안

(1) 담임교사 차원
① 익명 기능을 활용한 학급회의 개최: 온라인 담벼락 등의 익명 기능을 활용한 학급회의를 통해 의견을 개진하는 것에 대한 학생들의 부담을 덜고, 편하게 의견을 개진할 수 있도록 독려함. 이를 통해 학생들이 자신의 의견을 표현하는 데 점차 능숙해질 수 있도록 함
② 문제해결 서클 실시: [가]와 같이 자신의 의견을 명확하게 표현하지 않아 갈등 상황이 발생하기도 함. 따라서 문제해결 서클을 통해 학급 공동체에 발생한 갈등에 학급 학생 모두가 관심을 갖고 이야기 나누는 과정을 가짐. 이러한 과정 속에서 학급 학생들이 솔직하게 자신의 의견을 표현하고 서로를 이해하는 경험을 하고 공동으로 문제를 해결할 수 있도록 함

(2) 학교 차원
① 소통창구 개설: 학생들은 자신을 드러내 목소리를 내는 것에 부담을 느끼고 부끄러워하기도 함. 따라서 교내에 '학생의 소리함'과 같은 소통창구를 개설하거나, 온라인 소통창구를 마련하여 이를 통해 자신의 의견을 제시할 수 있도록 하며, 이를 학교 경영에 반영하도록 함
② 학교 교육과정에서 토의·토론 수업 활성화: 학생들은 전문적으로 자신의 의견을 표현한 경험이 부족하여 자신감이 없을 수 있음. 따라서 학교 교육과정의 각종 교과 및 창의적 체험활동 시간에 학생이 주체적으로 참여하는 토의·토론 수업을 활성화하여 이러한 경험을 평상시에도 할 수 있도록 함

구상형 2번 답변드리겠습니다. [가]에서 발생한 문제점은 학생 1이 의견을 교환하는 과정에서 자신의 의견을 표현하지 못하다가 뒤늦게 결과가 나오자 반대하는 모습을 보여 갈등이 발생하고 있는 것입니다. [나]에서 발생한 문제점은 학칙 개정 과정에 학생들이 거의 참여하지 않아 교원과 학부모의 의견만을 반영한 학칙이 제정되었다는 것입니다. [가], [나]에서 발생한 문제의 공통 원인은 학생들이 자신의 의견을 표현·개진하는 데 소극적이라는 것입니다.

이러한 문제점을 해결하기 위한 교육 방안을 담임교사 차원과 학교 차원에서 각각 2가지씩 제시하겠습니다. 먼저, 담임교사 차원의 교육 방안은 다음과 같습니다. 첫째, 익명 기능을 활용한 학급회의를 개최하는 것입니다. 온라인 담벼락 등의 익명 기능을 활용한 학급회의를 통해 의견을 개진하는 것에 대한 학생들의 부담을 덜고, 편하게 의견을 개진할 수 있도록 독려하는 것입니다. 이를 통해 학생들이 자신의 의견을 표현하는 데 점차 능숙해질 것입니다. 둘째, 문제해결 서클을 실시하는 것입니다. [가]와 같이 학생이 자신의 의견을 명확하게 표현하지 않음으로써 학급 내 갈등이 발생하기도 합니다. 따라서 학급 내 문제해결 서클을 통해 학급 공동체에 발생한 갈등에 학급 학생 모두가 관심을 갖고 이야기를 나누는 과정을 가져야 합니다. 이러한 과정 속에서 학급 학생들이 솔직하게 자신의 의견을 표현하고 서로를 이해하는 경험을 하고 공동으로 문제를 해결할 수 있을 것입니다.

다음으로, 학교 차원의 교육 방안은 다음과 같습니다. 첫째, 교내 소통창구를 개설하는 것입니다. 학생들은 자신을 드러내 목소리를 내는 것에 부담을 느끼고 부끄러워하기도 합니다. 따라서 교내에 '학생의 소리함'과 같은 소통창구를 개설하거나, 온라인 소통창구를 마련하여 이를 통해 자신의 의견을 제시할 수 있도록 하며, 이를 학교 경영에 반영하도록 해야 합니다. 둘째, 학교 교육과정에서 토의·토론 수업을 활성화하는 것입니다. 학생들은 자신의 의견을 적극적으로 표현한 경험이 부족하여 자신감이 없을 수 있습니다. 따라서 학교 교육과정의 각종 교과 및 창의적 체험활동 시간에 학생이 주체적으로 참여하는 토의·토론 수업을 활성화하여 이러한 경험을 평상시에도 할 수 있도록 해야 합니다. 이상입니다.

구상형 추가질문

1. 학생을 교육적으로 지도해야 하는 이유
(1) 교사에게는 학생을 올바른 길로 이끌어주어야 하는 책무가 있기 때문
(2) 학생의 학습권 보장을 위해(해당 학생 및 다른 학생들 포함)
(3) 수업을 통해 얻을 수 있는 소중한 경험과 가치(의사소통, 협력, 공감 등)를 놓칠 수 있기 때문
▸▸▸ 학생을 교육적으로 지도해야 하는 이유로 자신이 평소 교육이란 무엇이라고 생각하는지, 자신의 교육관을 연계하여 말하는 것도 좋아요.

2. 교사의 향후 지도 방안
(1) 학생과의 상담 실시
학생이 수업시간에 스마트폰을 사용하는 까닭이 무엇인지 상담을 통해 파악함. 가령 학생은 자신의 행동이 정말 자신의 권리라고 생각하고, 문제 행동이라는 것을 인식하지 못할 수 있음. 수업시간에 스마트폰을 사용하는 것은 교사의 교육 활동 및 본인의 학습권과 다른 학급 친구들의 학습권을 침해하는 문제 행동임을 단호하게 알려줌. 이를 개선하기 위해 어떤 노력을 해야 할지 등에 대하여 이야기를 나눔
(2) 스마트쉼센터, 아이윌센터 등 안내
수업시간에도 스마트폰을 계속 사용하는 것은 스마트폰 과의존일 수 있음. 따라서 스마트폰 과의존 전문 기관을 안내하여 학생의 스마트폰 사용 습관을 개선할 수 있도록 도움을 제공함
(3) 학급자치회의를 통해 스마트폰 관련 학급 규칙 제정
공동체 생활에서 자신의 권리만을 주장하는 것은 민주시민으로서의 자질이 부족한 것임을 알려주고, 학급 공동체의 일원으로서 지켜야 할 스마트폰 관련 규칙을 학급자치회의를 통해 학생들과 함께 제정함

구상형 추가질문 답변드리겠습니다. 먼저, 수업시간에 스마트폰을 사용하는 것을 제지하여도 자신의 권리라고 주장하여 계속 사용하는 학생을 교육적으로 지도해야 하는 이유는 다음과 같습니다. 첫째, 교사에게는 학생을 올바른 길로 이끌어주어야 하는 책무가 있기 때문입니다. 저는 학교가 어른이 되어 사회로 나가기 전, 더불어 살아가는 방법을 배우는 작은 사회라고 생각합니다. 더불어 살아가기 위해서는 공동체의 규칙을 지키고 타인을 존중하는 법을 배워야 하고, 이를 이끌어주는 존재가 교사라고 생각합니다. 따라서 교사의 정당한 교육 활동을 무시하고, 교육적 제지를 받아들이지 않는 것은 잘못된 행위라는 것을 알려주고, 올바르게 학교생활을 해나갈 수 있도록 지도해야 합니다. 둘째, 학생의 학습권 보장을 위해서입니다. 수업시간에 스마트폰을 사용하는 것은 교사의 수업을 방해하여 다른 학생들의 학습권을 침해하는 것이며, 본인의 학습권 또한 보장하지 못하는 행위이기 때문에 교육적으로 지도해야 한다고 생각합니다. 셋째, 수업을 통해 얻을 수 있는 소중한 경험이나 가치를 놓칠 수 있기 때문입니다. 스마트폰을 사용함으로써 수업에 제대로 참여하지 않는다면 수업에 참여하면서 얻을 수 있는 의사소통, 협력, 공감 등의 소중한 가치를 경험하지 못하게 되기 때문에 학생이 이를 온전히 경험하고 느낄 수 있도록 교육적으로 지도해야 합니다.

다음으로, 교사의 향후 지도 방안을 제시하도록 하겠습니다. 첫째, 학생과의 상담을 실시하겠습니다. 이를 통해 학생이 수업시간에 스마트폰을 사용하는 까닭이 무엇인지 파악하겠습니다. 가령 학생은 자신의 행동이 정말 자신의 권리라고 생각하고, 문제 행동이라는 것을 인식하지 못할 수 있습니다. 따라서 수업시간에 스마트폰을 사용하는 것은 교사의 교육 활동 및 본인의 학습권과 다른 학급 친구들의 학습권을 침해하는 문제 행동임을 단호하게 알려주고, 이를 개선하기 위해 어떤 노력을 해야 할지 등에 대하여 이야기를 나눠보겠습니다. 둘째, 스마트쉼센터, 아이윌센터 등을 안내하겠습니다. 수업시간에도 스마트폰을 계속 사용하는 것은 스마트폰 과의존일 수 있습니다. 따라서 스마트폰 과의존 전문 기관들을 안내하여 학생의 스마트폰 사용 습관을 개선할 수 있도록 도움을 제공하겠습니다. 셋째, 학급자치회의를 통해 스마트폰 관련 학급 규칙을 제정하겠습니다. 수업시간 중 스마트폰 사용은 학습에 피해를 주는 것이며, 공동체 생활에서 자신의 권리만을 주장하는 것은 민주시민으로서의 자질이 부족한 것임을 알려주고, 학급 공동체의 일원으로서 지켜야 할 스마트폰 관련 규칙을 학급자치회의를 통해 학생들과 함께 제정하겠습니다. 이상입니다.

즉답형

1. 가까운 입장과 이유

(1) 교사 A

학교의 모든 업무는 독립적이지 않고 여러 부서와 협력해야 하는 공동체적 성격을 띠고 있음. 이때 급하게 필요한 회의자료를 작성하지 않는다면 다른 부서의 업무에도 지장을 주어 교사들 간 신뢰에 문제가 생길 수 있음. 비록 퇴근시간은 지났지만, 업무 담당자로서 책임감을 가지고 임해야 하며 학교에서의 교사 업무는 독립적이지 않고 유기적으로 연결되어 있는 경우가 많아 공동체의 구성원으로서 협력이 필요함

(2) 교사 B

퇴근시간 이후의 개인적 삶은 인생에서 중요한 요소라고 생각함. 이 시간을 이용해 여가시간을 즐기고 휴식을 취함으로써 다음 날 업무를 할 수 있는 힘이 생김. 하지만 퇴근시간 이후에도 업무를 하게 된다면 휴식을 제대로 취할 수 없어 다음 날 업무나 학생교육에 부정적인 영향을 줄 수 있다고 생각함

2. 갈등 중재를 위해 선택하지 않은 교사에게 할 말 시연

(1) 교사 B

선생님이 생각하시는 퇴근 이후의 삶이 중요하다는 것에 대해 매우 공감합니다. 짧게 보았을 때는 퇴근하고 업무를 요구하시는 게 부담스럽다고 느껴질 수 있지만, 업무가 제때 이루어지지 않으면 다른 업무에도 영향을 줄 수 있어서 공동체 구성원으로서의 책임감도 필요하다고 생각합니다. 퇴근시간에 갑작스럽게 요구를 받아 당황스러우셨겠지만, 업무를 간소화해서 빨리 끝낼 수 있도록 A 선생님께 이야기드리고 저희가 같이 협업해서 회의자료를 빨리 작성하면 어떨까요?

(2) 교사 A

급하게 회의가 생겨 업무에 지장을 줄 수 있으니 회의자료를 급하게 작성해야 하는 점 공감합니다. 하지만 B 선생님의 입장에서 생각해보면 퇴근시간에 갑작스럽게 업무 지시를 받아서 많이 당황스러우실 수 있을 것 같아요. 또 퇴근 이후에 중요한 약속이 있어서 더 부담스럽다고 느끼시는 것 같습니다. 그래서 B 선생님께서 퇴근하시더라도 이해해주시면 좋겠습니다. 회의는 보통 방과후에 이루어지니 내일 출근하고 나서 자료를 작성하도록 요청하면 어떨까요? 혹시나 업무 관련해서 제가 도울 수 있는 부분이 있으면 도와드리도록 하겠습니다.

답변드리겠습니다. 먼저 저와 입장이 가까운 교사는 A입니다. 학교의 모든 업무는 독립적이지 않고 여러 부서와 협력해야 하는 공동체적 성격을 띠고 있습니다. 따라서 급하게 필요한 회의자료를 작성하지 않는다면 이는 다른 부서의 업무에도 지장을 줄 수 있다고 생각합니다. 이렇게 업무적으로 영향을 주게 되면 교사들 간의 신뢰에도 문제가 생길 수 있습니다. 퇴근시간이 지났더라도 업무 담당자로서 책임감을 가지고 임해야 하며, 학교에서의 교사 업무는 유기적으로 연결되어 있기 때문에 공동체의 구성원으로서 협력이 필요하다고 생각합니다.

다음으로 갈등 중재를 위해 선택하지 않은 교사에게 할 말을 시연하겠습니다. 선생님이 생각하시는 퇴근 이후의 삶이 중요하다는 것에 대해 매우 공감합니다. 짧게 보았을 때는 퇴근 이후 업무를 요구하시는 게 부담스럽다고 느껴질 수 있지만, 업무가 제때 이루어지지 않으면 다른 업무에도 영향을 줄 수 있어서 공동체 구성원으로서의 책임감도 필요하다고 생각합니다. 퇴근시간에 갑작스럽게 요구를 받아 당황스러우셨겠지만, 업무를 간소화해서 빨리 끝낼 수 있도록 A 선생님께 이야기드리고 저희가 같이 협업해서 회의자료를 빨리 작성하면 어떨까요? 이상입니다.

또는

저의 입장과 가까운 교사는 B입니다. 퇴근시간 이후의 개인적 삶은 인생에서 중요한 요소라고 생각합니다. 이 시간을 활용해 여가를 즐기고 휴식을 취함으로써 다음 날 업무를 할 수 있는 힘을 얻는다고 봅니다. 하지만

퇴근시간 이후에도 업무를 하게 되면 휴식을 제대로 취할 수 없고, 이는 다음 날 업무나 학생 교육에 부정적인 영향을 줄 수 있다고 생각합니다.

다음으로 갈등 중재를 위해 선택하지 않은 교사에게 할 말을 시연하겠습니다. 급하게 회의가 생겨 업무에 지장을 줄 수 있으니 회의자료를 급하게 작성해야 하는 점 공감합니다. 하지만 B 선생님의 입장에서 생각해보면 퇴근시간에 갑작스럽게 업무 지시를 받아서 많이 당황스러우실 수 있을 것 같아요. 또 퇴근 이후에 중요한 약속이 있어서 더 부담스럽다고 느끼시는 것 같습니다. 그래서 B 선생님께서 퇴근하시더라도 이해해주시면 좋겠습니다. 회의는 보통 방과후에 이루어지니 내일 출근하고 나서 자료를 작성하도록 요청하면 어떨까요? 혹시나 업무 관련해서 제가 도울 수 있는 부분이 있으면 도와드리도록 하겠습니다. 이상입니다.

즉답형 추가질문

교사의 권위가 나오는 곳

(1) 신뢰
교사의 권위는 학생과 학부모의 신뢰에서 나온다고 생각함. 학생과 학부모가 교사를 믿지 못하면 교사가 하는 활동의 교육적 의미에 대해 이해하거나 공감하지 못할 것이기 때문. 이렇게 된다면 교사에 대한 신뢰감이 없어지고 교사의 권위를 인정할 수 없을 것임. 마찬가지로 교사도 신뢰를 받기 위해서는 학생과 학부모에게 신뢰로운 자세를 보여줘야 함

(2) 전문성
교사의 권위는 교사의 전문성으로부터 나온다고 생각함. 교사는 학생들에게 여러 교과 교육, 비교과 교육, 사회성 등의 교육을 하는 존재임. 올바른 교육을 제공하기 위해 교사는 교육과 관련된 전문적 역량을 가지고 있어야 함. 하지만 이런 전문성을 향상시키는 노력을 하지 않거나 비전문적인 모습을 보인다면 학생들에게 교육을 적절하게 해줄 수 없고, 이는 공교육의 붕괴로 이어질 수 있음

(3) 구성원 간 존중
교사와 학생이 서로 존중할 때 서로의 인권이 보호받을 수 있고, 또한 동료 교사와의 관계에서도 서로 존중하고 협력적일 때 긍정적인 학교 문화가 형성되어 교사의 권위도 존중받을 수 있음. 학창시절 경험을 떠올려 보았을 때, 학생들이 존중하는 선생님들은 모두 모범적인 모습을 보이며 동료 선생님들과 함께 협력하여 문제 상황을 해결하는 모습을 보이셨음

답변드리겠습니다. 교사의 권위는 다음 세 가지로부터 나옵니다. 첫째, 신뢰입니다. 교사의 권위는 학생과 학부모의 신뢰에서 나온다고 생각합니다. 학생과 학부모가 교사를 믿지 못하면, 교사가 하는 활동의 교육적 의미를 이해하거나 공감하지 못할 것입니다. 이러한 경우 교사에 대한 신뢰가 사라지고, 교사의 권위도 인정받지 못하게 됩니다. 따라서 교사도 신뢰를 받기 위해 학생과 학부모에게 신뢰로운 자세를 보여주어야 합니다.

둘째, 전문성입니다. 교사의 권위는 교사의 전문성에서 나온다고 생각합니다. 교사는 학생들에게 다양한 교과 교육, 비교과 교육, 그리고 사회성 교육 등을 제공하는 존재입니다. 올바른 교육을 제공하기 위해 교사는 교육과 관련된 전문적 역량을 갖추고 있어야 합니다. 그러나 전문성을 향상시키는 노력을 하지 않거나 비전문적인 모습을 보이면, 학생들에게 적절한 교육을 제공할 수 없고 이는 공교육의 붕괴로 이어질 수 있습니다.

셋째, 구성원 간 존중의 태도입니다. 교사와 학생이 서로 존중할 때 서로의 인권이 보호받을 수 있으며, 동료 교사 간에도 존중과 협력이 이루어질 때 긍정적인 학교 문화가 형성되고 교사의 권위도 존중받을 수 있습니다. 학창시절을 떠올려보면, 학생들이 존중하는 선생님들은 모두 모범적인 모습을 보이며 동료 교사들과 협력하여 문제 상황을 해결하는 모습을 보여주셨습니다. 이상입니다.

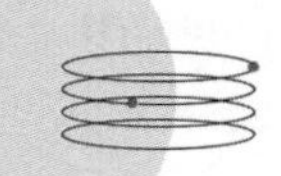

2023 서울 중등 교과 예시답안

본책 p.43

구상형 1

1. [나]의 학부모에 대한 답변 및 교육적 효과

(1) 온라인 플랫폼을 활용한 토론·토의 수업
① 패들렛을 활용한 의견 주고받기 및 다양한 토론·토의 활동이 가능함
② 교육적 효과: 자신의 생각 외에 타인의 의견을 들으면서 다양한 관점과 시각을 기를 수 있고 발표에 소극적인 학생들도 쉽게 참여할 수 있음

(2) 온라인 퀴즈 복습
① 퀴즈앤, 카훗, 띵커벨 등과 같이 학습한 내용을 퀴즈 형식으로 활용하여 학생들의 흥미도를 높이는 동시에 교과 내용에 대한 복습 가능
② 교육적 효과: 학생들의 이해도 및 성취도에 대한 전체적인 통계 자료뿐만 아니라 학생들의 개별 성취도를 파악하여 학생 개별 맞춤형 후속 복습 및 보충학습 내용 제공 가능

(3) 구글 클래스룸을 활용한 과정 중심 평가
① 학생들은 주어진 과제를 해결하기 위해 인터넷에서 다양한 자료를 찾고 자신의 의견이 담긴 과제를 완성하는 과정을 누적으로 작성해 하나의 포트폴리오로 완성
② 교육적 효과: 학생의 학습 과정 전반을 평가할 수 있고 이에 대한 개별 피드백을 제공할 수 있음

2. 에듀테크를 활용한 교육활동 설계 시 고려할 점

(1) 사전에 다양한 에듀테크 플랫폼에 대한 사용법 설명
(2) 게임 외 학습 내용의 이해를 위한 에듀테크 활동을 통하여 학습 목표와 성취 기준을 달성할 수 있는 활동 실시

구상형 2

1. 문제의 공통 원인: 교사 간 소통 및 협력 부재

2. 문제에 대한 해결 방안

(1) 교수학습방법 교원학습공동체를 통한 주기적인 수업 및 평가방법 회의
(2) 교과주임협의회를 통해 각 과목마다 수행평가 기간을 다르게 조정
(3) 수업 나눔 적극적 실시
(4) 학교 단위 생활지도협의체를 구성하여 학교생활규정에 대한 공통 원칙을 세우고 적용

구상형 추가질문

대처 방안

(1) 동료 선생님의 어려움에 대해 이해 및 공감
(2) 해당 학생의 문제 상황에 대한 충분한 설명을 들어봄
(3) 학생의 문제 행동을 변화시킬 수 있도록, 설명해주신 문제 상황을 바탕으로 학생에 대한 개별 지도 약속

즉답형

실현 방안

(1) 꾸준한 연구와 발전
① 방안: 전공과 관련된 심화 연수
② 이유: 학생들에게 교과 지식을 알려주기 위해서는 교사가 먼저 그 교과 지식에 대한 심화 내용을 습득하고, 그 내용을 학생들에 효과적으로 가르칠 수 있는 교수 방법을 연구해야 하기 때문

(2) 성찰하는 태도
① 방안: 동료 교사들과 함께 성찰 모임을 가져 교직 생애 주기 관련 책을 읽고 이에 대해 이야기하면서 자신은 교사로서 어떠한지 돌이켜봄
② 이유: 좋은 교사가 되기 위해서는 수업뿐만 아니라 학생 상담 방안, 학생의 문제 행동 지도 방안, 생활지도 방안, 진학 및 진로 교육, 학생의 갈등 및 고민 해결 등을 지속적으로 연구하고 개선하여 학생이 겪는 학교생활 전반에 대해 지원할 수 있어야 하기 때문

즉답형 추가질문

1. 교직관

학생들이 창의적으로 자라나고 풍부한 상상력을 키울 수 있도록 다양한 경험을 제공하는 것

2. 공간혁신: 교실

(1) 기존의 교실 두 개를 합쳐 한 곳은 기존 교실처럼 책상을 배치하고, 한 곳은 바퀴가 달린 책상을 배치하여 ㄷ자형·ㄱ자형·원형 등 다양한 형태의 모둠 활동을 할 수 있는 가변적 책상 배치
(2) 전자게시판과 디벗, 프린터기를 배치하여 학생들이 토의나 토론할 때 필요한 자료를 수집할 수 있게 하고 학생들이 만든 결과물을 전시할 수 있는 공간 제공
(3) 두 곳 사이에 접이식 문을 설치하여 필요에 따라 여닫을 수 있도록 함

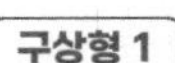

2022 서울 중등 교과 예시답안

본책 p.46

구상형 1

1. [가], [다] 분석

(1) [가]: 환경위기를 극복하기 위한 실천적 노력 필요
(2) [다]: 변화는 일회적 사건으로 일어나는 것이 아닌 지속된 노력 필요

2. [나] 교육 활동의 문제점 2가지

(1) 학생들이 주도적으로 생태전환교육을 계획하지 않음. 영상 시청, 현수막 등 학생들이 직접 실천할 수 있는 활동이 적음
(2) 나무 심기 행사, 잔반 남기지 않기 대회 등은 말 그대로 행사, 대회처럼 단발성으로 진행됨

3. 문제점 해결 방안

(1) 에너지 절약 22일 챌린지
22일이면 습관이 생기기 때문에 22일 동안 에너지 절약 행동을 실천하도록 함. 22일 챌린지는 학생들이 스스로 실천할 수 있는 에너지 절약 행동을 고르고 22일 동안 그 행동을 해보는 것 예 교실 소등, 텀블러 사용 등
(2) 생태동아리 운영
동아리는 1년 내내 운영되며 학년이 올라가도 유지되기 때문에 동아리를 통해 생태전환 프로젝트를 지속적으로 진행 가능. 또한 학생들이 직접 프로젝트를 기획하고 운영하기 때문에 주체성도 얻을 수 있음

구상형 2

1. 제시문에서 공통적으로 드러나는 문제점

(1) 학교 문화 차원: 공동체의식이 약함
(2) 교사 개인 차원: 자기개발 역량 및 협업 역량이 부족함

2. 각 상황에 대한 A, B 교사의 대처 방안

(1) A 교사
① 거절의 이유를 정중하게 여쭈어봄
② 주제 중심 프로젝트 학습의 필요성을 말씀드리고 설득
(2) B 교사
① 코로나19로 인하여 온라인 수업이 활성화되었으며, 이를 바탕으로 블렌디드 수업의 중요성을 말씀드림
② 블렌디드 수업과 관련한 교원연수 또는 교원학습공동체에 함께 참여할 것을 제안

구상형 추가질문

1. 교사가 된다면 참여하고 싶은 교원학습공동체

학수고대: 학생 중심의 수업 혁신을 위하여 함께 고민하고 대화하는 공동체

2. 구체적 방안

(1) 수업에 대한 경험과 고민 공유
(2) 교과의 핵심 성취기준에 맞추어 다양한 학생 중심의 수업혁신 방안을 함께 연구·개발
(3) 함께 개발한 수업 모델을 실제 수업에 녹여 활용하고 이에 대한 피드백 공유

즉답형

1. 입장

(1) (가) : 학교교육의 필요성을 느끼지 못함
  ① 인터넷 강의 발달로 학교 수업을 대체할 수 있는 수단이 생겨남
  ② 학생 성향에 맞는 학습방법을 직접 선택하고 혼자서 공부할 수 있는 시대가 오면서 학교교육의 차별화가 이루어지지 않음
  ③ 학교교육의 의미는 퇴색된 채 학교는 공문서인 졸업장을 얻기 위해 가야만 하는 곳이라는 인식이 생김

(2) (나)
  ① 앨빈 토플러는 (가)의 학생들과 마찬가지로 현재의 학교교육을 부정적으로 바라봄. 이는 이전의 우리나라 교육의 문제점으로 흔히 지적되었던 단순 암기 및 문제풀이 위주의 교육에 대한 비판임
  ② 하지만 앨빈 토플러의 입장에 반대함. 왜냐하면 다양한 시대적 흐름과 요구에 발맞추어 학교교육도 끊임없이 변화하고 발전하고 있으며 현재 학생들에게 꼭 필요한 교육을 제공하고 있다고 생각하기 때문임

2. 학교교육이 나아가야 할 방향

(1) 개별 맞춤형 교육 실현
인터넷 강의는 다수를 대상으로 하고 지식을 단편적으로 전달하는 기능을 가지고 있지만, 학생 개개인의 궁금증과 어려운 점을 해결할 수는 없음

(2) 공동체 역량 함양
지식을 전달하는 대체 수단이 많이 생겼지만 인성 및 감성과 공동체 역량은 혼자서는 배울 수 없기 때문임

(3) 삶과 연계된 지식 활용을 연습할 수 있는 교육
단편적 지식을 학습했던 과거와 달리, 미래교육은 자신의 삶과 연계된 지식을 배우고 그것을 활용하는 역량 중심의 교육이 운영되어야 함. 또한, 학생들은 단편적 지식 습득에서 벗어나 자신의 삶과 연계된 지식을 배울 수 있어야 함

즉답형 추가질문

1. 성장하기를 바라는 모습과 이유

(1) 모습
어려움에 부딪혀도 좌절하지 않고 도전하여 극복할 수 있는 사람

(2) 이유
어려움을 극복하는 과정을 경험하면 이후 어떤 고난과 시련을 겪어도 이를 스스로 다스리고 해결할 수 있는 방법을 찾아 정서적으로 한층 성장한 사람이 될 것이라 믿기 때문임

2. 교사에게 필요한 역량 또는 태도

(1) 의사소통 역량
학생이 겪고 있는 문제를 혼자서 짊어지지 않도록 학생들과 꾸준히 의사소통하는 것이 필요함. 이를 통해 학생이 겪고 있는 어려움을 파악할 수 있고 또 학생에게 필요한 조언을 할 수 있음

(2) 학생의 가능성을 믿어주는 자세
피그말리온 효과처럼 교사의 기대감이 학생의 성장으로 나타나는 경우가 많음. 따라서 학생이 어떤 어려움을 겪더라도 이에 좌절하지 않고 해낼 수 있다는 믿음을 주어야 함

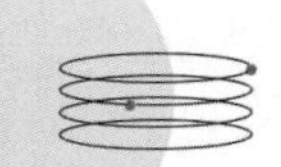

2021 서울 중등 교과 예시답안

본책 p.49

구상형 1

1. A에게 조언

(1) B의 마음 이해

다른 학생들이 보는 앞에서 부딪힘을 당하고 사과도 받지 못했을 때 B는 어떤 마음이 들었을지 생각해 보도록 하여 B도 자존심이 상하고 기분이 나빴을 수 있었다는 것을 이해해보도록 함. 폭력은 정당하지 않은 방법이라는 것을 명확하게 주지시키고, 학생 A가 느끼는 감정에도 충분히 공감하여 학생과의 신뢰 관계가 깨지지 않도록 유의

(2) 회복적 대화

B는 A를 때린 가해학생이기 때문에 먼저 A에게 다가가는 것이 미안하고 B 스스로 염치가 없다고 생각할 수 있음을 알려주고, A가 마음의 준비가 된다면 B에게 먼저 다가가 서로의 관계를 긍정적으로 회복할 수 있는 대화를 해보도록 조언

2. B에게 조언

(1) 역지사지 이해

관계회복의 시작은 이해와 공감이므로 서로를 이해하는 것은 A와 B 둘 모두에게 반드시 필요함. A가 부딪히고 사과를 하지 않은 것은 잘못이지만 이는 실수였고, 실수였음에도 불구하고 다른 학생들이 보는 앞에서 폭력을 당한 A가 어떤 감정을 느꼈을지 반대로 생각해보고, A에게 진심으로 사과하도록 조언

(2) 반 아이들에게 먼저 다가가기

다른 친구들이 B를 이상하게 보는 것 같아 마음이 안 좋겠지만, 학기 초 B를 잘 모르는 상황에서 이러한 사건이 발생했기 때문에 편견이 생겼을 수 있음을 말해주고 이러한 편견을 깨기 위해 모둠활동, 학급회의 등 다양한 상황에서 먼저 적극적이고 친절한 모습으로 다가가도록 조언

3. 학급 공동체가 함께 할 수 있는 학급 활동

(1) 회복적 생활교육의 체크인-체크아웃 서클

이 사건으로 인하여 반 학생들 사이에는 서로에게 다가가는 것을 막는 하나의 큰 가림막이 생김. 가림막을 없애기 위하여 아침 조회시간에 체크인 서클을 통해 서로에게 느꼈던 감정, 서로에게 바라는 내용 등의 이야기를 나누고 종례시간에는 체크아웃 서클을 통해 오늘 하루 서로가 서로에게 어땠는지 등의 이야기를 나누어 마음을 터놓고 진솔하게 나눌 수 있는 시간을 마련하여 공감과 화해의 분위기 조성

(2) 학급 마니또

학생들이 서로의 비밀 수호천사가 되어 몰래 챙겨주는 활동을 통해 서로 드러내놓고 다가가기 어려워했던 아이들이 가까워지고, 학급 전체가 서로를 배려하는 분위기 조성

(3) 미니 체육대회

옆 반과 연계하여 학급 대항 미니 체육대회 실시. 체육대회에서 이기기 위해 학급 모두가 협력하고 노력하는 과정을 통해 서먹했던 관계 회복

구상형 2

1. 사례 1

(1) 문제점

원격수업이 주로 강의식 수업으로 진행되면서 피드백이 원활하게 이루어지지 않아 수업 참여도가 높던 학생조차 수업 참여도와 집중도가 떨어짐

(2) 해결 방안

① 학생 참여형 수업 활성화: 학생들의 흥미를 유발하고 학생들이 계속해서 참여할 수 있는 퀴즈, 활동, 과제 등을 제공하여 수업에 집중하고 참여할 수 있도록 유도

② 온라인 소통창구 마련: 구글폼, 띵커벨, Q&A 게시판 등 다양한 온라인 학습도구를 활용하여 학생이 개별적으로 궁금한 부분을 물어보거나 학생에 대한 맞춤형 피드백을 주고받기도 하는 소통창구 마련. 이때 교사-학생 간의 소통뿐만 아니라 여러 학생이 함께 소통할 수 있도록 함

2. 사례 2

(1) 문제점

온라인 수업의 허점을 이용하여 진도가 인정되는 부분까지만 수업을 듣고 참여하지 않음

(2) 해결 방안

① 실시간 쌍방향 수업 및 협동학습 확대: 학생이 진도가 인정되는 부분까지만 듣는다는 것은 콘텐츠 수업일 확률이 높음. 실시간 쌍방향 수업을 진행하여 특정 진도율까지만 수업을 듣는 것을 방지하고, 학생의 참여도를 높이고 수업을 함께 듣던 교실 분위기를 재현하기 위한 협동학습 실시

② 확인 퀴즈와 과제 제시: 실시간 수업을 진행하기 어려워 콘텐츠 수업을 진행하는 경우에는 중간에 확인 퀴즈, 콘텐츠를 다 들어야 진행할 수 있는 과제 등을 함께 제시. 이를 모두 완료해야 출석이 인정되는 것으로 하여 수업을 끝까지 듣고 참여할 수 있도록 함

3. 사례 3

(1) 문제점

온라인에서 진행하는 과정 중심 평가에서는 부정행위가 나타날 수 있기 때문에 평가에 대한 학생들의 불신 증가

(2) 해결 방안

① 과정 중심 평가 안내: 과정 중심 평가는 특정 과제의 결과물만이 아닌 실시간 쌍방향 수업 중에 나타나는 모든 태도, 참여도 등을 바탕으로 이루어짐을 안내

② 명확한 평가 기준 안내: 평가 활동에 다른 사람의 도움을 받거나 다른 사람과 협력하는 것은 부정행위에 해당하므로 이러한 상황이 적발될 시에는 전체 무효 처리될 수 있음을 사전에 명확하게 안내

구상형 추가질문

1. 가장 먼저 하고 싶은 온라인 학급 활동

(1) 온라인 학급 활동: 빙고 게임

(2) 구체적인 활동 방안

① 빙고 판의 칸마다 다양한 활동을 설정

예 우리 반 모든 친구와 한 번씩 SNS로 대화해보기, 1번부터 끝 번까지 친구 이름 외우기, 하루 동안 세 명의 친구에게 칭찬하는 문자 보내기 등

② 활동이 적힌 빙고 판을 이미지 파일로 학급 학생에게 개인별로 제공

③ 학생들은 칸에 있는 활동을 달성할 때마다 그 칸을 색칠

④ 색칠한 칸이 총 3줄이 되면 빙고에 성공

(3) 교직관: 혼자 가면 빨리 가지만 함께 가면 멀리 간다.

(4) 이유: 소외되는 학생 없이 모든 학급 학생들이 모두 함께 어우러지며 공동체의식을 기르는 것이 가장 중요하다고 생각. 원격수업으로 인해 만남이 줄어들고 공동체의식이 약화될 수 있는 시기에 이러한 빙고 게임을 통해 학생들이 등교 기간 못지않은 라포를 형성하고 친해지는 계기를 마련하고 싶음

즉답형

1. 교육관

교사는 학생이 전인적으로 성장하는 데 필요한 기초를 다질 수 있도록 도와주는 역할을 해야 함

2. 인지적 측면 지원 방안

(1) 3단계 학습안전망
① 1단계: 교실에서 교사가 학생의 진단 결과와 학생 관찰을 바탕으로 학생 맞춤형 개별 학습을 지원함
② 2단계: 단위학교의 다양한 영역의 다중지원팀을 활용하여 학습 부분에서 필요한 지원을 제공함
③ 3단계: 지역사회 학습도움센터와 연계하여 전문적인 학습 상담과 프로그램을 제공함

(2) 랜선 야학
서울시교육청에서 지원하고 있는 멘토링 프로그램으로, 학습 지원이 필요한 중학생과 대학생 멘토가 온라인 그룹을 이루어 방과후 학습
① 코로나19 시대에도 비대면으로 국어와 수학 등 부족한 기초학력 과목에 대해 보충학습이 가능함
② 교사보다 나이대가 비슷하여 친근한 대학생 멘토와 학습하기 때문에 학습에 더욱 흥미를 붙일 수 있음
③ 대학과 관련한 다양한 이야기도 들으며 진로와 적성에 대하여 생각해보는 계기가 됨

3. 정의적 측면 지원 방안

(1) 전문상담교사와 상담 실시
학생이 ADHD 증상으로 학교 적응에 어려움을 겪고 있으므로 전문상담교사와 연계하여 학생에게 필요한 부분을 지원함

(2) 서울희망교실 실시
경제·정서적 배려가 필요한 학생에게 교사가 멘토가 되어 학습, 문화, 진로, 정서 등 다양한 삶의 영역에서 적응력 향상을 돕는 교육복지 프로그램. 학생과 교사의 애착 관계를 형성할 수 있음

(3) 가정과 연계하여 가정 내 생활습관, 건강 문제 지원과 관련해 학부모님이 가정에서 학생 관찰일지를 써주시도록 부탁. 올바른 생활습관을 기르기 위한 방안을 상담을 통해 지속적으로 협의. 학생이 끼니를 거르지 않도록 급식카드 등 다양한 복지 프로그램에 대한 안내문을 전달

즉답형 추가질문

기본학력 책임지도제 프로그램 참여율을 높일 수 있는 방안 3가지

(1) 학생과 개인 상담
상담을 통해 학생이 기본학력 책임지도제 프로그램 참여를 거부하는 이유는 무엇인지, 학생의 기초학력 책임지도제에 대한 인식은 어떤지 확인함. 모르는 것이 부끄러운 것이 아니라 노력하지 않는 것이 부끄러운 것임을 안내하며 학생의 노력으로 학업의 어려움을 얼마든지 극복할 수 있다고 설득

(2) 학부모가 기본학력 책임지도에 대한 인식을 제고할 수 있도록 가정통신문, SNS 등 다양한 방법으로 홍보
학생의 참여율을 높이기 위해서는 부모가 필요성을 인식하고 학생을 설득하는 것이 중요함

(3) 학생이 원하는 친구들과 그룹을 지어 함께 프로그램 참여
학생이 기본학력 책임지도제 프로그램을 거부하는 이유는 자기 혼자만 학교에 남거나 따로 시간을 내 학습을 해야 하는 것이 싫기 때문일 수 있음. 학생들은 교우 관계에 크게 영향을 받기 때문에 친한 친구들과 함께 공부하는 것을 더 좋아할 수 있으며 친한 친구들이 열심히 공부하는 모습을 보고 더욱 자극을 받을 수 있음

Comment

2022년까지는 서울시교육청에서 초등학교는 '기초학력', 중학교는 '기본학력'으로 명칭을 구분하였기 때문에 2022 기출문제에는 '기본학력'으로 나와있습니다. 2023년부터는 서울시교육청에서 이 둘의 명칭을 '기초학력'으로 통일했습니다. 따라서 문제에서 이야기하는 기본학력은 중학교 기초학력과 동일합니다.

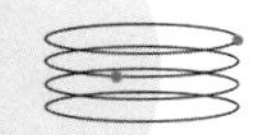

2020 서울 중등 교과 예시답안

본책 p.52

구상형 1

1. 사례 1

(1) 고려하지 못한 점

학생의 의사를 묻지 않고 체육시간에 무조건 쉬게 한 것

(2) 올바른 지도 방안

① 학생과의 상담을 통해 학생의 의사와 건강 상태를 먼저 확인

② 학생을 체육시간에 참여시키되, 적절한 수준의 수업과 과제를 제공

③ 체육교사, 보건교사 등과 지속적인 협력체계 구축, 관찰

2. 사례 2

(1) 고려하지 못한 점

교사가 주도하여 협력종합예술활동을 진행한 것

(2) 올바른 지도 방안

① 학생의 관심사와 자율성 존중

② 협력종합예술활동의 처음부터 끝까지 학생들의 주도로 진행하도록 함

③ 교사는 학생들의 활동을 관찰하며 필요한 경우에 도움을 주는 촉진자·조력자 역할 수행

구상형 2

1. 서울시교육청의 인성교육 계획과 연관한 개선 방안 3가지

(1) 강의식으로 진행: 체험·실천 중심의 인성교육 추진

(2) 일회성 프로그램으로 진행: 정규 교육과정 내 인성교육 내실화, 지속적 인성교육 추진

(3) 학교에서만 진행: 가정과 마을이 함께하는 인성교육 추진

2. 교과와 연계한 인성교육 방안 예시

(1) 국어: 인성교육의 가치를 담은 책을 학생들이 직접 선정하여 독서·토론·글쓰기

(2) 역사: 우리 마을에 살았던 바른 인성을 지닌 역사적 인물 조사 보고서 작성

(3) 과학: STS 수업을 활용하여 과학의 발전이 사회에 미치는 영향을 알아보고 과학의 발전과 자연보호에 관해 토론하기

(4) 체육: 욕설 없는 체육 활동 등을 통한 언어순화교육, 팀별 게임을 통한 협력의 가치 학습

(5) 정보: 학교폭력 예방 영상 제작 프로젝트

Comment

교과와 연계하면서도 서울시교육청 인성교육 계획의 3가지 방향이 잘 드러나는 구체적인 활동과 방안, 그 활동을 통해 함양하고자 하는 성품과 역량(존중, 배려, 소통, 참여, 공감, 책임, 협력, 공공선 등)을 함께 답변해야 합니다.

구상형 추가질문

1. 교사로서 중요한 인성적 자질 예시: 존중, 배려, 소통, 공감, 책임, 이해 등

2. 자신이 했던 노력 예시

(1) 존중, 배려, 소통
상대방을 비난하는 'You－메세지'보다는 'I－메세지'를 사용하여 대화하고 경청함. 내 입장만 이야기하기보다는 상대방의 입장도 들어보려고 노력함

(2) 공감
친구의 고민을 들어줄 때 해결책을 찾아주려 하기보다는 먼저 감정과 기분에 공감해주고자 노력함

(3) 책임
일정 계획표를 일・주・월 단위로 작성하며 맡은 일은 놓치지 않고 해내고자 노력함

(4) 이해
문제 상황이 발생했을 때 먼저 상대방의 입장을 들어보고, 이해하고자 노력함

즉답형

1. 도와주고 싶은 학생과 이유

(1) A 학생
① 명확한 꿈을 갖고 구체적인 목표를 세운 뒤 노력하는 것에 대한 대견함
② 그저 돈을 많이 벌 수 있을 거라는 생각에 선택한 것은 아닐지에 대한 우려 등

(2) B 학생
아직 가능성이 많음에도 불구하고 큰 꿈을 갖지 못하는 것에 대한 안타까움 등

2. 교육관에 따른 지도 방안 예시

(1) 교육관: 학생의 무한한 가능성을 믿고 지지해주는 교사 등

(2) A 학생 지도 방안
① 1인 방송을 직업으로서 진정 원하는 것인지에 대한 진로상담 실시
② 진로체험의 날에 유튜버를 초청하여 직접 만나 이야기를 들을 수 있는 기회 제공
③ 영상편집 등 1인 방송역량을 갖출 수 있도록 진로 프로그램 연계

(3) B 학생 지도 방안
① 커리어넷 사이트 등을 통하여 다양한 직업에 대하여 살펴보고 관심 있는 직업 찾아보기
② 서울진로진학정보센터와 연계한 진로적성검사 실시
③ 서울시교육청에서 제공하는 진로체험 프로그램 및 꿈길 등과 연계하여 다양한 직업을 직접 체험해볼 수 있는 기회 제공

즉답형 추가질문

선택하지 않은 학생에 대한 조언

(1) 칭찬/지지/공감/격려
(2) 즉답형 1번의 지도 방안을 바탕으로 조언

2024 서울 중등 비교과 예시답안

본책 p.55

구상형 1-공통

1-1

1. 다문화 학생들이 경험할 수 있는 어려움

(1) 학업적 어려움

(2) 또래관계 형성의 어려움

2. 전공과 연결하여 어려움을 해결하기 위한 방안

| 보건 |

(1) 신체, 질병 관련 보건 용어를 한국어, 외국어로 함께 알아보는 보건수업 진행

(2) 아침산책 프로그램 진행

| 영양 |

(1) 뇌 발달에 도움을 줄 수 있는 식습관을 점검하는 영양상담 진행

(2) 세계요리동아리를 통해 각국의 식문화, 특산품을 살펴보고 요리를 만듦

| 상담 |

(1) 학습 관련 검사 진행. 이때 한국어 능력으로 인한 어려움이 없도록 다문화학생 보조인력의 도움을 받음

(2) 같은 어려움을 극복한 또래 다문화학생과 또래상담할 수 있도록 연결

| 사서 |

(1) 학생 수준과 흥미에 맞는 이중언어도서 추천 및 함께 읽음

(2) 도서부와 함께 다양성을 주제로 한 도서관 행사 진행

1-2

다문화학생이 50%가 넘는 학교에서 운영하고자 하는 프로그램

| 보건 |

점심시간 활용 다양한 나라의 전통놀이 체험: 놀이를 통한 긍정적 경험, 학생들과의 자연스러운 교류, 비만 예방 및 신체활동 증진

| 영양 |

다문화 급식 메뉴 콘테스트 진행: 추천 음식의 유래, 친구들과 함께 먹고 싶은 이유 등을 공유하고 투표를 받아 직접 식단에 반영

| 상담 |

여러 나라의 스트레스 해소방법을 체험하는 상담실 행사 진행: 자신의 스트레스에 대해 객관화할 수 있고, 여러 해소법을 통해 안정감 경험 및 자기 돌봄 실천 가능

| 사서 |

다문화가족 독서캠프 진행: 자신이 좋아하는 책, 자기 나라의 책 읽어주기, 가족동화책 만들어보기, 가족 내 즐거운 추억 경험

1-1

다문화학생 비율이 높아지면서 다양한 어려움을 겪는 다문화학생들도 만나게 됩니다. [가]를 참고하였을 때 다문화학생이 경험할 수 있는 어려움은 첫 번째로 학업의 어려움입니다. 학생 A는 한국어가 익숙하지 않아 수업에 집중하지 못하고 있습니다. 두 번째 어려움은 또래관계의 어려움입니다. 학생 A는 친구가 없어 외로움을 경험하고 있습니다. 또래관계는 학교적응에 중요한데 다문화학생은 언어, 문화의 차이로 또래관계를 형성하는 데 어려움을 겪을 수 있습니다.

| 보건 |

먼저, 학업의 어려움을 겪는 다문화학생을 위해 보건교사로서의 지원 방안을 말씀드리겠습니다. 저는 신체, 질병 등의 보건 관련 용어를 알아보는 보건수업을 구성하겠습니다. 다양한 신체의 명칭과 질병의 명칭 등을 한국어와 외국어로 함께 찾아보고 익혀보는 시간을 갖도록 하겠습니다. 이를 통해 다양한 신체, 질병에 대해 한국어로 알게 될 뿐만 아니라 이후 관련 질병이 생겼을 때 보건교사에게 도움을 요청할 수 있습니다.

다음으로 또래관계의 어려움을 겪는 다문화학생을 위해 보건교사로서 지원 방안을 말씀드리겠습니다. 아침산책 프로그램을 운영하여 자연스럽게 또래관계를 맺을 수 있도록 도움을 주겠습니다. 아침산책 프로그램은 등교 전 운동장에 모여 또래와 함께 산책을 하는 것입니다. 산책과 같은 가벼운 운동은 건강한 신체뿐만 아니라 건강한 정신건강을 갖게 합니다. 여러 학생이 함께 산책을 함으로써 자연스럽게 소통할 수 있고 이는 또래관계의 어려움을 극복할 수 있는 첫 단추가 될 것입니다.

| 영양 |

먼저, 학업의 어려움을 겪는 다문화학생을 위해 영양교사로서 지원 방안을 말씀드리겠습니다. 저는 뇌 발달에 도움을 줄 수 있는 식습관을 함께 점검하는 영양상담을 진행하도록 하겠습니다. 학업에서 중요한 것은 집중할 수 있는 신체를 갖는 것이고, 이는 건강한 식습관에서 시작됩니다. 학생의 식습관을 살펴보고 뇌 발달에 도움이 되는 야채, 견과류 등을 한국어와 외국어를 함께 보여주며 구체적으로 안내하겠습니다. 이를 통해 학생이 뇌 발달에 필요한 올바른 식습관을 형성할 수 있도록 도움을 줄 수 있습니다.

다음으로 또래관계의 어려움을 겪는 다문화학생을 위해 영양교사로서 지원 방안을 말씀드리겠습니다. 세계요리동아리를 구성하여 여러 학생들과 함께 각국의 식문화, 특산품 등에 대해 살펴보고 함께 요리를 만들어보도록 하겠습니다. 이때 다문화학생이 지냈던 나라의 요리를 포함하여 학생이 편하게 자신이 경험했던 문화를 소개할 수 있도록 하겠습니다. 함께 요리를 만들어봄으로써 자연스럽게 또래와 소통할 수 있고 맛있는 음식을 나눠 먹으며 좋은 추억을 남길 수 있도록 하겠습니다.

| 상담 |

먼저, 학업의 어려움을 겪는 다문화학생을 위해 상담교사로서 지원 방안을 말씀드리겠습니다. 저는 학습 관련 검사를 진행하도록 하겠습니다. 학업성취를 위해서는 인지적 능력도 중요하지만 학습동기, 학습 환경 조성 등도 중요합니다. 학업 관련 다양한 검사를 실시하여 언어적 어려움 이외에 다른 어려움이 있는지를 살펴보고 그에 맞는 지원을 제공하겠습니다. 학습 관련 검사를 실시할 때에는 한국어 능력으로 인한 어려움이 없도록 다문화학생 보조인력의 도움을 받아 검사의 신뢰도와 타당도를 높일 수 있도록 하겠습니다.

다음으로 또래관계의 어려움을 겪는 다문화학생을 위해 상담교사로서 지원방안을 말씀드리겠습니다. 같은 어려움을 갖고 있었지만 극복하여 적응을 잘 하고 있는 다문화학생과 또래상담을 할 수 있도록 연결하겠습니다. A 학생과 같이 외로움을 경험하고 있는 다문화학생들에게는 같은 어려움을 갖고 있던 학생의 공감이 큰 위로가 될 것이고 새로운 또래 관계를 형성하는 데 용기를 줄 것입니다.

| 사서 |

먼저, 학업의 어려움을 겪는 다문화학생을 위해 사서교사로서 지원 방안을 말씀드리겠습니다. 학생 수준과 흥미에 맞는 이중언어도서를 추천하고 함께 읽어보도록 하겠습니다. 이중언어도서를 통해 학생은 익숙한 언어로 책을 접하고 함께 제시된 한국어도 익힐 수 있습니다.

다음으로 또래관계의 어려움을 겪는 다문화학생을 위해 사서교사로서 지원방안을 말씀드리겠습니다. 도서부 학생들과 함께 또래를 주제로 한 도서관 행사를 진행하겠습니다. 또래관계에 관한 책을 소개하고 독서퀴즈나 좋은 문장을 공유하는 행사를 진행하겠습니다. 또래에 관한 책을 접하며 또래관계에 대한 시각을 넓힐 수 있고, 관계 맺음에 대한 어려움의 해결책을 공유하거나 위로를 받을 수도 있습니다. 또한 행사들을 함께 해보며 또래와도 자연스럽게 소통할 수 있습니다.

1-2
자신이 학교에서 운영하고자 하는 프로그램

| 보건 |

다문화학생이 학교에 50%가 넘기 때문에 많은 학생들이 어렵지 않게 참여할 수 있는 프로그램을 준비하는 것이 중요합니다. 저는 점심시간에 다양한 나라의 전통놀이를 준비하도록 하겠습니다. 예를 들어 베트남의 '쭈온쭈온', 일본의 '켄다마' 등 쉽게 따라할 수 있는 놀이를 준비하겠습니다. 놀이는 하는 것 자체만으로도 긍정적인 기분을 경험하게 하고 다른 학생들과도 자연스럽게 교류할 수 있어 또래관계에서도 좋은 영향을 줍니다. 또한 비만예방 및 신체활동을 증진할 수도 있습니다.

| 영양 |

다문화학생이 학교에 50%가 넘을 때 영양교사로서 식단 구성에 신경을 써야합니다. 가정에서의 다양한 식습관 및 식문화로 학교의 급식이 많은 학생들을 만족시키는 것이 어려울 수 있습니다. 따라서 저는 다문화 급식 메뉴 콘테스트를 진행하도록 하겠습니다. 학생들이 집에서 먹거나 이전에 살던 나라에서 경험했던 식문화를 토대로 메뉴를 추천 받는 것입니다. 음식의 유래, 친구들과 함께 먹고 싶은 이유 등을 공유하고 전교생의 투표를 받아 직접 식단에 반영하도록 하겠습니다. 이를 통해 학생들은 다양한 식문화를 경험해볼 수 있고, 자신이 제출하거나 투표한 메뉴가 급식에 나와 급식실에 오는 길이 즐거울 것입니다.

| 상담 |

다문화학생들의 수가 많아지면서 학교 적응에 어려움을 경험하고 학생들의 스트레스도 높아지고 있습니다. 저는 여러 나라의 스트레스 해소방법을 함께 체험해보는 상담실 행사를 진행하겠습니다. 자신의 스트레스를 적어보고 그 해소법으로 태국의 마사지, 인도의 명상·만다라, 프랑스의 아로마테라피 등 다양한 나라의 스트레스 해소법을 준비하겠습니다. 자신의 스트레스를 스스로 생각해보며 스트레스에 대해 객관화할 수 있고, 여러 해소법을 통해 안정감을 경험할 수 있습니다. 또한 배운 방법들을 스스로 시도해보며 자기돌봄을 실천할 수 있습니다.

| 사서 |

다문화학생의 경우 가족지원도 중요합니다. 이에 가족과 함께 추억을 쌓을 수 있는 다문화가족 독서캠프를 진행하고자 합니다. 책을 매개로 다양한 다문화가족이 모인다면 자연스러운 소통이 가능합니다. 구체적으로 자신이 좋아하는 책이나 자기 나라의 책을 읽어주기도 하고, 가족동화책 등도 만들어보는 활동을 진행할 수 있습니다. 이를 통해 가족 내 즐거운 추억이 생겨 결속이 높아질 뿐만 아니라 친구들의 가족과도 가까워지고 다양한 문화를 접할 수 있는 계기가 될 것입니다.

구상형 2-상담

2-1

A 학생의 자살 위험 수준 평가 시 확인해야 할 사항

(1) 자살생각 확인: 사이버폭력으로 인한 괴로움 호소 및 삶의 무의미한 경험, 죽어야 이 괴로움이 끝날 것 같다는 생각
(2) 자살계획 확인: 자살계획은 나타나 있지 않음
(3) 보호요인, 위험요인 확인: 교사·친구(보호요인), 사이버폭력의 지속성(위험요인)

2-2

자살 위험성이 높은 학생을 보호할 수 있는 방안 2가지 포함하여 시연: 답변 참조

2-1

구상형 2번 답변드리겠습니다. A 학생의 자살 위험 수준 평가 시 확인해야 할 사항 3가지를 말씀드리겠습니다. 첫 번째는 A 학생의 자살사고를 확인하는 것입니다. 현재 학생은 사이버폭력으로 인한 괴로움을 호소하며 삶이 무의미하다고 보고하고 있습니다. 죽어야 이 괴로움이 끝날 것 같다고 생각을 하는 등 자살사고를 확인할 수 있습니다.

두 번째 확인해야 할 사항은 자살계획입니다. 자살 방법, 시기 등 구체적 계획을 가지고 있다면 자살 위험성이 높습니다. 자료에서는 A 학생의 자살계획은 나타나있지 않습니다.

마지막으로 확인해야 할 사항은 보호요인과 위험요인을 확인하는 것입니다. 보호요인은 자살 위험을 낮추고 위험요인은 자살 위험을 높일 수 있기 때문에 확인이 필요합니다. 제시문에서는 교사와 친구가 자신의 곁에 있다고 보고하고 있어 이를 보호요인으로 볼 수 있고, 사이버폭력이 계속해서 이루어지는 지속성을 위험요인으로 볼 수 있습니다. 이상입니다.

Comment

자살 위험성 평가 척도는 자살사고, 자살계획, 자살의도, 보호요인, 위험요인으로 구성됩니다. 꼭 이 평가 척도에 따라 답변을 구성하지 않아도 되며, 자살 위험 수준을 평가할 수 있는 다른 예시도 가능합니다.

2-2

자살 위험성이 높은 학생을 보호할 수 있는 방안 2가지를 포함하여 학생과 상담하는 것처럼 시연하도록 하겠습니다.

"A야, 너의 이야기를 들어보니 많이 힘들 것 같아 걱정되는구나. 괜찮니? 선생님에게 말하기 어려웠을 텐데 말해주어서 고마워. 주변에 도움을 요청하는 것은 정말 용기 있는 일이야. 정말 잘 했어. 선생님에게 얘기한 것처럼 주변에 너를 믿어주는 사람들에게 적극적으로 도움을 요청해보면 어떨까? 죽고 싶다는 생각이 들면 선생님에게 연락해도 돼. 언제든지 너를 도와줄게. 또 주변에 너를 도와줄 수 있는 사람들이 있니? 여기 한번 적어볼까? 그리고 스스로를 돌볼 수 있는 방법들도 생각해보자. A는 어떤 것을 할 때 기분이 나아지거나 편해지니? 여기 적어볼래? 그렇구나. 좋아하는 가수의 노래를 듣거나 책을 읽을 때 그런 느낌이 드는구나. 죽고 싶다고 생각하는 것은 사실은 이렇게 살기 싫다는 뜻이기도 해. 그런 것 같니? 네가 지금 이 상황이 너무 힘들고 괴로우니 죽고 싶다고 생각이 드는 것 같아. 앞에서 말한 너를 돌볼 수 있는 행동들을 해보며 이 상황을 함께 견뎌내보자"라고 시연하겠습니다. 이상입니다.

구상형 추가질문-상담

1. 청소년기의 특징

(1) 발달 중인 전두엽, 호르몬 변화로 감정 조절이 미숙할 수 있음
(2) 타인에 대한 민감성이 높아지고 또래 영향력이 커짐
(3) 부모에게서 정서적으로 독립하려 하고 자율성 욕구가 커짐

2. 자녀의 사생활을 과도하게 침해하는 학부모 코칭 방안

(1) 청소년 시기 자녀의 독립, 사춘기 등 발달단계 이해 · 인정 필요
(2) 자녀에 대한 신뢰 필요: 건강한 권위
(3) 공감, 이해 등 적극적 경청 필요: 자녀가 부모를 진정한 지지자로 생각할 수 있도록 함

구상형 추가질문 답변드리겠습니다. 먼저 청소년기의 특징을 설명한 후 이를 기반으로 자녀의 사생활을 과도하게 침해하는 학부모 코칭 방안을 말씀드리겠습니다. 첫 번째, 청소년기에는 고등 인지 · 조절 등을 담당하는 전두엽이 발달 중이며 호르몬 변화가 일어납니다. 이에 따라 작은 일에도 크게 감정을 표현하는 등 감정 조절이 미숙할 수 있습니다. 두 번째, 청소년기에는 타인에 대한 민감성이 높아지고 또래 영향력이 커지면서 가까운 대상이 부모에게서 또래로 바뀌게 됩니다. 따라서 부모에게서 정서적으로 독립하려 하고 자율성 욕구가 커집니다. 구체적으로 부모에게 말이 줄게 되고 열던 방문을 닫는 행동을 보이기도 합니다.

이처럼 자녀가 청소년기가 되며 나타난 변화들로 부모는 그에 맞는 양육태도를 보여야 하지만, 자녀의 사생활 침해와 같은 부적절한 양육을 하며 부모-자녀 관계가 악화될 수 있습니다. 따라서 이에 대한 학부모 코칭 방안을 말씀드리겠습니다. 첫 번째는 부모가 독립, 사춘기와 같은 청소년의 발달 단계를 이해하고 인정하는 것이 중요함을 전달하겠습니다. 즉, 청소년도 하나의 인격체로 받아들일 수 있는 인정이 코칭의 우선이 되어야 합니다. 두 번째로 자녀에 대한 신뢰를 높일 수 있도록 해야 함을 전달하겠습니다. 부모는 자녀에게 건강한 권위를 가져야 합니다. 자녀의 사생활을 침해하며 통제하는 것이 아니라 신뢰를 토대로 한 권위가 필요합

니다. 자녀의 행동이 미성숙할 수도 있지만, 그 과정에서 자연스럽게 배우고 성장하며 자율성을 높일 수 있다는 것을 알려주어야 합니다. 세 번째로 공감, 이해 등 자녀에게 적극적 경청을 해야 한다는 것을 전달하겠습니다. 적극적 경청이란 자녀의 행동에 대해 비판하고 통제하는 것이 아니라 진심으로 이해하고 공감하는 것입니다. 적극적 경청은 부모-자녀가 신뢰로운 관계를 맺는데 도움을 주며 자녀가 부모를 자신의 진정한 지지자로 생각할 수 있도록 합니다. 이상입니다.

구상형 2-보건

2-1

학생들의 면역력을 증진시킬 수 있는 방안과 그 이유

(1) 개인 위생관리 철저히 하기: 개인 위생관리를 철저히 하여 청결을 유지함으로써 병원균의 전파를 차단할 수 있으며 면역 취약성을 완화할 수 있기 때문
(2) 규칙적인 운동 실시: 규칙적인 운동은 백혈구의 생성을 자극하며 혈액 순환을 증가시켜 면역 세포를 활성화하는 데 도움이 되기 때문
(3) 스트레스 해소: 스트레스는 면역체계를 약화시켜 면역 불균형을 유발하므로 스트레스를 적절하게 해소하는 것을 통해 면역체계를 강화할 수 있기 때문

2-2

2-1에서 제시한 3가지 방안 중 1가지를 선택하여 수업할 때의 전개 과정 시연

(1) 선택한 주제: 스트레스 해소
(2) 전개과정 시연: 답변 참조

2-1

구상형 2-1 문제 답변드리겠습니다. 학생들의 면역력을 증진시킬 수 있는 방안 3가지를 그 이유와 함께 답변드리겠습니다. 첫째, 개인 위생관리를 철저히 하는 것입니다. 올바른 방법으로 손씻기 등 개인 위생관리를 철저히 하여 청결을 유지함으로써 병원균의 전파를 차단하고 면역 취약성을 완화할 수 있기 때문입니다. 둘째, 규칙적인 운동을 실시하는 것입니다. 규칙적인 운동은 백혈구의 생성을 자극하며 혈액 순환을 증가시켜 면역 세포를 활성화하는 데 도움이 되기 때문입니다. 셋째, 스트레스를 해소하는 것입니다. 스트레스는 면역체계를 약화시켜 면역 불균형을 유발하므로 스트레스를 적절하게 해소하는 것을 통해 면역체계를 강화할 수 있기 때문입니다. 이상입니다.

2-2

구상형 2-2 문제 답변드리겠습니다. 저는 2-1에서 제시한 3가지 방안 중 '스트레스 해소'를 주제로 선택하여 수업할 때의 전개 과정을 시연하겠습니다.

"자, 그럼 모둠별로 각자 스트레스를 받았던 상황과 그때 자신이 느꼈던 감정에 대하여 이야기를 나눠볼까요? (잠시 쉬고) 이야기를 모두 나눠보았다면, 모둠별로 돌아가면서 어떤 이야기가 나왔는지 발표해보도록 해요. (잠시 쉬고) 여러분들이 지금 말해준 것처럼 우리는 일상생활의 여러 상황에서 스트레스를 받기도 해요. 이 스트레스가 여러분들에게 짜증, 우울감과 같은 부정적인 감정을 일으켰다고 했죠? 스트레스는 또한 우리 몸에도 부정적인 영향을 끼쳐요. 면역체계를 약화시켜 면역 불균형을 유발하죠. 면역 불균형이 일어나면 어떻게 될까요? (잠시 쉬고) 맞아요. 각종 병균을 막아낼 힘이 약해져 질병, 감염병에 쉽게 걸릴 수 있게 돼요. 그렇다면 이를 방지하기 위해서는 어떻게 해야 할까요? (잠시 쉬고) 그래요. 스트레스를 아예 받지 않는 건 불가능하겠지만, 받은 스트레스를 적절히 해소해주어야 해요. 그럼 지금부터는 자신이 스트레스를 받았을 때 어떻게 이를 해소해왔는지 온라인 담벼락에 자신만의 스트래스 해소법을 적어 함께 공유해보는 시간을 가져보도록 해요. (잠시 쉬고) 정말 다양한 방법이 나왔네요. 서로의 이야기를 들으며 스트레스를 해소하는 방법이 이렇게나 다양하다는 걸 느낄 수 있었죠? 많은 스트레스 해소법 중 자신에게 맞는 적절한 스트레스 해소법을 찾아 스트레스에 올바르게 대처할 수 있어야 해요. 그래야 우리 몸의 면역체계를 강화하여 건강한 삶을 살아갈 수 있을 거예요." 이상입니다.

구상형 추가질문-보건

1. 학생들이 쉽게 접할 수 있는 약물
(1) 카페인(고카페인 음료)
(2) ADHD 치료제(메틸페니데이트)
(3) 식욕 억제제(다이어트 약)

2. 약물 오・남용 교육의 필요성
청소년들이 주변에서 쉽게 접할 수 있는 약물이 다양하며, 본래 약물을 사용하는 목적과 적정 용량에서 벗어나 학업적・외모적인 욕망으로 인해 약물을 오・남용하게 되는 경우가 많음. 약물 오・남용 시 약물 중독에 쉽게 노출될 수 있으며, 두통・불안・수면장애부터 심하게는 환각・망상・자살과 같은 부작용까지 초래할 수 있음. 심각한 부작용이 아니더라도 약물 오・남용은 학생들의 정상적인 학교생활을 방해할 수도 있음. 따라서 이를 예방하기 위해 학생들이 올바르게 약물을 사용할 수 있도록 약물 오・남용 교육을 실시해야 함

구상형 추가질문 답변드리겠습니다. 먼저, 학생들이 쉽게 접할 수 있는 약물에 대하여 답변드리겠습니다. 첫째, 카페인입니다. 카페인은 뇌와 중추신경계를 자극하여 각성 효과를 내는데, 학생들이 학업을 위해 카페인을 섭취하는 경우가 많습니다. 질병관리청에 따르면 중고등학생 중 고카페인 음료를 주 3회 이상 섭취하는 사람의 비율이 매년 증가하고 있습니다. 둘째, ADHD 치료제로 쓰이는 메틸페니데이트입니다. 메틸페니데이트는 신경세포가 도파민을 재흡수하는 것을 막아 뇌 속 도파민의 농도를 올리는 방식으로 집중력을 높여줍니다. 이런 효과 때문에 ADHD 증상을 치료하는 목적보다는 '공부 잘하게 해주는 약', '집중력 높이는 약'으로 이를 처방받아 오・남용하는 사례가 많습니다. 셋째, 식욕 억제제입니다. 식욕 억제제는 병적 비만 치료가 아니더라도 식욕을 억제하여 일상적인 다이어트를 쉽게 하는 약물로서, 특히 체중에 민감한 여학생들이 많이 접하고 있습니다.

다음으로, 약물 오・남용 교육의 필요성을 말씀드리겠습니다. 앞서 말씀드린 것처럼 청소년들이 주변에서 쉽게 접할 수 있는 약물이 다양하며, 본래 약물을 사용하는 목적과 적정 용량에서 벗어나 학업적・외모적인 욕망으로 인해 약물을 오・남용하게 되는 경우가 많습니다. 약물 오・남용 시 약물 중독에 쉽게 노출될 수 있으며, 두통・불안・수면장애부터 심하게는 환각・망상・자살과 같은 부작용까지 초래할 수 있습니다. 심각한 부작용이 아니더라도 약물 오・남용은 오히려 학생들의 정상적인 학교생활을 방해할 수도 있습니다. 따라서 이를 예방하기 위해 학생들이 올바르게 약물을 사용할 수 있도록 약물 오・남용 교육을 실시해야 한다고 생각합니다. 이상입니다.

구상형 2-영양

2-1

식생활 지침 2가지
(1) 규칙적인 식사: 굶지 않고 제 시간에 맞추어 식사하기
(2) 영양가 있는 식사: 한 가지 식품이 아닌 다양한 식품으로 구성된 영양이 풍부한 식단, 정량의 식단

2-2

학생에게 건넬 조언 3가지 포함하여 시연: 답변 참조

2-1

구상형 2번 답변드리겠습니다. 현재 제시문에서 나타난 학생은 다이어트 강박이 있어 절식을 하고 있고, 월경을 하지 않고 어지럼증을 호소하는 등 신체증상도 나타나고 있습니다. 이 학생에게 해줄 수 있는 식생활 지침은 첫 번째로 규칙적인 식사를 하도록 하는 것입니다. 배고프거나 몸에 이상이 생긴 후에야 음식을 섭취하는 것이 아니라 규칙적인 시간에 적절한 양의 식사를 해야 함을 꼭 안내하겠습니다. 두 번째로 영양가 있는 식사를 하도록 하는 것입니다. 탄수화물, 단백질, 지방 등 영양소가 풍부한 식품을 섭취할 수 있도록 하고 한 가지 식품이 아닌 과일, 채소, 단백질원 등이 다채롭게 구성된 식단이 좋다는 것을 안내하겠습니다. 그리고 너무 많거나 적은 양이 아니라 청소년기 필수 칼로리를 채울 수 있는 정량 식사의 중요성도 안내하겠습니다. 추가로 절식 상태가 오래되었을 경우 갑자기 식사량을 늘리는 것은 되려 건강에 악영향을 줄 수도 있기 때문

에 조금씩 식사량을 늘려야 함을 전달하겠습니다. 이상 입니다.

2-2

위 학생에게 할 수 있는 조언을 시연하도록 하겠습니다.

"○○아, 선생님에게 말하기 어려웠을 텐데 말해주어서 고마워. 너의 이야기를 들으니 많이 걱정이 된단다. 원하는 몸을 가지고 싶은 마음을 충분히 이해해. 하지만 이 행동이 계속된다면 살을 빼고자 하는 너의 목표도 이루기 어렵고 건강도 해치게 된단다. 그래서 선생님과 3가지 약속을 지켜주었으면 해. 첫 번째로 아침, 점심, 저녁 식사시간을 지켜보자. 규칙적으로 식사하지 않으면 혈당이 올라가거나 신체 기능이 원활하게 작동하는 것을 어렵게 한단다. 학교 오기 전 아침을 먹고 오고, 점심에는 급식도 먹고 저녁에는 가족들과 함께 저녁을 먹어보는 것은 어떨까? 두 번째로 규칙적인 식사만큼 중요한 것이 영양소가 풍부한 음식들을 먹는 것이란다. ○○이처럼 성장하는 청소년에게는 영양소가 풍부한 음식이 필요하단다. 밥, 국, 생선, 과일, 채소 등 다양한 음식을 골고루 먹어보자. 세 번째로 스트레스를 해소할 수 있는 방법들을 찾아보자. ○○이는 본인의 몸이 마음에 들지 않아서 많이 스트레스 받고 있을 거야. 그런데 하나에만 집중하면 다른 것들이 보이지 않기도 하거든. ○○이가 편하게 느끼는 활동이 있을까? 오~ ○○이는 그림 그리는 것을 좋아하는구나. 좋아. 스트레스 받고, 내 몸이 미워지려고 할 때 그림 그리는 활동을 해보면 좋을 것 같아. 위에 말했던 세 가지 약속을 지켜볼 수 있니? 선생님도 ○○이가 건강하고 행복하게 지낼 수 있도록 옆에서 도와줄게."라고 시연하겠습니다. 이상입니다.

구상형 추가질문-영양

급식로봇 도입 시 고려해야 할 사항 3가지

(1) 로봇을 안전하고 효과적으로 조작하여 적절하게 활용할 수 있는지 확인
(2) 로봇을 위생적으로 사용할 수 있도록 확인
(3) 로봇을 도입 및 작동시킬 때 기존 급식실의 환경 등과의 조화 고려

구상형 추가질문 답변드리겠습니다. 서울시교육청에서 전국 최초로 급식 로봇이 도입되었고 추가 배치될 계획이라 합니다. 급식 로봇이 학교현장에 도입이 될 때 고려해야 할 사항을 세 가지 말씀드리도록 하겠습니다.

첫 번째로 로봇을 안전하고 효과적으로 조작하여 적절하게 활용할 수 있는지를 확인해야 합니다. 로봇을 활용하는 것이 어려울 수 있고, 고장이 났을 때를 대비한 대처도 필요합니다. 또한 급식실은 매일 다른 요리를 만들어야 하기 때문에 로봇의 세팅이 달라져야 하는데 이에 대한 역량도 고려되어야 합니다.

두 번째 고려해야 할 사항은 위생과 관련된 것입니다. 식중독 등을 예방하기 위해 현재 급식실에서는 위생을 중요하게 생각하고 있는데, 급식 로봇 사용 시에도 이에 대한 고려가 반드시 필요합니다. 따라서 로봇 급식 활용 시 위생 관리 매뉴얼, 교육 등의 기반이 조성되어야 할 것입니다.

마지막으로 고려되어야 할 사항은 급식 로봇을 도입하거나 작동시킬 때 기존 급식실 환경과의 조화입니다. 환기가 잘 되지 않거나, 좁은 급식실 등 설치 및 작동이 어려운 환경에 무리하게 로봇을 설치하는 것은 업무 효율성을 떨어트리고, 건강에도 악영향을 미칠 수 있습니다. 따라서 기존 급식실과의 조화를 고려하여 급식 로봇의 도입을 진행해야 합니다. 이상입니다.

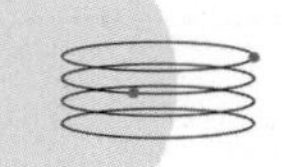

2023 서울 중등 비교과 예시답안

본책 p.59

구상형 1-공통

1-1

| 영양 |

(1) 음식 활용 푸드테라피 진행
음식이라는 매체를 통해 거부감 없이 자신의 이야기를 할 수 있음. 편식 줄이는 데에도 도움
(2) 영양상담 진행
급식을 잘 먹지 않는 이유와 편식 이유 파악 후 맞춤형 개입

| 보건 |

(1) 병원 진료 권유 및 마음이 힘들 때도 몸이 아플 수 있음을 안내
(2) 보건실 이용 규칙 명확히 안내
수업을 들어야 한다는 교육권이 있음을 안내

| 상담 |

(1) 라포 형성 및 상담실이 있음을 안내
상담실이 학생에게 학교 안의 안식처가 될 수 있도록 함. 담임교사, 학부모와 상담 진행
(2) 심리검사 진행
자기보고식 검사, 투사검사를 함께 진행하며 문제 원인을 다각적으로 파악하고 맞춤형 지원

| 사서 |

(1) 책을 매개로 학생과 이야기
책 내용, 주인공에 대해 함께 이야기하며 관계 형성. 학생과 같은 어려움을 가진 주인공이 나오는 책 추천
(2) 도서부 학생과 교류
도서부에서 다양한 행사를 진행하며 학생들과 자연스럽게 소통할 수 있도록 함

1-2

(1) 교원학습공동체
'다가감' – 학교 부적응학생을 발견하고 다다갈 수 있는 방법을 전공별로 공유
(2) 활동
① 사례 공유: 부적응 학생의 유형과 사례를 공유하고 지원 방안 모색
② 관련 도서 함께 읽기: 주제에 대한 도서 한 권 혹은 각자 전공에 관한 도서를 읽고 공유하는 것도 필요
③ 수업, 이벤트 만들기: 학생들의 어려움과 관련된 수업, 이벤트를 함께 만들어보면서 공동 실천

구상형 2-상담

2-1

시연: "선생님도 많이 힘드시겠지만 그래도 아이들을 위해 노력하시는 모습이 존경스럽습니다. 우선, 선생님께서도 자꾸 그 장면이 생각나고 괴로우시다면 전문적인 도움을 받는 것을 추천 드립니다. 교육청에서 지원하는 교원치유센터 '공감'에서 심리상담을 지원하고 있으니 상담을 통해 선생님을 돌보는 것도 중요합니다. 또한 사고 장면과 같은 트라우마 상황에서 가장 중요한 것은 안정을 취하는 것입니다. 학생들의 안정을 위해 조회시간에 심호흡이나 명상과 같은 활동을 하는 것도 좋습니다. 또한, 각자의 어려움을 숨기지 않고 터놓고 이야기할 수 있도록 하는 것도 중요합니다. 친구도 나와 같은 어려움을 겪고 있음을 알게 될 때 위로도 받고 의지가 되기 때문입니다. 그리고 학교 내 상담실이 있다는 것을 알려주세요. 학생들과 선생님께서 안정을 되찾을 수 있도록 물심양면으로 지원하겠습니다."

2-2

집단 프로그램 2회기: 불안을 해소하고 안정화하기

1. 1회기: 마음 안정시키기
(1) 명상, 심호흡 방법 안내: 신체를 이완할 수 있도록 함
(2) 가벼운 신체 활동: 가벼운 신체 활동은 불안을 해소시키는 효과가 있음
(3) 불안 해소방법 살펴보기: 자신의 불안 해소방법을 살펴보고 친구들과 공유

2. 2회기: 마음 공유하기
(1) 글, 그림으로 표현하기: 그 상황에 대해 자유롭게 글, 그림으로 표현함

(2) 친구들과 함께 글, 그림 공유
(3) 서로에게 지지의 글, 그림 표현해주기

구상형 추가질문-상담

1. **학업중단숙려제 목적**: 몸과 마음 돌보기, 학업중단의 장단점 살펴보기

2. **초기 상담**
(1) 상담 주제: 내 몸과 마음 돌보기
(2) 상담 방안: 나의 호흡에 집중하기 – 공황장애 증상 중 대표적인 것은 과호흡이기 때문에 이를 다루는 것이 필요. 공황에 대해 직접적으로 다루기보다는 안정화가 우선

3. **중기 상담**
(1) 상담 주제: 내 마음 바라보기
(2) 상담 방안: 인생 곡선 그려보기 – 나의 인생에 대해 되돌아보고 학업중단과 내 인생에 대해 생각해보기

4. **후기 상담**
(1) 상담 주제: 내 마음 인정하기
(2) 상담 방안: 학업중단의 장단점 따져보기: 장단점을 작성해보며 자신의 마음 정리하고 자율성 가져보기

구상형 2-보건

2-1

시연: "A야, 지금 몸 컨디션이 많이 안 좋을 텐데도 친구들을 위해 뛰려고 하는구나. 너의 열정이 느껴진다. 하지만 너도 컨디션이 좋지 않다는 것을 느끼고 있을 거야. 저혈당 간식을 먹고 어지럽고 손이 떨리는 것은 나아지긴 했지만 몸에 힘이 없지 않니? 선생님은 네가 안정을 좀 취했으면 좋겠어. 학교에서는 저혈당 기준을 70mg/dL으로 잡고 있고, 특히 체육시간에는 90mg/dL이 넘어야 건강하게 참여할 수 있다고 생각한단다. 지금 너의 혈당은 60mg/dL로 나왔어. 뛰고 싶은 마음은 이해하지만, 너의 건강을 위해서 선생님은 네가 체육활동에 참여하기 어렵다고 말할 수밖에 없단다."

2-2

담임교사와 협력할 내용

1. **학생 건강상태 설명 및 체육활동에 유의해야 함을 안내**: 이어달리기처럼 당을 급격하게 소모하는 활동은 하지 않도록 지도 부탁

2. **평상시 대처 안내**: 어지러움, 손 떨림과 같은 저혈당 증상 설명 및 보건실에서 이루어지는 저혈당 처치 안내

3. **또래관계 형성을 위한 지원 안내**: 질병 공유의 여부를 경청하고 학생의 자율적 선택 인정, 도와줄 수 있는 부분에 대해 함께 논의

구상형 추가질문-보건

1. **수업 주제**: 약물의 오·남용 예방

2. **학습목표**: 약물 오·남용이 무엇인지 알고 올바른 약물 사용방법 알기

3. **도입부 시연**: "안녕하세요, 여러분. 앞에 있는 기사가 보이나요? 제목을 하나씩 읽어볼까요? '공부 잘하는 약 … 강남, 목동 등 학군지에 소아청소년 정신과가 다른 곳보다 더 많다?', '학원가에서 마약 확산', '약 봉투요? 안 보고 아프면 그냥 먹는 게 약이죠'. 모두 잘 읽었어요. 혹시 여러분도 이 기사와 같은 경험을 해본 적이 있나요? 이에 대해 이야기해주면 좋을 것 같아요. (잠시 침묵 후) 모두 잘 말해주었네요. 그럼 오늘 선생님과 어떤 것에 대해 수업을 할 것 같나요? 네, 맞아요. 약물과 관련된 내용을 다룰 거예요. 자, 오늘의 학습목표를 읽어볼까요?"

보건교육 중 '생활 속의 건강한 선택' 핵심 개념
약물·담배·술, 성 건강, 정신정서건강, 건강생활기술

구상형 2-영양

2-1

표에 나타난 중학생 영양상 문제점 3가지 및 이를 해결하기 위한 급식 운영 방안

(1) 나트륨 섭취가 과다하다는 점
저염간장을 사용하여 간을 함. 국・찌개류를 표준염도 이하로 조리함. 건더기를 많이 넣어 국물 대신 건더기를 섭취하도록 함

(2) 비타민 A가 부족하다는 점
당근 등 베타카로틴이 풍부한 식재료를 제공함. 이때 비타민 A 손실을 최소화하는 조리법을 사용함

(3) 식이섬유 섭취가 부족하다는 점
서울시교육청에서 시행하는 그린급식바를 운영함. 식이섬유가 풍부한 채소와 과일을 섭취시키기 위하여 계절별・월별 제철과일을 제공함

2-2

선택한 문제점에 따른 수업 진행 시 학습목표 및 수업시간과 급식시간에서 교육 방안

(1) 선택한 문제점: 식이섬유 섭취 부족

(2) 학습목표: 채식에 대하여 이해하고 채식 식단을 실천할 수 있다.

(3) 수업시간 교육 방안
① 채식에 대하여 이해하는 교육 진행: 채식이란 무엇인지, 채식의 필요성, 채식의 종류(비건・락토・오보・페스코・폴로 등)에 대한 안내
② 채식 식단 구상 활동 진행: 자신이 원하는 메뉴를 선택하여 직접 채식 식단을 구상하는 활동을 진행. 이때 식이섬유가 풍부한 채소와 과일을 활용할 수 있도록 함

(4) 급식시간 교육 방안
① 그린급식데이 운영: 학생들이 수업시간에 구상한 식단을 바탕으로 한 달에 한 번 이상 그린급식데이를 운영하여 채식 식단 제공. 학생들의 입맛을 고려한 양념 및 조리법 등을 다양하게 활용하여 채식은 맛이 없을 것이라는 학생들의 편견을 깨뜨릴 수 있도록 함
② 활동 진행: 잔반을 남기지 않은 학급에게 혜택을 주는 활동도 함께 진행하여 참여율을 높임

구상형 추가질문-영양

지역사회와 연계한 먹거리 생태전환교육 방안 3가지 및 교육효과

(1) 로컬푸드 사용 홍보 활동 진행하기
① 내용: 로컬푸드란 장거리 운송을 거치지 않은 지역 농산물을 부르는 용어로서 이동과정 중 탄소 배출이 적음. 전통시장 및 지역 로컬푸드 판매장과 연계하여 이러한 로컬푸드의 중요성을 홍보하고, 로컬푸드 사용하기 운동을 진행함
② 교육효과: 학생들이 직접 홍보물을 제작하고 홍보 운동을 진행하는 과정에서 자기주도 역량 함양, 자신감 고취

(2) 학생 봉사활동과 연계한 채식 요리 프로그램 진행
① 내용: 지역 주민센터 및 복지센터와 연계한 학생 봉사활동으로서 학생들이 직접 요리한 채식 식단을 대접한 뒤 함께 식사하며 채식 식단을 경험하는 프로그램 진행
② 교육효과: 육식 소비를 줄이고 채식 소비를 늘리는 채식 식단을 통해 탄소 배출을 경감할 수 있으며 봉사활동과 연계한 프로그램으로서 학생들의 민주시민성 함양, 협력적 인성도 기를 수 있음

(3) 음식물 쓰레기 줄이기 마을 캠페인
① 내용: 학생 주도 음식물 쓰레기 배출 감소 캠페인을 진행함. 학교에서 급식 잔반 남기지 않을 뿐만 아니라 지역사회에 직접 나가 아파트, 주택 단지 및 외식업체 등과 연계하여 마을 사람들을 대상으로 캠페인을 진행함
② 교육효과: 음식물 쓰레기 처리로 인한 탄소 배출을 경감할 수 있으며 잔반을 남기지 않는 식습관을 기를 수 있음

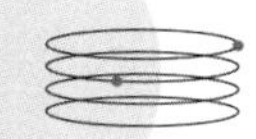

2022 서울 중등 비교과 예시답안

본책 p.63

구상형 1-공통

1. 공통된 어려움

비교과교사들과 교과 및 담임교사 간 소통의 어려움

2. 해결 방안 3가지

(1) 교사 대상 연수를 통해 전공, 업무에 따른 내용 홍보(C 교사)
  ① 시기: 전체 교직원 대상, 필요한 경우 수시 진행
  ② 내용: 업무에 대한 기본적 설명, 업무 편견 해소, 학습·생활지도를 지원하는 전문적 내용
    예 • 보건: 감염병 예방 연수, 안전사고 발생 시 응급처치 안내 연수
    • 상담: 상담실 이용 안내, 학생의 어려움별 구체적 사례 및 대처 방안 전달
    • 영양: 편식 등 영양 상담 관련, 밥상머리교육 연수
    • 사서: 독서협력수업 방법, 도서 활용 연수

(2) 교사 대상 학년별 담임교사-비교과교사 협의회 실시(B, D 교사)
  협의회를 통해 비교과 업무를 안내하고 협조사항을 전달함. 학년별로 필요한 내용들에 대해 공유하고 협력. 수업 등 조율이 필요한 부분에 대한 의견 수렴. 이를 통해 서로의 업무에 대한 이해와 협력 증진

(3) 학교 내 교사 동아리 참여(A 교사)
  ① 비공식조직에 참여하는 것은 공식조직 활성화에 도움
  ② 교사 동아리를 통해 소진 예방, 소속감 증가, 직무동기 향상 가능

구상형 2-상담

2-1

(1) 자해 위험 정도가 높다고 파악한 근거 5가지
  ① 자해 빈도 잦음: 한 달 동안 여러 번 자해 시도
  ② 자해의 지속: 초등 고학년부터 현재까지 지속
  ③ 생명이 위험할 정도로 자해: 자해를 깊게 해서 병원에 다녀옴
  ④ 스트레스를 받을 때마다 자해함: 스트레스 해소 방안이 자해밖에 없음
  ⑤ 스트레스가 심한 상황에 노출: 스트레스 원인이 부모

(2) A 학생에 대한 상담 방안 3가지
  ① 안정된 태도로 공감, 경청: 공감, 경청을 통해 스트레스를 건강하게 해소하기 어려운 학생의 마음을 위로하고 자신의 마음을 표현할 수 있도록 함
  ② 자해에 대해 직접적으로 질문하고 탐색: 자해 이유, 빈도, 감정 등을 직접적으로 물어봄으로써 자해에 대해 파악. 상담교사가 자해를 다룰 수 있다는 것을 알 수 있도록 함
  ③ 대체행동을 안내: 자해가 아닌 건강한 스트레스 해소 방법을 안내
    예 자신의 어려움 글이나 말로 표현하기, 자해하고 싶은 상황에서 주먹을 꽉 쥐기, 종이 찢기 등

2-2

담임교사에 대한 자문방안 2가지

(1) 학생과 라포를 형성하고 신뢰를 쌓는 것이 중요함
  학생이 담임교사를 '도움을 요청할 수 있는 사람'으로 느낄 수 있도록 해야 함. "걱정이 많이 된다, 도움을 요청한다면 꼭 도와줄 것이다" 등 신뢰의 말을 꼭 전달. 학급에서 불편한 것, 담임교사에게 요청할 것 등을 물어보며 학생이 교실에서 편안하게 있을 수 있도록 함

(2) 자해 원인을 교사에게 말해주고 이에 따라 학업 관련 스트레스를 주지 않고 학생의 긍정적인 모습을 알아봐주는 것이 필요함을 안내
  스트레스를 해소하기 위한 방안으로서 자해를 선택

했고 원인이 부모의 공부 강압에 있다는 것을 설명. 학급에서 스트레스 요소에 노출되지 않도록 하는 것이 필요함 전달. 학생이 가지고 있는 장점, 노력하는 점 등을 평소에 말해주는 것이 필요하다는 것을 이야기함

구상형 추가질문-상담

구상형 추가질문 답변하겠습니다. 면접관님들을 학부모님이라 생각하고 시연하겠습니다.
"학부모님 안녕하세요. 상담교사입니다. 말씀을 들어보니 많이 걱정되실 것 같습니다. 요즘 다른 학생들도 스마트폰 사용을 많이 하고 있어 학부모님들의 걱정이 많으시더라고요. 그래도 이렇게 상담을 신청해주신 것을 보니 어머니께서 아이를 위하는 마음이 느껴집니다.
우선 가정에서 아이의 스마트폰 중독에 대한 상황을 설명해주시겠어요? 그렇군요. 그렇다면 그때 아이는 어떻게 말하고, 학부모님께서는 어떻게 대응하시나요? 네. 강제로 빼앗고 아이는 방 안으로 들어가 대화를 안 하려고 하는군요. 아… 걱정이 많으시겠어요.
이럴 때 어떻게 해야 하는지 궁금하시죠? 첫 번째, 가장 중요한 것은 아이의 주체성을 인정해주는 것입니다. 강제로 스마트폰을 빼앗거나 비난하는 것은 아이의 주체성을 인정해주지 않아 중독에서 벗어나기도 어렵고 관계도 악화될 수 있습니다. 따라서 아이를 비난하지 않고 아이와 함께 스마트폰 사용에 대한 목표를 세워보시는 것을 추천드립니다.
두 번째로, 스마트폰 사용 이외에 다른 활동을 같이 해보시는 것도 추천드립니다. 스마트폰 사용은 도파민을 과도하게 분비시켜 다른 활동들에 재미를 못 느끼도록 합니다. 지금도 늦지 않았으니 아이와 함께 산책, 요리 등을 해보는 것은 어떠세요? 아이들은 엄마아빠와 함께 하는 것을 굉장히 좋아해서 스마트폰 생각이 나지 않을 거예요. 마지막으로, 스마트쉼센터와 아이윌센터 등을 안내해드리고자 합니다. 과의존은 전문적인 개입이 중요합니다. 이 기관들은 스마트폰 과의존 관련 전문기관으로, 상담뿐만 아니라 다양한 활동들도 진행하고 있습니다. 최근에 이 기관에서 과의존 해소 집단상담, 멘토링 모집을 하고 있으니 자료를 읽어보시고 관심이 있으시면 참여하시면 좋을 것 같습니다. 도움이 필요하다면 언제든지 연락주세요. 감사합니다." 이상입니다.

구상형 2-보건

2-1

척추측만증 예방수업 중 '전개' 단계에서 척추측만증 예방법

(1) 척추측만증에 대한 정의와 증상을 안내
척추측만증이란 정면에서 반듯하게 위치해야 하는 척추가 옆쪽으로 휘어져 변형되는 것이며 증상으로는 폐활량 감소, 운동 중 호흡 곤란 등이 있음을 안내
(2) 조기 발견, 조기 치료가 중요하며 학교에서 검사를 실시함을 전달
청소년기의 척추측만증은 골격이 성장함에 따라 더욱 악화될 수 있어 조기 발견과 치료가 중요하며 학교에서 검사를 실시하고 있음을 안내
(3) 바른 자세, 바르지 않은 자세 안내
의자 등받이에 엉덩이와 허리를 깊숙하게 붙여 앉고 허리를 똑바로 세워 앉을 수 있도록 하는 올바른 자세 안내. 무거운 가방을 오래 메거나 짝다리를 짚는 올바르지 않은 자세에 대해 안내하고 자신의 자세 점검
(4) 척추측만증 예방 운동 안내
교실에서 할 수 있는 척추 스트레칭을 안내하고 직접 해봄

2-2

척추측만증 의심학생에게 건강관리 조언

(1) 척추측만증과 그로 인해 야기되는 건강문제를 걱정하는 학생 진정시키기
(2) 사춘기에 주로 발생할 수 있고 조기 검진과 노력으로 악화를 막을 수 있음을 안내
(3) 바른 자세와 운동 방법 안내
바른 자세 사진을 보여주며 잘 볼 수 있는 곳에 붙여 쉽게 따라할 수 있도록 안내

구상형 추가질문-보건

1. 단백뇨 의심 학생 문진

(1) 단백뇨 증상 확인
소변에 거품이 많은지, 최근 컨디션이 좋지 않거나 감기에 걸린 적 있는지, 혈뇨가 있는지 물어봄. 단백뇨는 육류를 갑자기 많이 섭취한 후 일시적으로 나타날 수도 있기 때문에 이 부분도 확인함

(2) 병원 진료를 권유하고 기립성 단백뇨인지 확인
청소년기 활발한 신진대사에 의해 낮 시간 활동 중 만들어진 소변에는 단백질이 섞이는 기립성 단백뇨가 나타날 수 있으므로 정확한 진단을 위해 병원에서 재검사해볼 것을 안내

2. 관리방법 설명

(1) 식이 조절
단백뇨의 원인이 신장 기능 이상에 있다면 단백질 섭취를 줄일 수 있도록 안내하고 저염식 식단을 추천해야 함

(2) 가벼운 운동
기립성 단백뇨인 경우 갑작스럽게 과도한 운동을 하거나 오래 서 있으면 일시적으로 단백뇨 증상이 나타날 수 있기 때문에 이를 안내하고 가벼운 운동을 할 수 있도록 함

구상형 2-영양

1. 프로그램명: 해보자, 그린급식! 지켜보자, 그린지구!

2. 교육목표

기후위기 시대에 대비하여 생태전환 급식에 대한 관심을 증진하고자 그린급식 식단을 직접 구성하여 만들어본다.

3. 구체적 활동

(1) 그린급식 안내
그린급식이 무엇인지 안내하고, 그린급식의 필요성을 설명한다. 채소류를 활용한 다양한 식단의 예시를 통해 육류를 줄이고 채소류를 늘려도 충분히 맛있는 식단을 구성할 수 있음을 보여준다.

(2) 그린급식 식단 구성해보기
학생들이 다양한 식재료를 활용하여 직접 입맛에 맞는 그린급식 식단을 구성해보는 활동을 진행한다. 이때, 육류를 줄이고 채소류를 늘린 식단을 구성해볼 수 있도록 안내한다.

(3) 그린급식 식단 만들어보기
아이들이 직접 구상한 식단을 요리해보는 실습 체험 시간을 가진다. 이때, 학교 텃밭에서 직접 기른 콩이나 상추 등의 재료를 활용해서 더욱 흥미도를 높인다.

구상형 추가질문-영양

1. 채식 급식이란 무엇인지 안내

채식 급식의 정의, 필요성, 채식의 종류(폴로・페스코・락토오보・비건 등)에 대한 설명으로 학부모와 학생이 채식에 대해 이해할 수 있도록 안내

2. 우리 학교 채식 급식의 단계 안내

학교에서는 고기를 금하고 난류・유제품・생선 섭취가 가능한 페스코 채식 단계를 선택하여 채식에 대한 적응 기간을 가짐을 안내

3. 영양 불균형 예방 대체 식품 활용

단백질 불균형 등 채식 급식으로 인하여 필요한 영양소를 섭취하지 못할 것을 염려하는 학부모가 있을 수 있으므로, 영양 불균형을 예방하기 위하여 두부・식물성 햄・콩고기 등의 대체 식품을 사용함을 안내

4. 학생의 입맛을 고려한 조리법 활용 안내

채식을 실시하지 않는 사람들은 채식 식단이 맛없을 것이라는 편견을 가진 경우가 많으므로, 다양한 비건 양념류와 튀김과 같은 조리법 등을 사용하여 학생들의 입맛을 고려할 것이라고 안내

5. 채식 급식 또한 생태전환교육을 위한 하나의 교육 방안임을 안내

기후위기 시대 생태전환교육의 일환으로 채식 급식을 실시하여 학생들이 환경과 인간의 공존을 추구하며 지속 가능한 삶을 살아가는 데 필요한 역량을 기를 수 있음을 안내

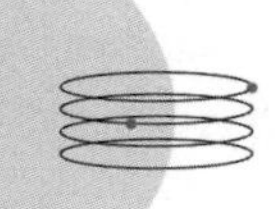

2021 서울 중등 비교과 예시답안

본책 p.67

구상형 1-공통

1. A 학생에 대한 상담을 회복과 성장의 측면에서 시연

(1) 공감

"너의 속마음을 선생님에게 이야기해줘서 고마워. B와 다시 친해지고 싶은데 B가 안 받아줘서 속상했겠다."

(2) 회복

"선생님이 너의 이야기를 들어보니 B와의 관계를 회복하기 위해 많이 고민하고 노력하고 있는 것 같네. 네가 노력하고 있는 만큼 B도 이 관계에 대해서 많이 생각해보고 있을 거야."

(3) 성장

"노력해도 B와의 사이가 좋아지지 않아서 지쳤을 법도 한데 계속 노력하는 모습이 정말 멋있다. 이렇게 고민하고 진심으로 친구에게 다가가면 친구들도 너의 진심을 알아줄 것 같아. B에게 진심을 담은 편지를 써보는 것은 어떨까? 이런 과정에서 너도 많이 성장하고 배울 수 있을 거야."

2. A, B의 관계회복을 위한 대화 시 유의사항 3가지

(1) 떠밀려서 대화에 참여하지 않도록 하기 : 대화의 목적은 두 학생의 진실된 관계회복임을 설명하고 대화 참여에 대한 동의를 받음

(2) 대화의 목적이 관계회복에 있음을 설명하고 서로를 비난하거나 책임을 묻지 않도록 함 : 비폭력 대화 방법을 사전에 안내

(3) 비밀유지 약속 : 둘 사이에 나누었던 대화가 새어나간다면 학생들이 다른 피해를 입을 수 있음을 설명

3. 관계회복을 위한 동아리 프로그램

(1) '화해존'

학생 사이에 갈등이 있을 때 관계회복을 위한 대화를 나눌 수 있는 곳

(2) 동아리 활동으로 화해존을 함께 만들어봄. 학생들이 화해존의 목적, 화해존 안에서의 규칙에 대한 이야기를 나누고 화해존 위치 선정, 꾸미기 등을 함께 함으로써 자율성과 공동체역량을 키울 수 있음. A와 B 또한 화해존을 함께 만들어보면서 함께하는 경험을 하게 됨

구상형 2-상담

1. 수업 중 상황에 대한 대처 방안 2가지

(1) 학생들의 안전 살피기

공격적인 행동을 보일 때 위험한 물건이 있으면 신체적 상해를 입을 수 있음

(2) 학생이 진정할 수 있도록 안정된 태도로 공감, 존중을 전달

"지금 많이 화난 것 같구나. 선생님은 네가 무엇 때문에 화가 났는지 알고 싶고 너를 도와주고 싶어"라고 이야기하며 안정적인 태도로 감정을 읽어주는 것이 필요

2. 개인 상담 시 할 수 있는 자문 2가지

(1) 공감과 경청을 기본으로 학생의 욕구를 파악하는 것이 필요

이를 통해 라포를 형성하고 어떠한 이유에서 그러한 행동을 했는지 내면의 욕구, 그 행동의 기능을 파악하도록 함

(2) 건강한 감정 표현을 교육하도록 전달

학생은 자신의 불편한 감정을 건강하게 표현하는 방법을 알지 못해 공격적으로 표현한 것임을 김 교사에게 전달. 건강한 감정 표현 방법을 안내하고 함께 연습하도록 함

예 상감바 – 상황, 감정, 바라는 점 말하기

3. 김 교사에 대한 심리 지원 방안

(1) 공감과 지지

상담실에 와서 자문을 얻고 학생을 위하는 선생님의 노력을 알아주고 그동안 힘들었을 상황에 대해 공감하고 위로함. 앞으로도 지속적으로 선생님을 지원할 것임을 전달

(2) 서울시교육청 교원치유센터 안내

교원치유센터에서 심리적 지원을 받을 수 있음을 안내하고 힘든 마음을 털어놓는 것만으로도 도움이 될 수 있음을 이야기

구상형 추가질문-상담

1. 대처 방안 3가지

(1) 학부모의 이야기 경청하고 공감
공감하고 경청하며 안정적인 태도로 이야기를 나눌 수 있도록 함

(2) 전문기관 연계를 거부하는 이유 물어보기
학부모마다 연계를 거부하는 이유가 다르기 때문에 거부 이유를 경청하고 이유에 맞는 구체적인 설명을 함

(3) 전문기관 연계의 이유와 필요성을 전달하며 원하지 않을 시 연계에 동의하지 않을 수 있음도 안내
학생의 건강한 성장을 위해 전문기관 연계를 권유한 것이며, 이 연계를 통해 아이를 더 잘 이해할 수 있음을 안내. 또한 선택의 자율성을 주어 거부감을 갖지 않도록 함

2. 상담 시연

"학부모님, 안녕하세요. 화가 많이 나신 것 같아요. 이런 말씀을 듣게 되어서 속상하시죠. 어머님의 생각을 듣고 싶은데 말씀해주실 수 있으신가요? (2초 쉬고) 네, 그런 것 때문에 걱정되시는군요. 차분히 말씀해주셔서 감사드려요. 전문기관 연계는 아이를 더 잘 이해할 수 있어 아이와 학부모님을 돕기 위한 더 좋은 방법이라고 생각해요. 전문기관에 연계하더라도 저는 계속해서 아이를 살피고 지원하겠습니다. 고민해보시고 말씀해주세요. 감사합니다."

구상형 2-보건

1. 1차시

자신의 성 인식 점검: 학생들이 무의식 중에 가지고 있던 성역할 고정관념 점검. 내가 남자이기/여자이기 때문에 듣는 말에 대한 활동을 진행하며 건강의사소통 역량 키울 수 있음

2. 2차시

우리 주변에 존재하는 성역할 고정관념에 대해 살펴보기: 성역할 고정관념 설명, 미디어 속에 나타난 성역할 고정관념 찾기 활동, 벡델테스트*를 안내하고 영화를 보며 벡델테스트를 직접 해보는 활동 등을 통해 당연하다 느꼈던 것을 당연하지 않게 받아들이는 건강한 불편함을 느끼며 건강사회·문화공동체 의식역량을 함양할 수 있음

* 벡델 테스트: 미국 여성 만화가 엘리슨 벡델이 영화에서 나타나는 성차별을 계량화하기 위해 만든 것

3. 3차시

성역할 고정관념이 없는 연극을 만들어보기: 2차시에서 활용한 영화에 나타난 성역할 고정관념을 올바르게 바꾸고 모둠활동을 통해 직접 연출 및 연기 연습을 해봄. 이를 통해 건강의사소통역량과 2015 개정 교육과정의 총론 역량인 창의적 사고역량과 심미적 감성역량을 키울 수 있음

4. 4차시

3차시에 진행했던 연극 발표. 배운 것을 정리하고 소감 나누기: 연극 관람 및 긍정적 피드백 전달. 마무리 활동으로 수업을 통해 느꼈던 것을 다섯 글자로 말하는 활동을 통해 학생들이 자신의 생각을 정리할 수 있도록 돕기. 이를 통해 심미적 감성, 의사소통, 공동체역량을 키울 수 있음

구상형 추가질문-보건

1. 손목 골절 시 사정해야 할 사항

(1) 6Ps(통증, 맥박 소실, 창백, 감각 이상, 마비, 냉감) 사정
(2) 소아청소년기의 뼈는 유연하여 쉽게 구부러지고 휘어지기 때문에 양측의 대칭성, 부상 부위인 손목의 변형 등 사정
(3) 소아청소년기는 성장을 해야 하는 시기이며 손목에는 성장판이 위치하기 때문에 손목 골절 시 병원에서 치료를 받고 성장판 검사를 하도록 안내

2. 응급처치 4가지

(1) 학생이 움직이지 않도록 안정시키기
통증으로 인해 불안해하며 움직일 수 있고 이는 큰 손상으로 이어질 수 있기 때문
(2) 피부 손상 예방
손상 부위에 거즈를 대어 피부 손상을 예방하기
(3) 부종 및 통증 감소를 위해 환부에 냉찜질
냉찜질에 대한 이유를 설명하며 놀라지 않도록 함. 심하게 차갑다고 느끼거나 피부가 빨갛게 변하면 냉찜질을 중단하며, 개방성 골절에는 얼음찜질을 하지 않음에 주의
(4) 탄력붕대를 이용하여 환부를 적당한 강도로 압박하고 고정함
압박(고정)의 목적은 통증을 감소시키고 주변의 연한 신체조직의 손상을 방지하며, 심각한 출혈 위험성을 감소시키고 손상 부위의 혈액순환을 개선하는 것. 만약 부목을 대야 할 필요가 있다면 골절 의심 부위 상부와 하부 관절을 포함하여 적용함
(5) 손상 부위를 심장보다 높게 하여 부종 예방
심장보다 손상 부위를 높게 하는 것은 혈류량을 감소시켜 부기를 줄여줌

구상형 2-영양

1. 자율배식의 문제점 3가지

(1) 학생의 영양 불균형 초래
특정 반찬만 많이 가져가게 되면서 학생들의 편식이 심해지고, 이로 인하여 단백질・탄수화물・지방 등의 영양 불균형이 발생할 수 있음
(2) 음식물 쓰레기 발생량 증가
많은 학생들이 선호하는 반찬만 가져가고, 비선호 반찬은 가져가지 않으면서 이로 인한 음식물 쓰레기가 증가할 수 있음
(3) 급식 만족도가 낮아질 수 있음
먼저 급식을 먹는 학생들이 선호하는 반찬을 많이 가져가서 늦게 급식을 먹는 학생들이 먹을 반찬이 부족해지는 상황이 발생할 수 있음
(4) 그 외
안전사고 발생, 위생 문제, 식재료비 상승 등

2. 문제를 해결하기 위한 학생 참여형 교육 프로그램

(1) 프로그램의 명칭 : '빈 식판이 좋데이'
(2) 목표 : 학생들 스스로 자율배식으로 나타나는 편식의 문제점을 파악하고, 편식과 그로 인한 음식물쓰레기 배출 증가를 방지할 수 있음
(3) 구체적인 활동
① 학생들이 직접 다양한 뉴스 기사, 통계자료를 찾아보면서 편식이 우리 몸에 끼치는 영향, 편식으로 인한 음식물 쓰레기가 환경에 미치는 피해를 살펴봄
② 지난주 요일마다 반찬별로 버려진 음식물쓰레기의 양을 표로 제시. 학생들이 직접 음식물쓰레기 배출량을 계산. 특히나 어느 반찬에서 편식이 많이 이루어졌는지 확인함
③ 학생들이 편식을 하지 않기 위한 방안을 공모받은 뒤 이에 따라 규칙 제정
예 모든 반찬 조금씩이라도 먹어보기, 먹을 만큼만 음식 받기, 받아온 음식은 모두 다 먹기 등
④ 만든 규칙에 따라 학생이 모두 (다 먹고) 빈 식판을 내는 '빈 식판이 좋데이' 인증 사진을 찍고, 달마다 가장 많은 인증 사진을 모은 반에게 시상

구상형 추가질문-영양

1. **학생**: 식중독과 관련한 뉴스 기사와 통계자료를 찾아보는 교육

(1) 식중독의 증상, 발생 현황, 계절별 식중독 발생 원인 등을 학생들이 직접 뉴스 기사와 통계자료를 통해 찾아봄

(2) 직접 식중독에 대해 찾아보는 과정을 통해서 식중독의 심각성을 깨달을 수 있음

(3) 조사 과정 이후에는 식중독을 예방하기 위하여 스스로 어떤 노력을 해야 할지 토의함으로써 식중독을 예방하는 방법을 직접 체득할 수 있도록 함

2. **교사**: 식중독과 관련한 교육용 자료를 개발하여 교직원 회의시간에 배부

(1) 학생들의 식중독을 예방하기 위해서는 영양교사뿐만 아니라 담임교사 등도 함께 지속적으로 지도해야 함을 안내

(2) 식중독 발생 원인, 예방 방안, 학생 지도 방안 등을 담은 교육용 자료를 개발하여 이를 교직원 회의시간에 나누어주고, 함께 지도해주길 부탁드림

(3) 자료를 바탕으로 한 더욱 좋은 실제적 지도 방안에 대한 이야기를 나누며 함께 협력체계를 갖추고자 노력함

3. **조리종사원**: 위생점검표를 통한 철저한 위생교육 실시

(1) 급식실 위생은 학생들의 식중독을 예방하기 위한 최우선 과제임을 안내

(2) 위생 관련 항목을 담은 위생점검표를 만들고 이를 매일 아침 조리종사원과 함께 철저하게 확인

(3) 위생점검표 항목 예시: 올바른 손 씻기, 식재료 관리, 조리 공정별 위생 관리, 배수구·방충망·환기시설·보관 온도 등의 환경 점검, 기구 세척 및 소독 등

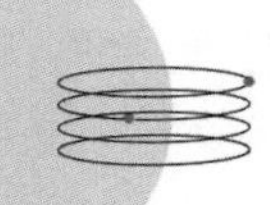

2020 서울 중등 비교과 예시답안

본책 p.71

구상형 1-공통

1. 협력적 인성교육 방안

| 상담 |

(1) 또래상담 동아리 활동: 도움이 필요한 또래의 이야기를 들으며 공감, 경청의 자세를 배울 수 있음
(2) 우리마을 사람책: 마을 사람들의 이야기를 들어보며 타인을 이해하는 폭을 넓힐 수 있음

| 보건 |

(1) 성폭력 예방 뮤지컬: 뮤지컬이라는 협력종합예술활동을 함께하며 협력을 경험할 수 있음
(2) 응급구조 동아리와 응급구조 방법 알려주기: 위급 상황에서 타인에게 도움이 되는 방법을 배움

| 사서 |

(1) 도서부를 중심으로 존중 관련 책 나눔 행사: 협력적 인성의 가치 중 하나인 '존중'과 관련된 책을 함께 읽어봄
(2) 학급 협동 그림책 만들기: 학생들과 함께 그림책을 만들어봄으로써 함께함의 가치를 배울 수 있음

| 영양 |

(1) 급식 도우미: 몸이 불편하거나 혼자 밥을 먹는 친구들을 도와줌
(2) 학급별 텃밭 가꾸기: 텃밭을 가꿔보며 생명존중과 공존의 가치를 배움

2. 자신이 교사로서 적합한 이유

(1) 경험: 교육실습 – 교육실습 중 교사와 다른 직업 사이에서 진로 고민을 하던 학생이 있었음. 본인은 학생 입장에서 생각하고 꾸준히 소통하였고 교사라는 직업이 가치 있다는 것을 보여주었음. 그 결과 그 학생에게 좋은 모델이 되었고 학생 또한 교사가 되어 학생들을 지지하고 성장을 돕고 싶다고 함
(2) 이유: 학생이 보았던 모습처럼 자신은 학생들에게 진심으로 다가가고 소통할 수 있는 사람이며 학생에게 좋은 모델이 될 수 있음

구상형 2-상담

1. 시연

(1) 교사 A
"선생님 안녕하세요, 학생들이 다투면 걱정이 많이 되시죠. 교실에서 어떤 상황이었는지 말씀해주실 수 있나요? 아, 그러셨군요. 선생님도 굉장히 난감하셨겠어요. 길동이가 상담이 필요하다고 생각하시는군요. 길동이와 상담하려면 길동이의 의사와 학부모님의 동의가 필요하답니다. 길동이와 학부모님께 동의 의사를 물어봐주시면 좋을 것 같아요. 선생님과 길동이를 위해 노력하겠습니다."

(2) 학생 B
"B야, 얼마나 속상했으면 상담만 받고 집에 간다고 했을까. 그래도 선생님에게 말해줘서 고마워. 어떤 일이 있었는지 이야기해줄 수 있어? 그랬구나. 그래서 학교에 오고 싶지 않았구나. 선생님이 B를 도와주고 싶은데 어떤 도움이 필요할까?"

(3) 학부모 C
"학부모님 안녕하세요, 상담실 오시느라 고생하셨어요. 아이의 학업 문제로 걱정이 많이 되시나봐요. 구체적으로 어떤 부분이 걱정되시는지 말씀해주실 수 있으세요? 아, 그러시군요. 성적이 안 오를 때에는 정서적·인지적·사회적 요인 등 다양한 이유가 있습니다. 너무 걱정하지 마시고 차근차근 이유를 찾아보면 좋을 것 같아요."

2. 대처 방안

(1) 교사 A
교원학습공동체 구성 추천: 학생 생활지도는 민감한 부분도 있어 전문성이 필요하며 교사 소진이 올 가능성도 있음. 교원학습공동체를 통해 사례를 나누며 전문성을 신장하고 서로에 대한 공감과 지지를 통해 교사 소진을 예방함

(2) 학생 B
담임교사, 학부모와 상담 진행: 학급과 가정에서 보이는 모습을 총체적으로 파악하고 다각적으로 지원할 수 있도록 함. 상담교사는 이를 통해 사례 개념화를 진행

(3) 학부모 C

학생에게 심리검사 진행: 학생의 학업 부진이 어떤 이유때문인지 심리검사를 통해 객관적으로 파악함. 심리검사로는 학생의 상황에 따라 지능검사를 포함한 종합심리검사를 진행할 수 있음. 이때 외부 기관에 연계하여 심리검사를 진행함

구상형 추가질문-상담

1. 문제점

(1) 부정적 자기상을 가질 수 있음

친구들이 나를 미워한다는 생각은 '나는 친구들과 잘 지내지 못하고 가치가 없는 사람'이라는 생각으로 이어져 부정적 자기상을 형성할 수 있음

(2) 학업중단의 우려

상담만 받고 집에 가려고 한다면 학업의 기회가 줄고 학교에 대한 부정적 인식을 변화시킬 수 있는 계기가 없게 됨

(3) 사회적 관계를 맺을 수 있는 기회가 적어짐

2. 해결 방안

(1) 감정일기 쓰기

감정일기를 쓰며 자신의 감정을 살피고 다른 사람의 시선보다 중요한 것은 자신의 감정임을 알도록 함

(2) 개인상담

적극적 경청과 공감을 통해 학생의 마음을 이해하고 학업중단의 이유, 학교에 대한 인식을 탐색함

(3) 담임교사와 협력

학생의 현재 상황에 대해 공유하고 반에서 잘 적응할 수 있도록 자문함(기다려주기, 학생 B가 좋아하는 활동 중 학급에서 함께할 수 있는 활동 제안)

구상형 2-보건

1. 학생에 대한 대처 방안

(1) 개인상담

학생의 지금까지의 심리적 어려움에 대해 이야기를 들어주고 공감함

(2) 보건실에서 학생이 스스로 주사를 놓을 수 있게 교육함

「학교보건법」에 따르면 학부모 동의와 전문의 자문을 받아 응급상황 시 보건교사가 주사를 놓을 수 있음. 하지만 평상시에는 학생 스스로 놓아야 하기 때문에 장소를 제공하고 보건실에 와서 주사를 놓을 수 있도록 배려함

2. 담임교사에 대한 대처 방안

(1) 1형 당뇨에 대한 정보 제공

인쇄물에 1형 당뇨에 대한 정보를 담고 인슐린을 투여하면 일상생활에 문제가 없음을 안내

(2) 보건교사의 지원 안내

인슐린 투여를 위해 보건실을 제공하는 등 보건교사의 지원에 대해 안내하고, 학급에서 생길 수 있는 위급상황에 대해 전달하여 담임교사가 필요할 때 보건교사에게 연락할 수 있도록 함

3. 학부모에 대한 대처 방안

(1) 학부모의 이야기 공감, 경청

(2) 보건실의 지원 안내

「학교보건법」에 따라 평상시에는 학생이 스스로 인슐린을 투여해야 하며 보건실에서 주사를 놓을 수 있도록 할 것임을 안내

구상형 추가질문-보건

1. 학생의 상태를 눈으로 확인하고 사정하며 심각한 상황인지 파악함

2. 심각한 상황일 경우

응급조치 후 수업받는 학생들에게 상황을 설명하고, 학급 담임선생님께 연락해 상황을 설명하여 학급에 오도록 안내

(1) 이유
응급상황이기 때문에 빠른 대처가 필요하며, 수업 중인 학생들에 대한 책임도 보건교사에게 있기 때문에 자리를 비우지 않고 담임선생님의 협조를 구함

(2) 응급처치
염좌 부위를 냉찜질하고, 되도록 걷지 말고 신속하게 전문 의료기관에서 치료를 받을 수 있도록 함

3. 심각하지 않은 상황일 경우

수업 중인 학생들에게 상황을 설명하여 잠깐 수업을 멈추고, 발목을 삐어서 온 학생에게 지금은 수업시간이고 크게 다친 것 같지 않아 보이니 최대한 움직이지 않은 상태로 있다가 쉬는 시간에 올 수 있도록 안내

▶▶▶ 이유 : 발목 염좌는 당장의 처치가 필요하지 않을 가능성이 높기 때문에 수업이 끝나고 지켜볼 수 있기 때문

4. 평상시에 보건 수업 시 자리를 비울 경우를 대비한 계획을 세워두는 것이 필요함

보건 수업 학급의 담임교사를 보건실에 있도록 하거나, 보건실에 보건교사 긴급 연락처와 수업 시간표를 안내해 놓는 등

구상형 2-영양

개선 방안 3가지

(1) 학생들에게 건강한 한식에 대한 이해교육 실시
(2) 육류를 포함한 한식 식단을 구성하여 학생의 기호도에 맞출 수 있도록 노력(단, 건강을 위해 튀김류·구이류보다는 찜류를 활용하고, 기름기가 적은 부위를 활용)
(3) 학생이 직접 식단을 구성해보는 활동·대회 등을 진행하여 이를 실제 식단에 반영
(4) 조리종사원과 함께 의논하여 표준 레시피를 만듦
(5) 조리종사원에게 한식의 날 운영 취지와 의의를 말씀드리며 이해와 협조를 구함
(6) 한식의 날 운영 취지와 의의, 식단 내용 등을 담은 가정통신문을 매달 배부
(7) 학부모가 직접 건강한 한식의 날 급식을 체험해볼 수 있는 기회 마련

구상형 추가질문-영양

(1) 영양소 섭취기준을 바탕으로 균형 잡힌 식단을 직접 구성해보는 활동 진행
(2) 전날 자신의 식단을 기록해온 뒤, 영양분과 칼로리 등을 계산해보는 활동 진행
(3) 실제 학생들이 챙겨온 간식의 영양표시제를 활용하여 어느 간식이 제일 건강한 간식일지 확인해보는 활동 진행
(4) 요리 실습과 결합하여 직접 균형 잡힌 식단을 만들어보는 체험활동 진행
(5) 서울시교육청 학교보건진흥원에서 운영하는 영양체험관에 방문하여 체험관에서 제공하는 다양한 교육 프로그램 체험

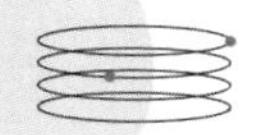

2024 서울 초등 예시답안

본책 p.75

구상형 1

1. AI 교육에 대한 시사점

(1) A 교사의 말처럼 학생들이 자료조사를 직접 하지 않고 추천 영상만 봐 수동적인 학습이 일어남. 따라서 AI 교육을 할 때 학생의 주도성을 바탕으로 하는 교육이 필요함

(2) B 교사의 말처럼 생성형 AI에 학생 질문을 넣으면 틀린 답이 나오는 것으로 보아 AI는 불완전하며 있는 그대로 신뢰할 수 없음을 알 수 있음. 따라서 AI 리터러시 교육을 실시함으로써 학생들이 비판적 사고를 통해 AI의 답변 내용이 신뢰할 수 있는 것인지 올바르게 판단하도록 해야 함

(3) 자료 2에 나타난 것처럼 맞춤형 교육이라도 단방향 콘텐츠를 제공하는 교육은 학습 동기가 낮은 학생들에게 학습 의욕을 일으킬 수 없고 오히려 독해력이 낮아져 학력 저하로 이어질 수 있음. 이처럼 AI 교육 및 에듀테크를 활용한 데이터 분석은 학생들의 실상을 제대로 파악하지 못하기 때문에 학생들의 학습 과정과 성장 이력을 교사가 꾸준히 관리하고 피드백하는 것이 필요함

2. 교사의 역할 및 자신의 역할 계획

(1) 교사는 학생이 자료 조사에 주도적 · 적극적으로 임할 수 있도록 수업 자료를 재구성하고, 다른 친구들과 협력하여 의사 결정하도록 돕는 역할을 해야 함
→ 이를 위해 어떤 검색 키워드를 이용해 검색해볼 것인지 키워드 마인드맵을 작성할 수 있는 학습지를 미리 제공할 것임. 그리고 조사한 영상들 사이에서 어떤 영상을 다루는 것이 주제와 적합한지 토의하도록 함

(2) 교사는 학생에게 AI가 불완전하며, AI가 알려주는 지식이 객관적인 근거에 의한 것인지 판단할 수 있도록 안내하는 역할을 해야 함
→ 지식의 출처를 찾아보는 방법을 안내하고, 학생들이 직접 AI 생성 지식의 사실 여부를 찾아보고 발표하는 활동을 통해 디지털 리터러시와 디지털 시민성을 기를 수 있도록 함

(3) 학생들의 학습을 관리하고 상호작용하는 역할을 해야 함
→ AI 교육이 발달하더라도, 단순 통계 및 데이터 분석 이상의 단계에서 학생들에게 실질적인 배움이 일어나고 있는지 확인하는 것은 교사 고유의 역할이라고 생각함. 따라서 학생이 부족하거나 어려워하는 부분에 대해 교사가 직접 관리하고 맞춤형 교육을 제공함

답변드리겠습니다. 먼저 AI 교육에 대한 시사점을 말씀드리겠습니다. 첫째, A 교사의 말에 따르면, 학생들이 자료조사를 직접 하지 않고 추천 영상만을 시청함으로써 수동적인 학습이 이루어지고 있습니다. 따라서 AI 교육에서는 학생의 주도성을 바탕으로 한 교육이 필요합니다. 둘째, B 교사의 발언을 통해 볼 때, 생성형 AI에 학생들의 질문을 넣었을 때 틀린 답변이 나오는 것을 확인할 수 있습니다. 이를 통해 AI는 완전하지 않으며, 있는 그대로 신뢰할 수 없다는 점을 알 수 있습니다. 따라서 AI 리터러시 교육을 통해 학생들이 비판적 사고를 바탕으로 AI의 답변 내용을 신뢰할 수 있는지 올바르게 판단할 수 있도록 해야 합니다. 셋째, 자료 2에 나타난 바와 같이 맞춤형 교육이라 하더라도 단방향 콘텐츠를 제공하는 교육은 학습 동기가 낮은 학생들에게 학습 의욕을 불러일으킬 수 없으며, 오히려 독해력이 낮아져 학력 저하로 이어질 수 있습니다. 이처럼 AI 교육 및 에듀테크를 활용한 데이터 분석은 학생들의 실상을 제대로 파악하지 못하므로, 학생들의 학습 과정과 성장 이력을 교사가 꾸준히 관리하고 피드백하는 것이 필요합니다.

다음으로 교사의 역할 및 저의 역할 계획을 말씀드리겠습니다. 첫째, 교사는 학생들이 자료조사에 주도적이고 적극적으로 임할 수 있도록 수업 자료를 재구성하고, 다른 친구들과 협력하여 의사 결정을 내릴 수 있도록 돕는 역할을 해야 합니다. 이를 위해 학생들이 어떤 검색 키워드를 사용할지 마인드맵을 작성할 수 있는 학습지를 미리 제공할 것입니다. 또한, 학생들이 조사한 영상들 중에서 주제에 적합한 영상이 무엇인지 토의하도록 할 것입니다. 둘째, 교사는 학생들에게 AI가 불완전하며, AI가 제공하는 지식이 객관적인 근거에 기반한 것인지 판단할 수 있도록 안내하는 역할을 해야 합니다. 이를 위해 지식의 출처를 찾아보는 방법을 지도하고, 학생들이 직접 AI 생성 지식의 사실 여부를 확인하고 발표하는 활동을 통해 디지털 리터러시와 디지털 시민성을 기를 수 있도록 할 것입니다. 셋째, 교사는 학생들의 학습을 관리하고 상호작용하는 역할을 해야 합니다. AI 교육이 발달하더라도, 단순한 통계 및 데이터 분석 이상의 단계에서 학생들에게 실질적인 배움이 일어나고 있는지를 확인하는 것은 교사 고유의 역할이라고 생각합니다. 따라서 학생이 부족하거나 어려워하는 부분에 대해 교사가 직접 관리하고 맞춤형 교육을 제공할 것입니다. 이상입니다.

즉답형 1

1. 예상되는 학생들의 질문

(1) 이 프로젝트를 왜 해야 하나요?
→ 프로젝트의 필요성을 공감하지 못함에 따라 나오는 질문
(2) 프로젝트로 어떤 것을 해야 하나요?
→ 프로젝트의 구체적인 실천방법에 대한 질문
(3) 우리가 이 프로젝트를 실천한다고 해서 기후위기를 막을 수 있을까요?
→ 기후위기 실천에 대한 의심

2. 적절한 피드백

(1) 학생들이 쉽게 접할 수 있는 기후위기 사례들을 제시하여 학생들이 스스로 기후위기의 심각성을 깨닫고, 프로젝트의 필요성을 느끼도록 하여 프로젝트 참여 동기를 높임
(2) 교육청에서 배포하는 생태전환교육 운영 사례집 중 세부 주제와 적합한 활동들을 보여주며 다양한 활동방법이 있음을 안내함
(3) 개인의 작은 변화가 모여야 사회의 변화를 이끌 수 있다는 것을 안내하여 생태행동에 대한 실천 의지를 높일 수 있도록 함

즉답형 1번 답변드리겠습니다. 기후위기를 주제로 한 학생주도형 프로젝트 수업을 진행할 때 예상할 수 있는 학생들의 질문과 그에 대한 피드백을 말씀드리도록 하겠습니다. 먼저, 학생들은 “이 프로젝트를 왜 해야 하나요?”라는, 프로젝트의 주제와 목적에 대한 질문을 할 수 있습니다. 이 질문에 대한 저의 피드백으로는 여름철 극심한 폭염, 스콜 등 학생들이 쉽게 접할 수 있는 기후위기 사례들을 제시하겠습니다. 이는 학생들이 기후위기가 남의 일이 아니라 우리가 겪고 있는 문제라는 심각성을 깨닫고 프로젝트의 필요성을 느끼도록 하여 프로젝트 참여 동기를 높일 수 있습니다.

두 번째 예상되는 질문으로는 “프로젝트로 어떤 것을 해야 하나요?”로, 프로젝트의 구체적인 실천방법에 대해 물을 수 있습니다. 학생 주도형 프로젝트라도 교사는 방임하는 것이 아니라 프로젝트가 목적을 달성할 수 있도록 학생들에게 구체적인 방법 등을 제시해주어야 합니다. 따라서 이에 대한 피드백으로 교육청에서 배포하는 생태전환교육 운영 사례집 중 프로젝트의 세부 주제와 적합한 활동들을 보여주며 다양한 활동방법이 있음을 안내하고 참고할 수 있도록 하겠습니다. 구체적으로 우리 주변의 플라스틱 쓰레기 줄이기, 업사이클링 디자인하기 등의 활동을 진행할 수 있습니다.

마지막으로 예상되는 질문으로는 “이 프로젝트를 우리가 실천한다고 해서 기후위기를 막을 수 있을까요?”로, 학생들은 기후위기 실천에 대한 의심을 할 수 있습니다. 이에 대한 피드백으로는 기후위기를 막기 위해서는 제도적·정책적 변화가 필요한데, 개인의 작은 변화가 모여야 사회의 변화를 이끌 수 있다는 것을 안내하여 학생들로 하여금 생태행동에 대한 실천 의지를 높일 수 있도록 하겠습니다. 이상입니다.

즉답형 2

제시문 연계 나의 교육철학: 학생과 진정한 만남을 실천하는 교사
제시문과 같이 의사는 단순히 질병을 고치는 것이 아니라, 환자와 가족들의 마음에 공감하고 그들이 다시 잘 지낼 수 있도록 돕는 것이 중요함. 교사 또한 단순 지식을 전달하는 것에 한정되지 않고 학생의 마음을 이해하고 공감하며 진정한 만남을 실천하고, 그 관계 속에서 함께 성장하는 것이 필요. 또한 학생들에게 형식적인 지도만 하는 것이 아니라 학생의 어려움을 진심으로 공감하고, 학생의 개인적·사회경제적 상황을 파악하는 것이 필요함. 이런 호기심이 학생을 이해하고 공감할 수 있도록 하며, 교사의 진심 어린 노력은 학생과 교사의 진정한 만남으로까지 이어지게 됨

즉답형 2번 답변드리겠습니다. 제시문을 읽고 저의 교육철학을 말씀드리겠습니다. 저의 교육철학은 학생과 진정한 만남을 실천하는 교사입니다. 제시문에 나타난 것과 같이 의사는 단순히 질병을 고치는 것이 아니라, 환자와 가족들의 마음에 공감하고 그들이 다시 잘 지낼 수 있도록 돕는 것이 중요합니다. 이처럼 교사의 역할 또한 단순 지식을 전달하는 것에 한정되지 않고, 학생의 마음을 이해하고 공감하며 진정한 만남을 실천하고 그 관계 속에서 함께 성장하는 것입니다. 학생들은 아직 성장하고 있는 단계이기 때문에 실수를 하기도 하고, 다양한 위험에 노출될 수도 있습니다. 교사는 이런 학생들에게 형식적인 지도만 하고 넘어가는 것이 아니라, 학생의 어려움에 진심으로 공감하여 그들이 어려운 상황을 극복할 수 있도록 도와주어야 합니다. 구체적으로 학생이 그 행동을 한 이유를 살펴보기도 하고 학생의 성격 등과 같은 개인적 특성이나 가정 배경, 사회적 배경과 같은 학생을 둘러싸고 있는 사회경제적 상황 등을 다각적으로 살펴보아야 합니다. 이러한 호기심을 통해 학생을 좀 더 이해하고 공감할 수 있고, 학생에게 필요한 지원을 해줄 수도 있습니다. 교사의 진심 어린 노력은 학생과 교사의 진정한 만남으로까지 이어지게 된다고 생각합니다. 제가 교사가 되어 학교 현장에서 학생들을 만나게 된다면, 형식적인 교사-학생의 관계가 아닌 인간과 인간의 이해와 애정이 바탕이 된 인격적 만남을 실천하도록 하겠습니다. 이상입니다.

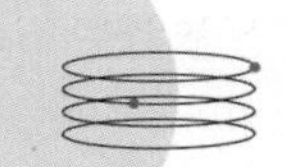

2023 서울 초등 예시답안

본책 p.77

구상형 1

1. 3년차

(1) 관점: 전문성
(2) 교사상: 나는 (배우고 성찰하는) 교사다.
(3) 활동
  ① 협동 학습, 프로젝트 학습 등 다양한 수업 방식에 대한 전문성을 쌓을 수 있도록 임상 장학, 컨설팅 장학 등에 적극적으로 참여함
  ② 서울시교육청에서 운영하는 '수업친구 나눔 교사단'에 참여하여 동료교사들과 '수업친구'가 되어 서로의 수업을 배우고 공유하며 성찰함

2. 15년차

(1) 관점: 교육공동체
(2) 교사상: 나는 (더불어 성장하는) 교사다.
(3) 활동
  ① 저경력 교사들을 위한 교내외 장학활동, 연수 등을 진행함
  ② 교원학습공동체에 참여하여 다른 선생님들과 함께 수업과 평가, 생활지도 등에 대하여 연구하고 서로의 교육경험을 공유함

3. 30년차

(1) 관점: 자아실현
(2) 교사상: 나는 (내 모든 역량을 발휘하는) 교사다.
(3) 활동
  ① 서울학습연구년에 지원하여 그동안의 교육 경험을 통해 쌓은 모든 역량을 발휘하며 관심 교육 분야에 대한 연구를 수행함
  ② 나의 교육 철학, 교육 경험, 교육 노하우를 바탕으로 다양한 교육 주제에 대한 교내외·지역사회 등에서의 교육 강연을 실시함

즉답형 1

지도 방안

(1) 학생관: 학생이란 능동적으로 탐구하고 성장하는 존재
  → 학습 내용을 인터넷을 통해 스스로 찾아보고 탐구한 것에 대해서는 칭찬하고 격려함. 그리고 찾아본 해당 내용이 사실인지, 틀린 내용은 없는지 등에 대하여 스스로 더 깊이 탐구해보는 것을 제안
(2) 교사관: 교사란 학생들의 성장을 지지하고 조력해 주는 존재
  → 인터넷에 나와 있는 내용의 진위 여부, 정확성 등을 판단할 수 있는 방법을 알려주어 학생들이 스스로 제시한 내용에 대하여 더욱 깊고 자세하게 검토 및 조사, 진위 여부 판단 등을 해보도록 함. 그리고 탐구한 내용에 대하여 의견을 제시하게 하고, 교사로서 피드백을 종합적으로 제공함
(3) 지식관: 지식은 언젠가는 변함
  → 학습한 지식이 진리라고 생각하지 않도록 함. 지식은 언젠가 변할 수 있고, 교사가 가르친 내용도 틀린 내용이 될 수 있음을 알려줌. 따라서 다양한 디지털 기반의 매체를 활용하여 끊임없이 새로운 지식을 탐구해보아야 함을 가르침. 또한 교사도 변화하는 지식에 대하여 계속 연구하고 공부하는 자세를 지닐 것임을 말해줌

즉답형 2

활용하고 싶은 정책 3가지 및 그 이유와 관련 경험

(1) 서울학생건강더하기+: 고등학생 3학년 때 신체적·정서적으로 스트레스를 받자 담임선생님의 제안으로 방과후 학급에서 간단한 운동을 했던 경험
(2) 키다리샘: 대학생 때 취약계층 학생을 대상으로 교육 봉사를 진행하며 학생과 함께 성장했던 경험
(3) 협력종합예술활동: 고등학교 1학년 때 한 학기 장기 프로젝트 수업의 일환으로 모둠별 연극을 준비했던 경험

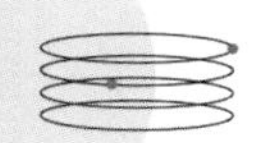

2022 서울 초등 예시답안

본책 p.79

구상형 1

1. 신학년 집중 준비기간의 필요성 2가지

(1) 학생 및 학교 특성에 맞게 교육과정을 재구성하기 위하여

(2) 학급을 체계적으로 내실화하여 운영하기 위하여

2. 조건에 맞는 학급특색활동

(1) 주제: 나는 너의 수호천사

(2) 이유

① 다문화학생이 학교에 적응하는 데 도움을 줄 수 있기 때문

② 단 한명도 소외되지 않는 학급을 만들 수 있기 때문

(3) 구체적 방안

① 학생들이 뽑기를 통해 2~3주에 한 번씩 누군가의 수호천사가 되어줌

② 수호천사는 대상 학생에게 힘이 되어주는 역할을 수행

③ 교사는 학생마다 학생 개개인의 특성에 맞는 맞춤형 수호천사 미션을 제공

즉답형 1

1. 선배교사들로부터 생활지도 조언 구하기

신규교사로서 아직 경력이 많이 부족하기 때문에 생활지도에 많은 노하우를 가지고 계신 여러 선배교사들께 조언을 구하고, 이를 통해 받은 조언과 선배교사들의 대처 능력을 상황에 맞게 적용함

2. 학부모 상담 주간 소통창구 만들기 및 다양한 상담 자료 찾아보기

학부모 상담 주간 소통창구를 만들어 상담 주간 전에 상담하고 싶은 분야에 대해 미리 알려달라고 요청한 후 이를 중점적으로 학부모 상담 내용을 준비함. 또, 다양한 학부모 상담 주간 자료를 찾아 학부모님들께 알려드릴 내용을 미리 정리해봄

3. 학생들과 꾸준히 소통하기

학생들과의 꾸준한 상담 및 신뢰 서클 등을 통해 소통하면서 학생들이 교사에게 바라는 점을 알아보고, 학급 운영 또는 수업에서 이러한 점들을 반영할 수 있도록 다양한 교육활동을 진행함. 이런 교육활동을 통해 학생들의 기대에 부응하게 되면 신규교사로서 자신감을 가지고 부담감을 떨쳐낼 수 있음

즉답형 2

1. 교사는 살아있는 교육과정

교사는 학생들의 배움을 위해 필요한 내용을 모두 교육현장으로 가져와 가르칠 수 있다는 것을 뜻함. 구체적으로 학생의 특성 · 적성 · 수준에 맞게 수업을 운영할 수 있고, 교과서에는 제시되어 있지 않지만 학생들이 살고 있는 마을 및 지역 자원을 연계할 수도 있음. 즉, 교사가 자신의 교직관 하에서 학생들에게 알려주고자 하는 모든 내용이 교육과정이 될 수 있다는 문장이라 생각함

2. 갖추고 싶은 교사의 자질: 교육과정 재구성 역량

이유: 살아있는 교육과정으로서 학생들에게 의미 있는 배움을 만들어주기 위해서는 학생들이 배울 내용과 교육과정을 재구성하는 것이 필요함. 교육과정을 재구성함으로써 학생들에게 필요한 내용을 선별할 수 있으며, 그 내용을 여러 형태의 활동으로 구체화하여 학생 중심 수업을 만들 수 있음. 또한 다양한 연수를 들으며 교육과정 재구성 역량을 발전시킴으로써 학생들에게 맞춤형 교육을 제공하고, 흥미롭고 의미 있는 배움을 경험하는 학생으로 성장시키고 싶음

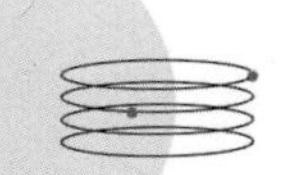

2021 서울 초등 **예시답안**

본책 p.81

구상형 1

1. 학습 격차를 완화할 수 있도록 맞춤형 교육을 실시하는 역할

(1) 교원학습공동체에 참여하여 교육과정 재구성 및 과정 중심 평가에 대한 전문성을 길러 맞춤형 교육을 실시함

(2) 대면등교 시 방과후, 쉬는 시간 등을 활용하여 학생들에게 보충학습 지도를 실시함

(3) 온라인 수업 시 다양한 수준의 학습 자료 및 과제를 제공하여 맞춤형 학습을 하도록 함

2. 학생들의 정서적 우울감을 극복할 수 있도록 학생들의 정서를 안정시켜주는 역할

(1) 코로나19로 심리적 어려움을 겪고 있는 학생들을 대상으로 사제동행 멘토링 실시

(2) 온・오프라인에서 학생과 지속적이고 주기적인 1:1 상담 진행

3. 학생들의 대인관계능력 증진을 지원하는 역할

(1) 수업시간 협동학습을 실시하여 자연스럽게 친구와 소통할 수 있도록 함

(2) 마니또 등 다양한 학급 프로그램을 실시하여 그 과정 속에서 친구와 관계를 맺도록 함

▶▶▶ 해당 역할들의 필요성을 각각의 제시문과 연결하여 답변할 것

즉답형 1

1-1. 본인의 학생관에 가까운 문장: 너는 특별하단다.

2-1. 관련된 경험

(1) 학창시절 자신감이 부족하고 내성적인 성격을 지녀 학급 프로그램에 잘 참여하지 못함. 이러한 과정에서 다른 학급 친구들이 나를 싫어한다는 생각에 더욱 위축되는 모습이 나타남

(2) 담임선생님께서 관찰을 통해 내가 어려움을 겪는 것을 파악하고, 따로 1:1 상담을 진행함. 그때 모든 사람의 성격은 다 다르고, 어떠한 성격의 사람이든 모두 존중받아야 한다고 말해주셨음. 처음에는 큰 변화가 없었으나, 그 뒤로도 주기적으로 상담을 진행하면서 나의 장점을 먼저 찾아서 칭찬해주시고 응원해주시며 자신감을 북돋아주셨음. 지속적인 선생님의 따뜻한 격려와 응원으로 점점 자신감을 찾을 수 있었고, 그때부터 차근차근 친구들과의 어려움도 극복할 수 있는 힘을 얻음

→ **이유**: 이러한 경험에 따라 교사가 되어 학생 저마다의 장점을 찾아주고 싶기 때문에 해당 학생관을 선택함

1-2. 본인의 학생관에 가까운 문장: 너는 특별하지 않단다.

2-2. 관련된 경험

(1) 학창시절 스스로를 남들과 다르다고 규정한 뒤 모든 것을 잘 해내려고 하는 완벽주의를 가진 사람이었음. 이러한 완벽주의적 성향 때문에 끊임없이 나의 부족한 점만 찾아내며 스스로를 갉아먹었고 자신감을 잃어갔음

(2) 담임선생님께서 내가 어려움을 겪는 것을 파악하고, 따로 1:1 상담을 진행함. 그때 모든 사람은 각자만의 장점과 단점을 지녔고 이 세상에 모든 것이 완벽한, '특별한 사람'은 없다고 말씀해주셨음. 그렇기 때문에 우리는 모든 것을 잘 해내려고 하지 않아도 되고, 함께 있는 그대로의 자기 자신을 수용하도록 노력해 보자고 말씀해주셨음. 처음에는 큰 변화가 없었으나,

그 뒤로도 주기적으로 상담을 진행하면서 나만의 장점에 집중하고 이를 키워볼 수 있도록 도와주셨음. 있는 그대로의 나를 수용하는 연습을 하면서 스스로를 갉아먹는 생각과 행동은 점점 줄어들었고 자신감을 되찾게 되었음

→ **이유**: 이러한 경험에 따라 학생들이 어려움을 겪을 때 모두가 비슷한 과정을 거치며 함께 극복할 수 있다는 것을 알려주고 싶어 해당 학생관을 선택함

즉답형 2

신규교사로서의 역할

(1) 신규교사는 노트북, 태블릿 PC, 스마트폰 활용 등에 비교적 익숙하므로 원격수업 상황에서 이러한 스마트기기 사용에 익숙지 않은 선생님들을 대상으로 사용법을 안내함

(2) 원격수업을 더욱 풍부하게 만들어줄 수 있는 다양한 온라인 학습도구 활용법을 공유함

(3) 원격수업과 대면수업을 병행하는 상황에서 이를 유기적으로 연계하여 진행하였던 혼합수업 사례를 나눔함

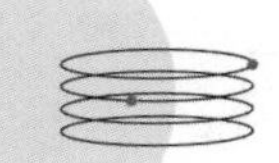

2020 서울 초등 예시답안

본책 p.83

구상형 1

1. 문제점

(1) 기본적인 학습 습관이 형성되어 있지 않음
(2) 학생들의 기초학력 부족
(3) 또래와의 소통 어려움, 자기중심적 행동 등 사회성 부족

2. 해결 방안

(1) 세심한 관찰, 기초학력진단 프로그램 등을 통해 기초학력 부진 학생을 파악하고 다중학습안전망을 통한 학생 맞춤형 지원(두드림학교·점프업 프로그램으로 학교 내 지원, 서울학습도움센터와 같은 전문기관 연계 등)
(2) 수업 시 학습 습관을 바르게 형성할 수 있는 방안에 대해 교원학습공동체에서 함께 논의
주의집중력을 높일 수 있는 교실환경 구성 방안 논의, 학습 습관을 구조화할 수 있는 방안 논의
(3) 학급별 사회성 프로그램 진행
서울시교육청에서는 교육회복 프로그램 중 하나로 '사회성·관계성 결손 회복 지원 프로그램' 운영을 지원하고 있음. 체육활동, 체험학습 등을 통해 자연스럽게 또래와 친밀감을 높이고 수업 중에는 협동학습, 모둠활동 등을 통해 학생 간 의사소통능력 증진을 지원함

즉답형 1

1. 동료교사를 통해 배우고 싶은 실천적 지식: 학생 생활교육 방법

2. 이유

(1) 초등학교 시기는 학습적인 부분도 중요하지만 기본적인 생활 습관, 또래와 관계를 맺어가는 법, 규칙 등을 배워가는 시기임
(2) 신규교사로서 생활교육은 이론에서 주로 접했을 뿐 경험이 많지 않음. 이론에서 배운 생활교육을 실제 현장에 녹여내는 데에는 많은 시행착오와 경험이 필요함. 따라서 동료교사의 생활교육 노하우를 잘 관찰해보기도 하고 조언도 들어보며 나의 학급에 맞게 활용하고 싶음. 실천적 지식은 초등학생들이 자율적이고 배려하는 인재로 성장할 수 있도록 돕기 때문에 동료교사에게 생활교육에 관한 실천적 지식을 배우는 것이 중요함

즉답형 2

1. 학생들과 함께 중간놀이시간 규칙 만들기

학생들이 자율적으로 놀이시간 규칙을 정한다면 규칙을 준수하려는 책임감을 기를 수 있음. 또한 규칙을 함께 만들어보는 과정을 통해 자율성을 키울 수 있음

2. 놀잇감, 놀이 공간 위험성 점검

뾰족한 놀잇감 등 안전하지 않은 놀잇감이 있는지 살펴보고, 훼손된 놀이 공간이 있는지 지속적인 확인 필요

3. 교육과정 안에 있는 놀이 진행

교육과정 안에 다양한 놀이 활동이 있기 때문에 중간놀이시간에 이를 활용할 수 있음

추가질문

1. **공유하고 싶은 실천적 지식**: 학생들이 좋아할 만한 수업 활동 구성

(1) 최근 학생들이 관심 있어 하는 SNS를 활용한 활동(예 유튜브 썸네일 만들기, 인스타그램 피드 구성하기 등)을 통한 자기 상황 이해

(2) 실생활과 관련된 주제 선정 예 유튜브 알고리즘은 어떻게 생성될까?, 학교 급식으로 알아보는 경제

2. **이유**

(1) 수업의 동기를 높이기 위해서는 학생들의 흥미를 끌어야 하며 그것은 학생들의 관심사와 관련이 있어야 함. 이러한 동기와 흥미는 효과적으로 성취 기준을 달성하는 데 도움이 됨

(2) 본인은 학생들의 요즘 관심사를 파악하고 그에 맞는 적절한 수업 활동을 개발하고자 노력하고 있음
예 동기들과 함께 학년 수준, 성취 기준에 따른 수업 연구회를 진행한 경험이 있음

PART

3

제1~15회 실전 모의고사 예시답안

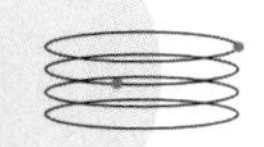

제1회 실전 모의고사 예시답안

본책 p.88

구상형 1

1. '생각을 쓰는 교실'의 교육적 효과

(1) 학생이 스스로 질문과 탐구를 거쳐 자신의 생각을 표현하는 과정에서 자기주도성을 함양할 수 있음
(2) 한 가지 사고에 얽매이지 않고 질문하고 탐구와 연계하여 창의적으로 생각하는 과정에서 창의와 혁신 역량을 키울 수 있음
(3) 논쟁적인 질문, 공동체 문제 해결을 위한 질문 등을 만들고 이에 대해 탐구하는 과정에서 포용성과 시민성이 증진될 수 있음

2. [나]와 같은 설계가 가지는 장점

(1) 교육과정, 수업 내용, 평가가 일체화되어 교육목표를 체계적으로 달성할 수 있음
(2) 교육활동이 목표에 부합하도록 설계되어 학생의 심층적 이해를 도모할 수 있음
(3) 무엇을 어떻게, 왜 배워야 하는지를 알고 수업이 진행됨으로써 학생들의 핵심 역량을 키울 수 있음

3. [다]의 어려움을 겪는 학생에게 제공할 교육적 피드백

(1) 질문 만들기
실생활과 연관 지어 탐구하는 질문, 찬반 논쟁으로 토론할 수 있는 질문, 특정 문제 해결을 위한 토의나 협의에 적절한 질문 등 질문의 유형을 안내함
(2) 탐구하기
정치·경제·사회·문화적 차원 등 여러 관점에서 정보를 수집하는 구체적인 방법을 안내하고, 조사한 데이터와 자료를 해석하고 비판적으로 분석하는 방법을 안내함
예 통계청 사이트에서 통계자료를 탐구하며 분석, 논문 검색 사이트를 통해 관련 논문을 찾고 그 논문 속의 자료를 분석할 수 있도록 함
(3) 쓰기
'한 문장 쓰기'부터 시작해서 '세 문장 쓰기' – '한 단락 이상 쓰기'순으로 점차 쓰는 양을 늘려 나가보도록 안내함. 초고를 완성한 후 여러 번 읽어보며 퇴고 과정을 여러 번 거칠 것을 안내함

구상형 2

1. [나], [다]를 참고하여 설정할 논제

(1) 기후위기는 사람의 노력으로 극복이 가능한가?
(2) 기후위기 대처 방안으로 탄소세를 부과해야 하는가?
(3) 생활 속 일회용품 사용을 법으로 금지해야 하는가?
(4) 사람들에게 기후위기의 심각성을 자극적으로 알리는 것이 기후위기를 늦출 수 있는가?

2. 교사 역할 유형 선택 및 그 이유

(1) 중립적 공정형
교사에게 '좋은 학생'으로 보이고 싶은 것은 많은 청소년기 학생들이 은연중에 드러내는 욕구이므로, 교사가 자신의 의견을 밝힐 경우 학생의 의견에 영향을 미칠 수 있다고 생각함
(2) 신념을 가진 공정형
교사가 자신의 의견을 밝히는 것은 그 의견을 학생들에게 강요하는 것이 아니라, 교사도 학생들과 마찬가지로 동등한 시민의 위치에 서서 의사를 결정하는 과정을 학생들과 공유한다는 것을 의미함. 이에 따라 오히려 학생들의 의사 결정력이 더 높아질 수 있다고 생각함

구상형 추가질문

토론에 임하는 자세로 안내할 사항

(1) 토론 과정에서 상대방의 말을 경청하여 상호 존중할 수 있도록 함
(2) 말을 들을 때 말하는 사람을 바라보고, 고개를 끄덕이거나 메모하면서 상대의 말에 집중하도록 함
(3) 발언권을 얻은 후 말하도록 함
(4) 서로를 향한 공격적·폭력적인 언행, 혐오 표현은 절대 금지함
(5) 토론의 목적은 이기는 것이 아니므로, 나와 다른 의견도 존중함

즉답형

1. [가]

(1) 교육활동 침해행위 여부: 교육활동 침해행위가 아님
(2) 까닭: 교육활동 침해행위의 주체는 '고등학교 이하 각급 학교에 소속된 학생 또는 그 보호자'로, 동료 간 괴롭힘은 교육활동 침해행위에 해당된다고 보기 어려움

2. [나]

(1) 교육활동 침해행위 여부: 교육활동 침해행위가 맞음
(2) 까닭: 반드시 신체에 접촉이 있는 경우에만 폭행이 성립되는 것이 아니며, 교원이 폭행당할 정도로 근접하고 위협을 당한 경우라면 교육활동 침해행위에 해당함

3. [다]

(1) 교육활동 침해행위 여부: 교육활동 침해행위가 아님
(2) 까닭: 교육활동 침해행위는 교육활동 중인 교원에 대한 고의로 한 행위여야 함. 교원에 대한 폭행의 고의가 없으므로 교육활동 침해행위가 아님

4. [라]

(1) 교육활동 침해행위 여부: 교육활동 침해행위가 아님
(2) 까닭: 교육활동 침해행위는 '교육활동 중인 교원'에 대한 행위여야 하므로, 아무도 없는 학교에서 학교 시설을 망가뜨린 행위는 교육활동 침해행위로는 볼 수 없음

즉답형 추가질문

1. 학교 공동체에 가장 필요하다고 생각하는 덕목

(1) 예시: 공감
(2) 이유: 상대방의 상황이나 마음에 진심으로 공감할 줄 알아야 상대방이 원하는 것이 무엇인지, 상대방이 어떤 감정을 느꼈을지 등을 진심으로 이해할 수 있다고 생각함. 학교 공동체의 일원이 서로에게 공감함으로써 서로를 충분히 이해할 수 있을 때 학생의 인권과 교권이 모두 높아질 수 있다고 생각함

2. 해당 덕목을 함양하기 위해 노력한 경험

학창시절 함께 놀던 친구 무리에서 사소한 것에서 시작한 말싸움이 커져 사이가 틀어질 뻔한 적이 있음. 그동안 오해가 쌓여 제대로 된 대화도 진행되기 어려웠음. 그때 '그랬구나' 게임을 제안함. 이 게임은 "내가 ~때문에 속상했다"라고 마음을 터놓고 이야기하면 상대방은 "그랬구나, 네가 ~해서 속상했구나"라는 식으로 말하며 서로의 입장을 바꾸어 공감할 수 있도록 하는 게임임. 이 게임을 통해 친구들끼리 그동안 쌓였던 오해를 풀고 서로의 마음에 대해 진심으로 공감할 수 있었음. 어떤 부분에서 잘못했고, 어떤 점이 서로에게 상처가 되었는지를 모두 이해함으로써 화해한 경험이 있음

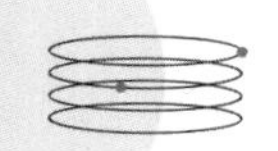

제2회 실전 모의고사 예시답안

본책 p.92

구상형 1

1. **단어 선택**: ⓐ 방관자, ⓑ 방어자

2. **방어자 관련 학교폭력 예방교육**

(1) 학교폭력 주변인에 대해 알아보기
학교폭력 목격 경험과 감정 나누기, 방관하는 이유 살펴보기, 학교폭력 상황에서 아무 행동도 하지 않는 것 또한 가해자에게 동조하는 행동임을 안내 등

(2) 학교폭력이 일어났을 때 내가 할 수 있는 행동 알아보기
방어자 경험 이야기하기, 방어자의 사례(방어자가 많은 상황일 때 학교폭력이 예방된 사례)와 방어 행동에 대한 피해자·가해자의 사례 살펴보기, "그만해"라고 이야기하거나 교사에게 도움 요청하기 등 작은 행동도 학교폭력을 쉽게 행할 수 없게 함을 안내하고 직접 연습해보기 등

(3) 방어자 캠페인 진행
방어자의 행동이 학교폭력을 예방할 수 있음을 홍보, 방어자 선언문 함께 읽기, 방어자 관련 표어 공모해보기 등

구상형 2

1. **A 학교 교육복지사업의 문제점(학교평가 결과 바탕으로)**

(1) 학습 및 돌봄 공백: 방과후, 방학 중
(2) 낙인 우려
(3) 학생맞춤형통합지원이 이루어지고 있지 않음: 일괄적 물품 배부 등
(4) 사회성 등 정서·심리 지원 요구

2. **학교평등예산 운용 계획**

(1) 사제멘토링
교사가 교육취약계층 학생들과 함께 사제멘토링을 진행하며 학생의 욕구를 파악하고 지지자가 되어줄 수 있음. 이때 낙인 방지를 위해 학생과 친한 일반 학생도 참여할 수 있도록 함(단, 일반학생은 50% 이하로 참여)

(2) 맞춤형 물품 배부
학습이 필요한 학생에게는 학습교재 제공, 여학생인 경우 위생물품 지원 등 학생에게 필요한 맞춤형 물품 제공

(3) 방학중·방과후 학습 프로그램 제공
방학중·방과후 학업 보충을 위한 프로그램 제공과 이에 따른 강사 고용. 만약 학교 내에서 진행이 어려울 경우 지역에 연계하고 비용을 지원하는 방식

(4) 사회성 집단상담 등 정서·심리 지원 프로그램 제공
상담전문가를 초빙하여 사회성의 어려움을 겪고 있는 학생이 사회적 기술을 배우고 실천할 수 있도록 함

구상형 추가질문

1. 지역 연계 교육복지 효과

(1) 근거리에서 지원 가능하여 접근이 편하고, 방과후에도 학생을 지원할 수 있어 안전상의 문제가 생길 가능성이 적음
(2) 지역기관과 연계하여 다양한 경로에서 교육취약학생을 발굴하고 지원함으로써 교육복지 사각지대 해소 가능

2. 지역 연계 교육복지 방안

(1) 지역교육복지센터 연결
학업, 정서 등 다양한 차원에서 지원 가능
(2) 지역 내 대학과 연결한 대학생 멘토링, 토요 지역 동아리
(3) 서울희망교실 운영 시 마을 내 자원 활용
청소년 수련관, 공연장・미술관과 같은 예술체험장 등
(4) 교육후견인제
교육지원이 필요한 아동・청소년과의 지속적 만남을 통해 학습 지원 및 정서・심리 지원은 물론, 특별 돌봄 등 아동과 청소년 입장에서 적절한 교육 프로그램을 지원하여, 빈틈을 메울 수 있는 교육적 동반자 역할을 하는 지역사회(마을)의 건강한 이웃

즉답형

1. 성장, 고정 마음가짐에 관련된 자신의 경험

(1) 성장 마음가짐
대학 시절 프로젝트 발표 후 교수님에게 많은 비판을 받았는데 그 내용들을 보완하여 더 나은 자료를 만들어 냈던 경우, 그릿(포기 하지 않고 끝까지 해내기) 등
(2) 고정 마음가짐
교육봉사활동에서 만난 아이 중 자신이 잘 못하는 과목을 시도해보지 않고 아예 포기했던 경우, 시험에서 떨어지는 것이 싫어서 더 쉬운 급수의 시험을 선택했던 경우 등

2. 고정 마음가짐을 가진 학생을 위한 지원 방안

(1) 능력이 아닌 노력에 대해 칭찬해주기
"잘 했다"라는 능력에 대한 피드백은 능력에만 집중하게 하여 잘 하지 못하면 칭찬을 못 받을 것이라는 신념을 갖게 함. 따라서 결과가 아닌 세부적인 과정이나 노력을 칭찬해주는 것이 필요함. 이는 과정 중심 평가를 통해 교육활동 안에서도 실현 가능
(2) 성장 마음가짐을 가지고 있는 모델 제시
교사가 학생들 앞에서 "최선을 다하는 것이 중요하다", "우리는 잠재력을 가지고 있다" 등 성장 마음가짐과 관련된 이야기를 반복해서 안내. 또는 성장 마음가짐을 가지고 있는 또래 관찰 과제를 주거나 실제 사례 영상을 보여줄 수 있음
(3) 다양한 강점 찾아주기
사람은 단지 능력(학생의 경우 성적)만으로 재단되지 않기 때문에 다양한 강점을 찾아주는 것이 중요. 이는 강점 검사 등을 통해 객관적으로 제시

즉답형 추가질문

학생들의 학교부적응을 조기에 발견하기 위한 방안

(1) 또래상담
학급 내 또래상담자 혹은 학교 내 또래상담 동아리를 운영하여 다른 친구들의 어려움을 조기에 발견하고 교사에게 전달할 수 있도록 함. 또래가 지지체계가 되어줄 수 있음
(2) 학생들의 성적 변화, 위생 상태, 식습관 변화 등을 주의 깊게 관찰・기록하여 변화가 있는 경우 필요한 개입을 실시
(3) 심리검사 실시
학기 초 전체 학생 대상 심리검사를 실시하여 학생들의 정서적 어려움에 대해 스크리닝함

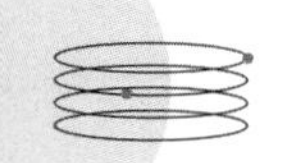

제3회 실전 모의고사 예시답안

본책 p.95

구상형 1

1. 문제점

(1) 생활 지도 방식이 학생들의 잘못을 지적하고 처벌하는 것에 목적을 두고 있음

(2) 감시자 역할을 하는 학생을 정하여 학생들 간 불신의 분위기가 조성됨

2. 개선 방안

(1) 학급 플러스 통장

학생들이 갈등 상황에서 비폭력의 방식으로 평화롭게 해결하거나 서로를 배려할 때, 수업에 성실하게 참여할 때 등 바른 모습을 보이면 플러스 점수를 부여하고 이를 장려하는 정적 강화 방식으로 생활교육을 함. 이를 통해 학생들의 잘잘못을 가리는 것이 아니라 학생들이 성장해야 할 방향을 알려줄 수 있음

(2) 학급 칭찬 타임

한 달에 한 번 학급 칭찬 타임을 가져 친구들의 생활 태도에서 본받을만 한 점, 배우고 싶은 점을 칭찬해줌으로써 학생들 간 신뢰 분위기를 조성함

3. 학생 생활교육 시 가장 중요하다고 생각되는 점

(1) 학생에 대한 선입견 가지지 않기

학생에 대해 선입견을 가지고 있을 경우 생활교육이 필요할 때 상황을 주관적으로 해석하여 오해를 불러일으킬 수 있고, 학생은 이 때문에 부정적인 자기개념이 형성될 수 있음. 따라서 선입견을 가지지 않고 학생의 이야기를 들어보는 과정이 필요함

(2) 일관된 태도 보이기

학생들을 대할 때마다 교사가 다른 태도를 보인다면, 학생들은 교사를 신뢰하지 못하고 어떤 행동이 바람직한 행동인지 알 수 없기 때문에 모든 학생들에게 일관된 태도를 보이는 것이 중요함

구상형 2

1. 인공지능 기반 교육의 필요성

(1) 코로나 시대로 원격을 통한 생활 습관이 증가하면서 다양한 디지털 활용 시스템과 빅데이터들이 발생하였고, 이를 알고리즘으로 처리하는 인공지능 기술이 급속도로 발전함. 이러한 변화에는 학생들이 교사들보다 훨씬 적응을 잘하고 있으며, 인공지능 기술을 새롭게 활용하고 자신만의 장점을 발전시키는 역량이 우수함. 이처럼 인공지능 기술의 발전과 함께 이전에는 없었던 새로운 기술과 지식들이 등장하고 직업군들이 생성되면서 현재의 교육만으로는 이런 학생들의 변화를 따라갈 수 없게 되었고, 학생들의 특성에 맞는 미래 교육이 필요함

(2) 따라서 인공지능 기반 교육을 도입하여 급격하게 발전하고 변하고 있는 미래 교육에 대비할 수 있어야 함. 교육 현장은 더 이상 교실에 한정되지 않고, IoT · 빅데이터 · AR · VR · AI 등의 기술적 발전과 더불어 삶의 모습과 교육의 모습 또한 변화할 것이므로 인공지능 기반 교육이 필요함

2. [나] 학생에 대한 답변

인공지능은 불완전하기 때문에 전적으로 의지하기보다 하나의 학습 조력자로 인식해야 함. 또한 학교에서 배우는 것들은 답이 정해져 있는 단순 지식 암기에 대한 것이 아니라, 미래 사회에 필요한 역량들을 함양하는 것에 목표를 두고 있음. 나아가 인공지능이 제시한 지식이 틀린 경우도 많기 때문에 이를 분별하는 역량도 필요함. 따라서 학교교육을 통해 문제를 발견하고 이에 대해 스스로 고민하고 탐구해보는 경험이 중요함. 이를 통해 미래 사회를 이끌어갈 인재로 성장할 수 있기 때문에 인공지능이 발전했더라도 공부를 하는 것은 중요함

3. [다] 학부모의 걱정 예방 방법

(1) 인공지능 윤리교육: 인공지능에 대한 올바른 인식과 비판적 사고력을 길러주기 위한 윤리교육 필요

(2) 백신 프로그램 활용: 디벗 등 학교에서 사용하는 원격 기기에 개인정보 보호 프로그램 설치, 유해 사이트 차단 등

구상형 추가질문

1. 빅데이터 분석력

(1) 이유

인공지능을 활용하면 학생들의 학습에 대한 빅데이터들이 생성되는데, 이때 학습 지원을 위해 수집해야 하는 데이터들이 무엇인지 선별하고 수집된 데이터를 학력 신장에 활용할 수 있는 데이터분석능력이 중요함

(2) 교육적 효과

학습에 대한 빅데이터를 분석하고 분석 결과에 따라 맞춤형 개별 피드백을 제공해줌으로써 기초 학력을 지원하고 교육 격차를 해소할 수 있음

2. 인공지능 융합 역량

(1) 이유

인공지능을 다양한 교과 수업에 활용하기 위해서는 인공지능과 교과를 연계할 수 있는 부분을 재구성하여 융합하는 것이 필요함

(2) 교육적 효과

학생들이 실생활에 도움이 되는 실천적 지식을 배울 수 있음

3. 인공지능 대상 비판적 사고력 및 인공지능 리터러시

(1) 이유

인공지능은 완전한 기술이 아니며, 올바르지 않은 출처를 기반으로 하는 내용들도 알려주기 때문에 이를 비판적으로 사고하고 판단할 수 있어야 함

(2) 교육적 효과

인공지능 기술에 대해 비판적으로 사고하는 방법을 학생들에게 알려줌으로써 자료 수집, 출처 확인, 연령 제한 콘텐츠 사용 유무 등을 올바르게 판단하고 사용할 수 있음

즉답형

교육 활동 예시

(1) 학급 단합 체육대회

비만 판정을 받은 학생의 신체 활동량을 늘려 건강을 향상시키고, 학급 단합과 협력을 강조하여 학교 부적응을 보이는 학생의 적응력을 높이기 위한 활동이 필요함. 이에 비만 판정 학생의 활동량을 늘리고 부적응 학생에게 지지 경험을 줄 수 있는 학급 단합 체육대회를 실시함. 학생들의 의견을 반영해 체육대회 종목을 구성한 후, 안전 수칙에 따라 체육 활동을 할 수 있도록 함. 이때 승부보다는 협력하고 배려하는 자세를 배우는 것에 강조점을 두어 학급 학생들에게 즐거운 추억을 줌과 동시에 비만 판정 학생, 학교 부적응 학생의 어려움을 해소할 수 있음

(2) 자타공인 수업

생태전환 관련 교과목 단원과 연계한 수업을 재구성하여 2인 1조로 자전거를 타는 수업을 실시함. 실생활에서도 할 수 있는 자전거 타기의 환경적 이점을 학생들에게 알려줌으로써 실천적 지식을 실현할 수 있음과 동시에 신체 활동을 늘려 비만 판정 학생이 운동하도록 할 수 있기 때문임. 또한 2인 1조로 구성함으로써 학교 부적응을 보이는 학생이 다른 친구와 함께 활동할 수 있기 때문에 학교 적응력도 키워줄 것이라 기대됨

즉답형 추가질문

1. 체육교육이 필요한 이유

(1) 경험 예시

① 다른 친구들에 비해 운동 능력이 부족해 체육 시간에 위축되어 있던 나를 위해 선생님께서 룰을 변형하여 친구들과 함께할 수 있도록 해주셨음. 이를 통해 체육시간에 팀 스포츠에 참여할 수 있었고 친구들과의 관계가 좋아지는 것을 느낌

② 어렸을 적 신체가 허약하여 자주 빈혈을 겪거나 어지러움을 느껴 체육시간에 적극적으로 참여하지 못해 아쉬움이 남았음. 이를 극복하기 위해 하루 30분 걷기, 30분 달리기를 통해 지속적으로 신체를 단련하였고 이후에는 체육수업에도 적극적으로 임하면서 친구들과 함께 여러 운동을 즐길 수 있었음

③ 근육 발달량이 평균치에 미치지 못해 병원에서 운동을 하라는 권고를 받아 여러 운동을 했더니 근육량이 평균치에 도달함

(2) 필요성

이러한 경험들로 인해 친구들과 함께하는 시간의 즐거움을 알게 되었고 건강을 회복 및 유지한 것은 물론 적극적인 신체 활동의 중요성을 깨달음. 따라서 성장기에 있는 청소년 학생들에게도 이러한 체육 활동을 제공하기 위해 체육교육이 필요함

2. 체육 활동을 기피하는 학생들을 참여시킬 수 있는 방안

(1) 학생들이 원하는 체육 활동 조사해보기
학급회의, 설문조사 등을 통해 학생들이 체육시간에 하고 싶은 활동에 대한 의견을 내도록 함

(2) 체육 활동의 장점을 알리는 포스터 게시
체육 활동 참여 시 얻을 수 있는 장점들을 정리하여 학생들이 흥미를 가질 수 있도록 함

(3) 사제동행 체육 프로그램
교사와 함께하는 체육 활동을 통해 학생들이 흥미를 느끼고 참여 동기를 가질 수 있도록 함

(4) 체육 활동 목표를 학생들 스스로 설정하고 달성했을 시 단백질 바와 같은 건강한 간식을 보상으로 제공하는 등 체육 활동에 대해 성취감을 느끼고 내적 동기를 유발할 수 있도록 지지를 보내줌

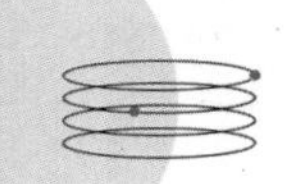

제4회 실전 모의고사 예시답안

본책 p.98

구상형 1

1. [가]를 바탕으로 학교 안전교육의 필요성

1 : 29 : 300 법칙은 산업재해와 관련하여 중상자가 1명 나올 경우 그 전에 같은 원인으로 발생한 경상자가 29명 있었고 부상을 당하지는 않았지만 경미한 사고를 겪었던 사람이 300명이 있었다는 것으로, 큰 사고는 우연히 또는 어느 순간 갑작스럽게 발생하지 않고 반드시 그 이전에 경미한 사고들이 반복되는 과정 속에서 일어난다는 것을 의미함. 또한 도미노 이론은 사고 발생에는 5가지 단계가 있고, 1단계 사고 원인이 발생하면 도미노 같이 넘어져 연쇄적 과정으로 사고가 일어난다는 것으로, 이 중에 가장 중요한 원인인 불안전한 행동과 인적·물적 위험을 제거하면 사고는 발생하지 않는다는 것임. 따라서 경미한 사고가 반복되지 않도록 학교 안전사고의 원인을 파악하고 학생들이 이에 대하여 조심할 수 있도록 하고, 사전에 인적·물적 위험을 제거하며 학생들이 불안전한 행동을 하지 않도록 안전교육을 실시한다면 대형 사고를 방지할 수 있음

2. [나]를 참고하여 본인이 실시할 안전교육의 주제와 내용

(1) 주제 : 우리가 만드는 운동장 안전수칙

(2) 내용 : [나]를 보면 중학교와 고등학교의 경우 운동장에서, 구기 활동 중 사고가 가장 많이 일어남. 따라서 운동장에서 일어나는 다양한 안전사고 사례를 안내하고, 학생들이 토의를 통해 운동장 안전수칙을 직접 만들고 지킬 수 있도록 함

▸▸▸ 안전수칙 예시 : 구기운동 중 숙련되지 않은 동작을 무리하게 취하지 않기, 농구·축구 골대 등에 매달리지 않기 등

Comment

[나]를 보면 초등학교의 경우 체육관, 강당 등의 부속시설에서 구기 운동 및 보행·주행 중 사고가 가장 많이 일어나는 것을 알 수 있어요. 따라서 초등 임용을 준비하시는 선생님들께서는 이를 바탕으로 안전교육의 주제와 내용을 말씀해주세요.

구상형 2

1. 인공지능(AI) 교육의 필요성

(1) 디지털 대전환이 이루어지는 미래사회에서는 읽고 쓰고 셈하는 것만큼이나 디지털 소양을 갖추는 것이 중요하며, 디지털 소양을 키우기 위해 AI 교육이 필요함

(2) 다가올 미래는 AI 시대로서 AI가 급속도로 발전함에 따라 산업과 사회 전반에 걸친 변화가 이루어질 것임. 학생들을 AI 시대를 이끌어갈 인재로 양성하기 위해서는 AI를 이해하고 활용·분석하는 등의 디지털 소양을 갖추도록 하는 AI 교육이 필요함

2. AI를 활용한 학생 지원 방안

(1) 기초학력부진학생

① 집중 관찰 및 학습 이력 분석 등 AI를 활용하여 학습 부진 원인 및 유형 조기 진단 및 진단 결과 기반 맞춤형 수업전략 콘텐츠 제공

② 학교급, 학년별 AI 기반 진단평가 누적 결과 및 데이터 분석을 통한 학습 부진 유형 및 원인 분석

(2) 다문화 및 탈북학생

① 언어·문화 격차 해소 및 상담을 위한 AI 튜터* 활용

* 인공지능(AI) 튜터 : 학습 이력 데이터 분석을 통해 학습자의 수준과 특성에 맞는 학습 단계와 자료를 지원하는 AI 기반의 학습 지원 시스템

② AI 기반 다국어 서비스, 맞춤형 한국어교육, 문화 이해·상담 프로그램

③ AI 이중언어 교육을 활성화하여 다문화가정 학생들의 모국어 활용능력 증진 및 자존감 함양과 학습력 향상

(3) 특수교육대상학생

① 시각 장애 : AI 기반 인공 시각 웨어러블 디바이스를 활용하여 책, 간판, 스마트폰 화면 등 인쇄된 문자 또는 디지털 텍스트를 즉시 음성언어로 변환하여 제공

② 청각 장애 : AI를 통해 실시간으로 음성을 텍스트로 변환하여 제공

(4) 위기학생
① 청소년 심리상담을 위한 AI 챗봇을 통하여 위기학생 맞춤형 심리 상담 및 콘텐츠 제공, 주기적인 심리검사 및 대화분석을 통해 위험 수준 예측 · 진단
② 손목시계(스마트 워치), 안경 등 다기능 웨어러블 디바이스를 활용하여 위기학생(학교폭력 피 · 가해, 자살 시도 등 정서행동특성검사 관심군학생 등)의 활동 정보를 수집 · 분석하여 위험징후가 확인된 즉시 학부모, 학교, 유관기관(Wee센터 · 경찰 등)에 알람이 전송될 수 있도록 함으로써 신속하게 조기 조치

3. 변화해야 할 교사의 역할

(1) 지식 전달 위주의 수업, 단순화 · 패턴화된 행정업무 등 정형화된 업무를 수행하는 역할에서 탈피
(2) 학생 참여형 수업 방안 기획 등 AI를 활용하기 어려운 분야의 수업 기획자로서의 역할 수행
(3) 학생과의 유대감 형성, 인성교육, 학생 심리 · 정서상담 등 사회 · 정서적 역량 관리자(High-toucher)로서의 역할 수행
(4) AI 에듀테크를 기반으로 학생개별 맞춤 교육을 제공하며 학생들의 배움을 촉진하는 조력자로서의 역할 수행

구상형 추가질문

1. 생성형 AI를 활용한 교과 수업 방안

(1) 역사: 이미지 생성형 AI를 활용해 구체적인 역사적 상황 · 인물 등을 이미지로 표현하고, 어떠한 역사적 상황 · 인물 등을 표현한 것인지 서로 맞혀보며 학습한 내용을 복습할 수 있도록 함
(2) 국어: 대화형 생성형 AI를 활용해 반론 및 재반론 단계의 논박 연습을 실시하여 토론능력을 기를 수 있도록 함

2. 생성형 AI를 수업에 활용할 때 유의할 점

(1) 사전에 생성형 AI의 원리와 한계점, AI의 윤리적 사용에 대한 교육을 실시해야 함
(2) 생성형 AI 서비스 사용 시 약관을 통해 사용 가능 연령을 확인함(필요한 경우 가정통신문 등을 활용하여 부모나 법적 보호자의 동의를 받아야 함)
(3) 학습자의 준비도(AI 이해, 디지털 리터러시 수준 등)를 확인해야 함
(4) 생성형 AI 활용에 적합한 수업 목표, 학습 방법 및 평가 기준을 설정하였는지 확인해야 함

즉답형

자신이 지지하는 입장과 그 이유

(1) A 교사

① 민주적인 방식을 통해 학생들이 정한 사항이므로 교사는 이를 존중해주어야 함

② 학급회의에서 정해진 사항을 교사가 임의로 반대한다면 학생들은 더 이상 학급회의의 필요성을 느끼지 못할 수 있음

(2) B 교사

① 교육의 목적은 잘못을 인정하고 반성하도록 하는 것인데, 벌금을 걷는다면 잘못을 돈으로 갚을 수 있다는 '배금사상'을 심어줄 수 있음

② 벌금이 많이 쌓이면 학생들에게 경제적 부담이 되고, 자포자기하게 만들어 별다른 교육적 조치를 취하는 것이 어려워질 수 있음

즉답형 추가질문

1. 교육적으로 지도해야 하는 이유

(1) 공공생활에 적극적으로 참여하고, 스스로의 판단을 통해 의사결정을 하는 것 등은 민주시민으로서의 기본 자질임. 따라서 학생이 민주시민으로서 성장하기 위해 학급회의에 참여할 수 있도록 지도해야 함

(2) 학급회의에서 다양한 의견을 공유하고 조율하는 과정을 통해 학생들은 민주시민으로서의 역량을 기를 수 있음. 학생이 민주시민으로서 사회 참여에 필요한 지식, 가치, 태도를 배우고 실천할 수 있도록 교육적으로 지도해야 함

2. 교사의 지도 방안

(1) 민주시민으로서 필요한 자질과 역량에 대하여 설명하고, 민주시민으로 성장해야 하는 필요성에 대하여 설명함

(2) 학급회의시간에 전혀 참여하지 않는 것은 자신의 권리를 스스로 내려놓은 것임을 알려줌

(3) 적극적으로 참여하는 것이 어렵거나 부담스러운 경우 발표나 의견 표현 횟수를 점점 늘려가는 식으로 연습해볼 것을 추천함

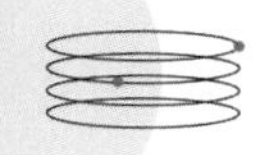

제5회 실전 모의고사 예시답안

본책 p.101

구상형 1

1. 행위 주체성을 기르는 교육을 위한 교사의 태도

(1) 자율성 존중

학생들의 모든 행동을 허용하는 것이 아니라, 학생들이 올바른 방향으로 갈 수 있도록 안내하고 격려와 지지를 통해 자율성을 존중함. 또한 학생들이 자신의 행동에 대해 책임감을 가질 수 있도록 행동의 영향과 결과에 대해 고민하도록 함. 구체적으로 수업 장면에서 학생이 주체적으로 수업에 참여할 수 있도록 선택권을 부여함

(2) 기대감 표현

피그말리온 효과처럼 학생들이 스스로를 믿고 행위 주체성을 기를 수 있게 하기 위해 학생들에 대한 교사의 기대를 표현하는 것이 중요함. 학생들이 학습 혹은 학교생활 중 닥친 어려움을 극복할 수 있을 것이라는 교사의 기대는 학생에게 용기를 불어넣어주고 성공을 경험할 수 있게 할 것임

2. 변혁적 역량 개발 방안

(1) 수업 주제 : 탄소중립(생태전환교육)

(2) 활동 내용

① 새로운 가치 만들기 : 탄소중립행동의 필요성과 관련된 자료 수집하기, 과거 성공한 탄소중립행동과 그렇지 못한 행동 찾아보기, 다른 나라의 탄소중립제도 찾아보기 등

② 긴장과 딜레마 해소하기 : 토의·토론 활동을 통한 생태전환 주제 살펴보기

예 대체 에너지는 탄소배출을 줄이는가? 탄소세는 정당한가? 성장기 청소년에게 채식 급식은 적절한가? 등

③ 책임감 가지기 : 현재 나의 탄소발자국 점검, 용기내 챌린지나 그린급식과 같은 탄소중립행동 실천 등

▶▶ 가능 주제 : 생태전환교육, 세계시민교육, 민주시민교육, 다문화교육 등

변혁적 역량의 하위 범주

변혁적 역량	내용	능력 및 태도
새로운 가치 만들기	보다 나은 삶을 만들기 위해 혁신적 사고와 행동을 함. 새로운 지식, 아이디어, 전략, 해결책을 고안하여 신·구 문제해결을 위해 적용할 수 있음	창의적·비판적 사고
긴장과 딜레마 해소하기	서로 모순되거나 상충하는 아이디어나 입장의 상호 연관성을 이해하고, 이러한 상황에서 나의 행동이 가져올 단기적·장기적 결과에 대해 고려함	공감능력(Empathy) 및 존중하는 태도(Respect)
책임감 가지기	개인적·윤리적·사회적 목표를 고려하며, 자신의 행동에 대해 성찰하고 평가함	성찰, 협동, 지구 존중

구상형 2

1. A 학생 개입 방안

(1) 경청: 학생이 이런 행동을 할 수밖에 없었던 이유에 대해 듣기
(2) 대체 행동 알려주기: 자신의 불편한 마음을 욕설이 아닌 나 전달법, 비폭력 대화 등으로 표현

2. B 학생 개입 방안

(1) 경청: 학생의 이야기 듣기, 원하는 조치 방향 듣기 등
(2) 공감: 학생의 현재 상황과 마음에 공감하고 혼자가 아님을 전달
(3) 학생이 안심할 수 있도록 안정적이고 신뢰로운 태도 보여주기, 상담실 안내
(4) SNS에 올라간 내용을 지울 수 있는 제도 안내

3. 학급 단위의 사이버 폭력 예방프로그램

"사이버 폭력 멈춰, 사이버 행복 출발"
(1) 주제: 사이버 폭력 연극 만들기
(2) 필요성
① 학생들은 무엇이 사이버 폭력인지 인식하기 어려워 도움을 받을 수 없는 경우가 많기 때문에, 연극을 수행함으로써 효과적으로 정보 전달 가능. 연극은 특정 상황에 대해 구체적인 시나리오를 구성하고 있을 뿐더러 학생들이 연기를 하면서 사이버 폭력 상황에 대해 많은 생각을 할 수 있음
② 사이버 폭력의 예방과 피해자 보호 및 2차 가해를 막기 위해 피해에 대한 이해와 공감이 필요한데, 연극을 활용함으로써 학생들이 폭력은 옳지 않음을 내면화할 수 있음
(3) 구체적 활동 내용
① 사이버 어울림 프로그램의 8대 역량 중 사이버 폭력 인식 및 대처 역량 선택: 학생들이 사이버 폭력을 인식하고, 피해를 당했을 때 어떻게 도움을 받을 수 있는지, 사이버 폭력을 예방하기 위해서 어떻게 해야 하는지 등에 대해 논의하여 연극에 적용
② 마을교육공동체를 활용하여 마을에 있는 연극 전문가 초빙
(4) 함양 역량
① 공감: 학생들은 직접 연극을 해봄으로써 사이버 폭력이 옳지 않음을 자연스럽게 인식, 피해학생의 아픔에 공감하고 위로 가능
② 공동체를 통한 협력: 연극은 연출, 연기, 무대장치 설치 등 다양한 분야의 협력이 필요. 이를 통해 또래와 상호작용하면서 사회성을 키우게 되고 함께 연극을 완성함으로써 공동체 가치 경험 가능

구상형 추가질문

교사의 대처 방안

(1) 학교폭력 관련 학생과 개인상담
피해·가해학생과 각각 개인상담을 진행하면서 학급에서의 불편한 점, 바라는 점 등을 파악하고 교사로서 해줄 수 있는 일과 해줄 수 없는 일을 안내함
(2) 설문조사, 쪽지 등을 통해 학급학생들의 개인적인 상황·의견 파악
학급 내에 있는 다른 학생들에게도 이런 상황이 불편할 수 있기 때문에 학생들이 어떤 생각을 가지고 있는지 파악할 필요가 있음. 이에 설문조사, 쪽지 등 담임교사만 볼 수 있는 도구를 통해 학생들의 의견을 파악함
(3) 회복적 생활교육 진행
피해·가해학생이 동의할 때 회복적 생활교육을 진행하면서 학급의 어수선한 분위기를 해결할 수 있도록 함. 이때 교육청 내 관계회복 전문가를 초빙하여 교육을 진행할 수 있음(관계가꿈 프로젝트 중 관계이음 활동 진행)

즉답형

1. [가]

(1) 학교관: 학교는 다양성을 포용해야 하는 공간임. 사회에 만연해 있는 차별과 배척은 시간이 지나면 고립으로 이어지고 발전이 없이 썩게 됨. 미꾸라지의 움직임이 주변 생물들을 깨워 연못 생태계가 풍성해지는 것처럼, 학생들의 다양성을 당장 인정하는 것은 어렵지만 우리 사회의 성장에 도움이 됨

(2) 서울시교육청 실시 교육: 다양성교육

예 다문화 · 장애이해교육, 세계시민교육 등

2. [나]

(1) 학교관: 학교는 학생을 위험으로부터 보호하고, 위험을 예방할 수 있도록 교육하는 공간임. 미꾸라지 한 마리가 온 웅덩이를 흐릴 수 있는 것처럼, 학생이 폭력 위험에 노출되는 것은 학생의 성장에 악영향을 미침

(2) 서울시교육청 실시 교육: 학교폭력 · 아동학대 등 폭력예방교육, 흡연예방교육, 약물 오 · 남용교육 등

즉답형 추가질문

교사의 자세

1. [가]

솔선수범: 학생은 교사의 뒷모습을 보고 배운다는 말이 있듯 교사가 먼저 다양성을 존중하는 모습을 보이는 게 중요. 학생들이 다양성 존중과 관련된 내용을 계속 배우고 실천하며 무의식 중에 내재되어 있는 차별에 민감하게 반응할 수 있도록 도와야 함

2. [나]

신뢰: 폭력예방교육을 진행하는 교사는 폭력 상황에 대한 전문적인 내용을 전달하며 학생과 신뢰를 쌓아야 하고, 학생들이 폭력 상황에 노출될 경우 도움을 요청할 수 있도록 신뢰로운 자세를 유지해야 함

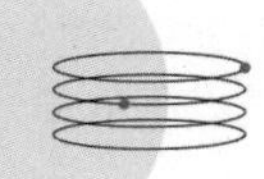

제6회 실전 모의고사 예시답안

본책 p.105

구상형 1

1. 문제점을 해결할 수 있는 교육 – 독서교육

이유: 학생들은 디지털 매체에 익숙하여 자극적이고 단편적인 내용을 담은 영상을 주로 보기 때문에 글을 읽고 사고하는 경험이 부족함. 이로 인해 제시문의 문제 상황처럼 글이 조금이라도 길면 읽기 힘들어하기도 하고, 어휘나 맞춤법을 잘 모르며 주요 쟁점 파악을 어려워함. 이와 같이 사고력, 문해력, 표현력이 낮은 디지털 세대 학생들이 겪는 어려움을 해결하기 위한 교육은 독서교육임. 독서교육을 통해 상황과 맥락이 표현된 글을 자주 접하면 문맥을 잘 파악할 수 있으며 사고력, 문해력, 표현력을 기를 수 있음

2. 독서교육 활성화 방안

(1) 담임교사 측면
- ① 아침 책 산책 프로젝트로 학생들이 관심 있어 하는 분야의 책을 선정해 함께 토론하며 읽은 후 이에 관한 퀴즈 내기
- ② 하루에 한 명씩 선정하여 오늘 소개하고 싶은 책 구절을 보조 칠판에 적어 공유하기

(2) 교과교사 측면
- ① 서울형 독서·토론 기반 수업을 통해 교육과정을 재구성한 후 학생들이 질문을 만들고 주제를 설정해 탐구 활동할 수 있는 수업 운영하기
- ② 협력적 책쓰기 활동을 통해 여러 하위 항목이 있는 주제를 선정한 후 각자 글을 작성해보고 하나의 글로 통합하여 교과 관련 미니북 만들어 보기

Comment

답안은 포괄적인 내용으로 작성되었지만 선생님들께서는 전공과 연결지어 답변을 생각해보시기 바랍니다.

구상형 2

1. 학생들의 어려움 해결 방안

(1) 학생 A
- ① 상담을 통해 가정 상황을 들어본 후 아동학대의 징후가 보일 경우 학교장과 교육청에 보고 및 수사기관에 신고
- ② 전문상담교사 혹은 위(Wee) 센터와 연계하여 상담을 받을 수 있도록 안내

(2) 학생 B
- ① 교육복지 대상자로 등록 후 교육비, 교육급여 등 경제적 지원 안내 및 학습 꾸러미 제공
- ② 학업에 집중할 수 있도록 토닥토닥 키다리샘, 점프업 등의 기초학력 프로그램 실시

(3) 학생 C
- ① 학급 소개 영상 만들기를 통해 학급에 대한 애정을 가지고 친구들과 함께 어울릴 수 있는 시간을 제공함으로써 잘 적응할 수 있도록 함
- ② 자리 배치, 모둠 구성 시 학생이 친해지고 싶은 학생과 함께할 수 있도록 함

2. 학교 적응력을 높일 수 있는 프로그램

(1) 마니또 활동

친구 책상에 칭찬 메시지 남기기, 마니또와 닮은 캐릭터 그리기 등의 미션을 함께하면서 학급 친구들을 이해하고 라포를 형성할 수 있음

(2) 10분 건강 걷기

일주일에 한 번 조회시간을 이용해 10분 건강 걷기를 하면서 친구들과 자연스럽게 대화할 수 있는 시간 갖기. 이를 통해 친구들과 친해지고 체력도 키우면서 활력 있는 하루를 시작할 수 있음

(3) 학급 단체 보드게임 대회

학급에서 팀을 구성한 후 보드게임 대회를 열어 즐거운 시간을 보내고 학교생활에 대한 흥미를 느낄 수 있음

구상형 추가질문

교육복지 대상 학생과 함께 하고 싶은 교육 활동

(1) 식문화 체험
학생들 사이 유행하는 음식, 다른 나라의 음식들을 함께 먹어봄으로써 새로운 음식도 접해보고 음식을 함께 먹으며 학생과 이야기를 나누고 라포를 형성하고 싶음

(2) 뮤지컬, 연극 공연 관람
뮤지컬이나 연극을 함께 관람하면서 문화적 소양을 기르고 예술을 경험하고 향유하는 즐거움을 느끼게 해주고 싶음

(3) 다양한 장소에서의 상담
학교를 벗어나 편안한 장소에서 학생과 함께 이야기를 나누고 싶음. 이를 통해 학생이 심리·정서적으로 겪고 있는 어려움은 없는지 알아보고 학생에게 지원할 수 있는 방안을 모색하여 도움을 주고 싶음

즉답형

1. 실시하고 싶은 예술교육

(1) 초등예술하나
음악시간을 이용해 연극 활동을 실시. 연극에 등장하는 인물의 상황에 어울리는 노래를 선택하고, 인물의 입장에 해당하는 시나리오를 작성하고 연기를 해보는 활동을 통해 학생들이 여러 인물의 입장을 이해하고 음악을 즐길 수 있는 시간을 마련해주고 싶음

(2) 협력종합예술활동
교과와 관련한 주제를 이용해 단편 영화를 제작하여 모든 학생들이 참여하고 영화 제작에 이용되는 음악적 요소 및 다양한 영화 기획 방법들을 자연스럽게 익히며 예술을 경험할 수 있도록 함

(3) 학생예술동아리
밴드 동아리를 만들어 다양한 노래를 부르고 연주하여 학교 행사 무대에 오를 수 있도록 함

2. 유의점

(1) 모든 학생들이 예술을 직접 경험해볼 수 있도록 해야 함

(2) 교사 중심이 아닌 학생 중심의 활동이 될 수 있도록 학생들에게 자율성과 주도성을 부여해야 함

즉답형 추가질문

예술 경험 격차 해소 방안

(1) 학생 모두가 참여하고 즐길 수 있는 합창 대회 실시

(2) '찾아오는 뮤지컬 교실'을 신청해 학생들에게 뮤지컬 관람 경험 제공

(3) 희망교실, 사제멘토링, 새꿈프로그램 등을 활용해 영화, 뮤지컬, 연극 등 다양한 예술 공연 관람 기회 제공

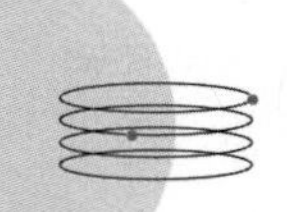

제7회 실전 모의고사 예시답안

본책 p.108

구상형 1

1. [가], [나]의 통계자료를 보았을 때 학생들에게 필요한 교육과 그 이유

(1) 필요한 교육: 노동인권교육

(2) 이유: [가]를 보았을 때, 아르바이트를 하는 청소년 중에 부당처우를 받은 비율이 높음. 그러나 이러한 상황이 발생하였을 때 어떻게 해야 하는지를 몰라서 제대로 대처하지 못하는 경우가 많기 때문

2. 해당 교육을 실시할 때 다룰 구체적인 주제와 내용

(1) 주제: 실전 아르바이트 지식
 내용: 청소년이 어디서 일할 수 있는지(청소년 고용 금지 업소와 「근로기준법」상 18세 미만자 사용금지 업소는 불가), 조심해야 하는 아르바이트 공고(가입비를 내야 하는 경우, 고액 알바를 보장한다고 홍보하는 경우 등)

(2) 주제: 역사적 사례로 알아보는 노동인권
 내용: 노동인권과 관련된 역사적 사례를 활용하여 노동법과 관련한 지식을 쌓고, 노동문제 상황에서 합리적인 해결 방법을 모색하는 연습을 실시함

(3) 주제: 근로계약서의 모든 것
 내용: 근로계약서가 무엇인지, 근로계약서에서 확인해야 하는 사항(근로시간 · 휴일 · 임금 등), 근로계약서를 작성할 때의 유의점 등

3. [다]를 바탕으로 교사로서 지녀야 할 자세

(1) 노동 및 노동자에 대하여 올바르게 인식하고 관심을 가지며 노동인권감수성을 증진해야 함

(2) 학생들이 당장 노동을 하는 것이 아닐지라도 노동의 가치, 노동과 관련된 사회적 문제 등에 대한 이해 및 공감을 위해 노동인권교육이 필요함을 알아야 함. 노동인권교육 역량을 높이기 위해 노동인권 연수를 듣는 등의 노력을 해야 함

구상형 2

1. [나]의 학생 B

(1) 필요한 자질: 참여, 책임, 비판적 사고력, 의사결정 능력 등

(2) 담임교사로서의 교육 방안

① [가]의 학생자치활동지원 조례에 나오는 것과 같이 교사는 학생들의 자치활동 참여를 최대한 보장하여야 하며, 학급회의는 학생자치를 실현하는 대표적인 방안임을 설명함

② [가]의 「교육기본법」 제2조에서 말하는 "민주시민으로서 필요한 자질"에는 공공생활에 적극적으로 참여하고, 스스로의 판단을 통해 의사결정을 하는 것 등이 포함됨을 설명함

③ 학급회의에 적극적으로 참여함으로써 [가]의 학교민주시민교육 진흥조례에서 말하는 "성숙한 비판 능력과 자립적인 견해"를 가질 수 있음을 설명함

④ 적극적으로 참여하는 것이 어렵거나 부담스러운 경우 발표나 의견 표현 횟수를 점점 늘려가는 식으로 연습해보는 것을 제안함

2. [나]의 학생 C

(1) 필요한 자질: 관용, 존중, 공동체의식 등

(2) 담임교사로서의 교육 방안

① [가]의 학교민주시민교육 진흥조례에서 말하는 민주시민으로서 성숙한 비판능력을 가질 수 있어야 하며, 이를 위해서는 다른 사람의 의견을 존중할 수 있어야 함을 설명함

② [가]의 「교육기본법」 제2조에서 말하는 "민주시민으로서 필요한 자질"에는 서로 간의 차이를 인정하고 다원성을 받아들이는 것도 포함됨을 설명함

③ 다른 친구들이 자신을 무시하면 어떨지 역지사지로 생각해볼 수 있도록 지도함

④ 자신의 의견과 다른 의견 중 하나만을 선택하는 것이 아니라, 이를 조율하여 새로운 대안을 만들어보는 것도 하나의 방법으로 고려해볼 것을 제안함

3. 자신의 교과에서 실천할 수 있는 민주시민교육 방안 예시

(1) 미술: 다양성이 공존하는 도시 디자인하기
(2) 과학: 유전자, 호르몬 수업과 연계한 젠더 관련 토론 수업
(3) 수학: 분수의 개념을 사회 정의의 관점에서 접근하기
(4) 사회: 기후환경, 인권 등을 주제로 한 사회 현안 프로젝트 수업

2. B 교사의 입장을 선택했을 경우

(1) 지필평가에서 실시하는 서·논술형 평가로도 지식을 조직하거나 종합하는 능력, 정보를 해석하는 능력 등을 모두 평가할 수 있음
(2) 지필평가는 객관적이고 명확한 평가 결과가 나오기 때문에 학생이 자신의 학습을 지속적으로 성찰하고 개선하는 데 더 도움이 된다고 생각함
(3) 본인 교과의 성격 및 특성을 고려하였을 때 지필평가가 학생의 이해능력을 평가하는 데 더 용이하다고 생각함

구상형 추가질문

학기 중의 학생자치 활성화를 위하여 신학년 준비기간에 실시할 수 있는 방안

(1) 신학년 준비기간 교직원회의 등을 통해 학생자치에 대한 교원의 인식 개선
(2) 학생자치를 실현할 수 있는 학생 참여 중심 교과 수업 방안 연구
(3) 학생자치활동 운영 계획을 반영한 학교교육계획 수립
(4) 학생자치와 관련된 교원학습공동체 구성
(5) 학생회실 등 학생자치활동 공간 마련

즉답형

1. A 교사의 입장을 선택했을 경우

(1) 과정 중심 평가를 실현하기 위해서는 일회성 평가보다는 학생의 수행 과정을 지속적으로 누적해서 확인하여 피드백을 제공할 수 있는 수행평가가 더 적합하다고 생각함
(2) 역량 중심 평가를 위해서는 지식 중심의 지필평가가 아닌 수행평가를 실시해야 한다고 생각함
(3) 본인 교과의 성격 및 특성(예 미술, 체육 등)을 고려하였을 때 수행평가가 학생의 지식활용능력을 평가하는 데 더 용이하다고 생각함

즉답형 추가질문

학생평가역량 강화 노력

(1) 동 교과 선생님들과 함께 여러 차례의 교과협의회를 통해 체계적이고 객관적인 루브릭을 제작하고, 루브릭에 맞추어 평가를 시행하여 평가의 신뢰도 및 객관도를 높일 수 있도록 할 것임
(2) 교육과정 성취기준에 기반하여 평가 계획을 수립하고, 이에 근거하여 평가를 시행함. 필요시 맞춤형 학생평가 컨설팅을 신청하여 평가 전문성을 갖춘 전문가로부터 피드백을 받아 부족한 부분을 개선해나갈 것임
(3) 교육부·교육청 및 서울시교육청 교육연수원 등에서 실시하는 다양한 학생평가역량 강화 연수에 참여할 것임
(4) 학생평가지원포털(http://stas.moe.go.kr) 에서 제공하는 서·논술형 평가 도구자료집, 수행평가 도구자료집, 학생평가의 이해 안내자료 등을 충분히 활용할 것임

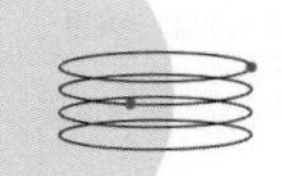

제8회 실전 모의고사 예시답안

본책 p.112

구상형 1

1. [가]에 근거한 설명

학생의 상황을 정확하게 파악하고 학생을 지원해줄 수 있는 방안을 학생의 상황과 필요에 맞게, 여러 부서와 협력하여 통합적으로 지원하는 것이 필요함. 이 학생 또한 학습적·경제적·정서적 어려움을 가지고 있어 다각적 지원이 필요한 상태로, 학생맞춤통합지원팀과 협의하여 학생 지원 협력 필요

2. 지원 방안

(1) 학습 지원
두드림학교를 진행하여 기초학력 지원. 방과후 기초학력취약학생 대상 프로그램 안내 및 지원. 학교 상담실과 연계하여 학습검사를 실시하여 전반적인 학생의 학습 동기와 상태 파악

(2) 경제 지원
주민센터에 교육비·교육급여 사업을 신청하도록 안내. 학생통합지원팀에 현장체험학습비, 방과후학교 수강권 등을 지원받을 수 있는지 협의. 긴급복지지원 물품이 필요하다면 학부모와 상의 후 전달

(3) 심리·정서 지원
우울과 자살 사고로 학교상담실 연계. 학부모와 상담하여 가정 내 지원이 필요함 전달

구상형 2

1. 학생 B에게 해줄 수 있는 말 시연

"B야, 선생님과 잠깐 이야기 나눌 수 있겠어? A의 말이 조금 거슬렸나보네. A의 말을 듣고 어떤 마음이 들었니? 그랬구나. 그 친구가 예민하다고 느꼈고 선생님도 난감했을 것 같아서 그렇게 말했구나. 선생님이 발언을 수정한 이유는 선생님도 미처 생각하지 못한 부분을 A가 집어줘서였어. 우리가 과거보다 성차별이 줄어들고 평등해졌다고 생각을 하지만, 아직까지도 차별적인 요소가 남아있단다. 우리가 공정하다고 생각하는데 그렇지 못한 사람이나 환경을 보면 그 사람이 잘못해서라고 개인에게 탓을 돌리는 경우가 많아. 지금 나에게 편안한 상황을 뒤집는 것은 쉽지 않거든. 하지만 나에게 당연한 것이 다른 사람에게는 당연하지 않을 수 있음을 생각하고 미세한 차별들을 드러내는 것이 단지 그 사람을 위한 일이 아니라 우리 모두를 위한 일이라는 것을 생각해보면 어떨까?"

2. 성인지 감수성*을 높이기 위한 방안

* 성인지 감수성: 일상에서 성별 차이로 인한 차별과 불균형을 감지해내는 민감성

(1) 성차별 용어 점검
우리가 사용하는 용어 중 성별 관련 용어를 살펴보고 성차별적 요소가 있는 경우 수정하여 사용하기

(2) 예술작품 활용 성교육
영화, 명화, 문학 등 쉽게 접할 수 있는 자료 안에서 성차별적 요소를 살펴보고 성평등 예술작품으로 바꿔보기

(3) 자신이 제시하는 교육 자료에 성차별적 요소가 있는지 점검
성인지 감수성 체크리스트 확인

구상형 추가질문

성폭력 피해학생에 대한 대처 방안

(1) 피해에 대해 경청하고 공감
놀랐을 마음 헤아리기, 말할 수 있는 용기를 낸 것에 고마움 전달, 최선을 다해 도와줄 것임을 전달하고 안심할 수 있도록 함

(2) 성폭력은 즉시 수사기관에 신고 필요
학생과 학부모에게 신고에 대해 안내하고 학교 관리자에게 알리고 신고함

(3) 전문적 도움 안내
학생에게 필요한 도움을 줄 수 있도록 보건교사와 연계하고 필요할 경우 해바라기 센터 등 전문기관 연계

(4) 비밀 유지
성 사안은 민감한 사안이기 때문에 비밀이 유지될 수 있도록 각별히 주의

2. 학생 2

(1) 어려움 공감 및 원인 파악
스마트폰 과의존 검사를 통해 과의존 정도와 원인(욕구)을 파악. 원인에 따른 맞춤형 지원 필요(또래 관계 어려움, 충동성 조절, 가족 내 갈등 등)

(2) 대체행동 안내
다른 여가 활동이나 자신이 좋아하는 활동이 무엇인지 파악해보고 스마트폰을 사용 하고 싶을 때 대체행동을 할 수 있도록 안내

(3) 집단 상담, 전문기관(스마트쉼센터, 아이윌센터) 등 전문적 지원 안내
같은 어려움을 느끼는 학생들과 함께 집단상담을 해보며 공감을 나누고 변화 의지를 높일 수 있음. 전문기관을 통해 스마트폰 과의존 행동에 대해 효과적으로 이해하고 변화할 수 있음을 전달

즉답형

1. 학생 1

(1) 학생의 이야기 경청 및 상황 파악
학급의 어떤 상황에서 특히 불편함을 느끼고 있는지 파악하고 공감함
▶▶▶ 유의 : 한 학생의 편을 들면 안 되고 그 상황에서의 감정만을 공감

(2) 관점 재정의하기
학교는 사회로 나가기 전 다양한 것을 배우는 공간으로 특히 관계를 연습할 수 있음. 지금 이런 감정을 계속 가지고 있는 것은 자신에게 좋지 않을 것이며 이를 어떻게 해결·해소하는지 아는 것도 좋은 배움임

(3) 상대 학생의 강점 찾기
색안경을 끼면 다른 것은 보이지 않는 것처럼 상대 학생의 강점을 보지 못하고 있을 수 있음을 안내. 그 학생의 강점을 찾아보거나 다른 친구들의 행동도 관찰해보면서 적대적 감정을 줄여보도록 권유
▶▶▶ 유의 : 상대 학생의 강점 찾기는 경청과 공감 이후에 이루어져야 함

즉답형 추가질문

교사와의 상담을 거부하는 학생

(1) 교사와의 상담에 참여하고 싶지 않음을 공감하고 그 이유 파악
교사와 상담이 어려울 수 있음을 공감하고 혹시 어떠한 이유 때문인지 파악함. 상담의 목적을 전달(학생의 학교 적응과 성장에 도움을 주고자 함)

(2) 추후 교사와 상담할 수 있음을 안내
강제로 상담해야 하는 것은 아니며, 도움이 필요할 때 언제든지 상담할 수 있음을 안내. 만약 상담 신청이 어려울 경우 또래를 통해 신청할 수도 있고, 다른 상담 기관이 있음도 안내[학교 내 위(Wee) 클래스, 외부기관 '다들어줄개' 등)

(3) 관찰 및 주변 친구들 또는 학부모상담 등을 통해 학생의 상황 파악
주변 친구들에게 조심스럽게 해당 학생에 대해 물어보고, 도움이 필요할 경우 교사에게 알려주도록 함. 학부모 상담을 진행하여 학생에 대한 기본 정보를 수집함

(4) 교사와의 1:1 상담이 부담스럽다면 편안한 친구와 함께 집단으로 상담하는 것도 가능함을 안내

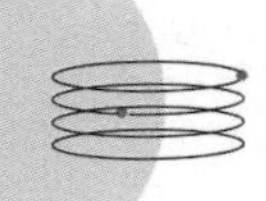

제9회 실전 모의고사 예시답안

본책 p.115

구상형 1

1. 대처 방안

(1) [가]

① 외출한 학생에 즉시 연락 후 학교로 복귀할 것을 이야기함

② 복귀 이후 학생과 개별 상담을 통해 학교를 외출한 이유와 상황에 대한 이야기를 들음

③ 정규 교육과정시간에 학교에서 외출하면 교사가 보호해주지 못하는 상황에 놓이게 되므로 위험함을 설명하며, 목적이 있어 외출이 꼭 필요한 경우에는 교사에게 이야기한 후 외출증을 받아 다녀올 수 있도록 함

④ 추가로 외출 후 다른 문제 상황을 일으킨 경우라면 생활교육을 통해 반성하고 잘못을 뉘우치도록 함

(2) [나]

① 두 학생을 분리하여 혼란스러운 상황을 멈춘 후 학생들의 흥분을 진정시킴

② 협력종합예술활동을 하며 갈등은 생길 수 있지만 그런 상황에서 화를 내기보다 상대방의 입장을 이해해보고 잘 해결하는 것이 중요함을 설명함

③ 두 학생의 입장을 들어본 후 서로의 입장에 대해 어떻게 생각하는지, 스토리라인 중 합의할 수 있는 부분이 있는지 배려하며 이야기해보도록 한 후, 서로에게 언성을 높인 부분에 대해 사과하도록 함

④ 대화 후에도 결정이 되지 않는 부분이 있다면 학급회의를 통해 어떤 내용을 대본에 넣으면 좋을지 이야기해보고 그 방법으로 최종 결론을 내릴 수 있도록 함

(3) [다]

① 학업중단숙려제를 학생과 학부모에게 소개한 후, 학업중단숙려제가 해당 학생에게 필요한 이유를 상세히 설명함

② 학업중단숙려제를 통해 상담을 받으며 자신을 되돌아볼 수 있는 시간을 제공

③ 학교에 돌아올 것을 희망한다면 언제든지 돌아와도 좋으며, 상담이 필요한 경우 편하게 상담 요청할 수 있음을 안내하여 학생이 기댈 수 있는 교사로서의 모습을 보여줌

구상형 2

1. 생성형 AI 활용 수업의 이점

(1) 학생들의 창의성 증진: 사례 1에서 자신만의 작곡 활동을 한 것처럼, 학생들은 인공지능 도구를 활용하여 자신만의 독창적인 아이디어를 구현할 수 있음

(2) 학습 효과 향상: 사례 2에서 공동체 속 사람들의 입장을 더 잘 이해해보려 했듯, 인공지능 도구를 활용하여 자신이 학습한 내용을 더욱 깊이 있게 이해할 수 있음

(3) 학생들의 자기주도적 학습능력 향상: 인공지능 도구를 활용하여 직접 작곡을 해보거나 자료 조사를 하는 등 스스로 학습 계획을 세우고 실천함으로써 자기주도적 학습능력을 향상시킬 수 있음

2. 생성형 AI 활용 수업의 부작용

(1) 학생들의 의존성 증가: 학생들이 인공지능에 지나치게 의존하여 스스로 문제를 해결하는 경험이 줄어들 수 있음

(2) 윤리적 문제: 인공지능이 생성한 콘텐츠가 인종차별이나 성차별, 저작권 침해 등의 문제를 일으킬 수 있으며, 학생들은 이에 대해 비판적으로 바라보지 못할 수 있음

3. 생성형 AI 수업 활동 예시

(1) 열린 문제에 대해 챗봇과 함께 토론해보고, 서로의 출처에 관해 비판적으로 바라보기

(2) 한국 영화에 대해 세계 다양한 언어로 자막 만들어보기

(3) 확률 문제에 대해 선택을 바꾸는 것이 유리할지 인공지능을 이용해 조사해보기

(4) AI로 세계 문화 모습을 표현하기

구상형 추가질문

학교만이 길러줄 수 있는 미래 역량

(1) 주도성
미래의 학교는 단순히 지식을 전달하는 곳에서 벗어나 학생들이 여러 지식을 주도적으로 얻고 교사들로부터 피드백을 받을 수 있는 곳으로서의 역할을 할 것임. 이는 학생이 정해진 내용과 지식을 수동적으로 받아들이기보다 학습의 과정에서 직접 행동하고 비판하며 문제를 해결할 수 있는 주도성을 길러줄 수 있음

(2) 공동체성
학교는 다양한 사람들을 만날 수 있는 작은 사회임. 학생이 속한 공동체의 구성원들과 협력하고 소통하는 삶을 살 수 있도록 다양한 사람들 및 환경과 상호작용 내지 의사소통을 할 수 있는 공동체성을 길러줄 수 있음

(3) 독서·인문 소양
학교는 책을 쉽게 접할 수 있으면서 책을 읽은 후 다른 사람들과 함께 소통하고 교류할 수 있는 장으로서의 역할을 할 수 있음. 책을 읽은 후 내용에 대해 친구들과 이야기를 나누고 쟁점이 되는 주제를 중심으로 토의·토론하며 그로부터 얻은 바를 삶으로 연결할 수 있도록 독서·인문 소양을 길러줄 수 있음

즉답형

1. 기술가정, 영양 – 그린 먹거리 체험

(1) 수업 내용: 환경 재배법을 알아보고 이를 이용해 다양한 먹거리를 텃밭에 심어보기. 그 후 직접 재배해 이를 활용한 그린 먹거리 메뉴를 구상해보고 먹거리 체험하기

(2) 기대효과: 직접 체험해보는 생태전환교육을 통해 실천하는 생태전환시민으로 성장할 수 있고 친환경 먹거리에 대해 알아보는 시간을 가질 수 있음

2. 국어, 과학, 미술 – 기후위기 대응 방안 토의 및 실천 포스터 만들기

(1) 수업 내용: 기후 관련 책을 읽고 기후위기시대 학생들이 실천할 수 있는 대응 방안과 지구 온난화를 늦출 수 있는 방안에 대해 토의하기. 이를 알릴 수 있는 실천 포스터를 만들어 학생들이 자주 드나드는 급식소 등의 게시판에 게시하기

(2) 기대효과: 독서·인문 소양을 함양함과 동시에 실천 내용을 담은 포스터를 통해 공동체가 함께 기후위기시대에 대비해 노력하는 문화를 조성할 수 있음

즉답형 추가질문

생태전환 학교문화를 위해 교사로서 할 활동

(1) 교사 기후행동 365 실천하기
생태전환교육 관련 교재 개발 연구회, 교원학습공동체 참여. 교육과정과 연계한 생태전환교육 수업 실시, 일상생활 자발적 기후행동 실천

(2) 생태전환 동아리 운영
학교 텃밭을 이용한 작물 기르기, 다양한 환경보호 챌린지 실천 캠페인 등 동아리 운영을 통해 학생들과 함께하는 생태전환 프로그램 실시

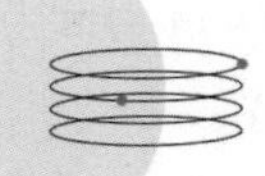

제10회 실전 모의고사 예시답안

본책 p.118

구상형 1

1. 공통적으로 나타나는 문제점: 학생에 의한 교육활동 침해행위가 발생함

2. 학교에서 취해야 할 조치

(1) 초기 대응 및 사안 신고

① 인지 즉시 적극 개입

② 가해자와 피해교원 즉시 분리조치(피해교원의 의사 확인)

③ 필요시 응급처치, 병원 후송 등 응급조치

④ 학생의 보호자에게 연락, 교육지원청으로 사안 신고, 범죄행위의 경우 경찰 신고

(2) 피해교원 보호

① 특별휴가, 조퇴, 공무상 병가가 필요한 경우 허가

② 심리상담, 법률상담, 심리치료 등 지원

③ 지역교권보호위원회 등 절차 안내

3. 사례별 각 교사의 즉각적인 대응 방안

(1) [가]의 김 교사: 즉시 해당 학생과의 안전거리를 확보한 뒤 주변에 도움을 요청해야 함. 던진 교과서에 맞았을 경우 응급처치 및 진단서 확보 등의 조치를 시행함

(2) [나]의 이 교사: 게시글 원본 캡처 등을 통해 초기 증거를 확보함

(3) [다]의 박 교사: 즉시 촬영기기를 압수하고 몰래 촬영한 영상 증거물을 확보함. 수사기관에 신고하여 추가적인 피해 사실이 없는지, 인터넷에 유포되었는지 등의 여부를 파악함

> **[가]~[다] 사례에 공통적으로 적용할 수 있는 대응 방안**
> - 관련 학생과의 언쟁이나 감정적인 대응 지양
> - 사안과 관련하여 육하원칙에 따라 구체적으로 진술서 및 사실확인서 작성
> - 형법상 범죄에 해당하는 사안으로 서울시교육청 교육활동보호 전담변호사, 교육활동보호 법률지원단의 법률상담 등을 활용하여 고소·고발 검토

구상형 2

1. 두 질문에 대한 답변

(1) 학생 A: 학생 수요 조사를 거쳐 다양한 프로그램이 개설될 것임. 자유학기제의 4가지 활동 영역인 주제 선택 활동, 예술체육 활동, 동아리 활동, 진로 탐색 활동 등에 영화 관련 프로그램이 있을 수 있음. 따라서 개설된 프로그램을 확인한 후 영화와 관련된 프로그램을 선택하여 수강할 수 있음

(2) 학부모 B: 지필평가는 실시되지 않지만 학생 성장과 발달을 지원하는 과정 중심 평가가 실시됨. 교육과정 성취기준에 기반하여 자유학기 활동 평가 계획이 수립되며, 학생 참여형 수업과 연계한 평가를 진행함. 이를 통해 학생이 특정 성취기준 도달 여부를 확인할 수 있으며 이에 대한 피드백으로 학생의 학습 성장을 지원함

2. [나] 운영 방식의 문제점 및 개선 방향

(1) 중학교 1학년 학생을 대상으로 2학년 과학 선행교육을 진행함

→ 선행교육 방지로 예습은 특정 농어촌 학교가 아니면 불가능하므로 선행 과정을 운영하지 않고 중학교 1학년 학생들에게 적절한 수업을 실시함

(2) 20명 초과 시 1학기 수행평가 점수 우수자를 우선 선발함

→ 해당 프로그램에 관심 및 흥미가 있는 학생을 대상으로 진행하며 인원 초과 시 공정한 방식으로 대상 학생을 선정해야 함(성적을 기준으로 선발 대상을 선정해서는 안 됨)

(3) 중학교 2학년 과학 국가 교육과정을 그대로 따라 수업을 진행함

→ 과학 교과와 관련한 수업을 하고 싶은 경우 교과와 연계하되, 이에 확장된 주제를 선정하여 여러 가지 전문 프로그램을 운영해야 함

(4) 학생의 수요, 흥미나 관심사를 반영하지 않음

→ 학생들의 흥미와 관심사를 반영하여 수업을 계획해야 함

3. 자유학년제 내실화를 위하여 교사에게 필요한 역량과 그 이유

(1) 책임감: 자유학년제의 목적과 취지를 이해하고 이를 실현하려는 책임감을 지녀야 함
(2) 소통: 다른 교사·학생·학부모·지역사회와 지속적으로 소통하며 자유학년제가 형식적으로만 이루어지지 않도록 해야 함
(3) 그 외 전문성, 성실성, 협업, 교육과정 재구성 역량 등

구상형 추가질문

1. 실시하고 싶은 교육 프로그램

(1) 졸업생 선배와의 대화: 다양한 분야에서 활약하고 있는 졸업생 선배들을 초빙함. 졸업생 선배들은 중학생 시절부터 해당 직업을 선택하고 갖기까지의 과정, 해당 직업 소개와 설명, 학습 조언 등을 포함한 강연을 진행함. 학생들은 관심 있는 직군의 졸업생 선배를 선택하여 강연에 참여하고, 강연 이후에는 질의응답 등 직접 대화를 나누는 시간을 가짐
(2) 고등학교 이해하기: 고등학교 교육과정 체계는 크게 달라지므로 이에 대하여 미리 살펴보고 이해할 수 있는 프로그램 운영. 고교학점제란 무엇인지, 학교 간 협력 교육과정은 어떻게 운영되는지, 고등학교 교과에는 무엇이 있는지 등을 안내함. 이어 '중3을 위한 고교학점제 워크북' 등을 활용하여 학생들이 직접 동네의 고등학교에 대해 알아보고, 가고 싶은 고등학교의 정보를 찾아 가상 시간표를 짜보는 등의 활동을 진행함

2. 해당 프로그램의 교육적 효과

(1) 졸업생 선배와의 대화: 진로 관련 고민이 많은 중학교 3학년 학생들이 각자 관심 있는 직군의 졸업생의 강연에 참여하고, 대화를 나누며 진로 방향성을 찾을 수 있음. 또한 같은 중학교를 나온 졸업생 선배와 진로에 대해 소통하며 더욱 현실성 있는 진로 설계를 할 수 있음
(2) 고등학교 이해하기: 고등학교에 진학하기 전에 미리 고등학교에 대하여 이해함으로써 점진적인 적응을 할 수 있음. 직접 동네의 고등학교에 대한 정보를 찾아보면서 학생 및 학교 특성에 맞는 진로를 탐색하고 진로개발역량을 함양할 수 있음

즉답형

1. 첫 번째 유형을 선택할 경우

(1) 이유: 맞춤형 교육을 실현하기 위해, 융통성 있게 학급을 운영하기 위해 등
(2) 학급 운영 방안
① 학생과의 개별적 상담을 진행하고, 상담을 통해 파악한 각 학생의 개별적 특성에 맞추어 지도하며 라포를 형성함
② 다문화학생, 탈북학생, 기초학력부진학생, 특수교육대상학생 등 지원이 필요한 학생들에게 도움을 개별적으로 제공함

2. 두 번째 유형을 선택할 경우

(1) 이유: 학생들과의 신뢰를 쌓기 위해, 학생들의 준법성을 길러주기 위해, 교사가 일관된 모습을 보여줌으로써 학생들이 혼란을 느끼지 않고 규칙을 따르며 공동체 생활을 해나갈 수 있도록 하기 위해 등
(2) 학급 운영 방안
① 학급 회의를 통해 함께 학급 규칙을 결정하고, 이를 모두가 따를 수 있도록 함
② 학생인권조례에 따라 성별, 종교, 사회적 신분, 출신지역, 가족상황 등을 이유로 차별하지 않고 모두를 같은 학생으로 바라봐줌

즉답형 추가질문

1. 첫 번째 유형의 교사가 학급을 운영할 때의 장점

(1) 학생의 특성을 고려한 맞춤형 교육을 실현할 수 있음
(2) 각 상황에 맞게 적절하게 대처함으로써 융통성 있게 학급을 운영할 수 있음

2. 두 번째 유형의 교사가 학급을 운영할 때의 장점

(1) 모두에게 동등한 교사의 모습으로 학생들과의 신뢰를 쌓을 수 있음
(2) 일관된 규칙을 적용함으로써 학생들이 준법성을 기를 수 있음

제11회 실전 모의고사 예시답안

본책 p.121

구상형 1

1. A 학생

(1) 다+온센터, 징검다리 과정, 한국어 교실

[나]의 비차별원칙에 따라 아동은 배경에 상관없이 동등한 교육의 권리를 누려야 함. 따라서 다+온센터와 연결하여 부모와 자녀 모두 맞춤형 도움을 받을 수 있도록 하고, 한국문화에 잘 적응할 수 있도록 징검다리 과정을 안내하여 학교 적응을 원활하게 함. 또한 한국어 교실을 통해 한국어를 학습할 수 있도록 함

(2) 긴급복지지원, 지역연계 교육복지

아동은 생존과 발달을 위해 보호를 받아야 하는데 부모의 경제력으로 인해 보호받지 못하는 상황임. 학교에서는 긴급복지지원을 통해 관련 물품 등을 지원받을 수 있고, 지역과 연계하여(주민센터 등) 교육비·교육급여 등 생계 지원을 해주고 장기적으로는 부모가 경제활동을 할 수 있도록 지원해야 함

2. B 학생

(1) 학교폭력 신고 및 전담기구 회의

특수교육대상학생의 교육권이 있기 때문에 따돌림에 대해서는 학교폭력 신고 진행. 또한 학생과 학부모의 입장이 다르기 때문에 특수교사를 포함하여 피해관련학생인 특수교육대상학생을 위해 할 수 있는 방안을 아동 최선의 이익을 보장할 수 있도록 전담기구에서 논의해야 함

(2) 학생과 학부모 의견 청취 및 협의

학생과 학부모의견을 다시 청취하고 분리 혹은 분리하지 않을 시 생길 수 있는 문제점을 함께 논의함. [나]의 아동 의견 존중의 원칙에 따라 아동의 의견을 최대한 존중하되, 분리해야 한다면 분리의 이유를 학생 눈높이에서 명확하게 안내하여야 함

3. C 학생

(1) 아동학대 신고 및 관련 조치

[나]의 생존과 발달의 권리 원칙에 따라 아동은 보호와 지원을 받아야 하기 때문에 가정폭력이 일어나는 가정에서 아동을 보호하기 위해 아동학대 신고 필요

(2) 지역 청소년 기관 연계

드림스타트, 청소년상담복지센터 등 위기 청소년들을 위한 지역의 전문기관들과 연계하여 심리 및 경제적 지원을 받을 수 있도록 함

(3) 학업중단숙려제

현재 아동은 학교를 그만두고 싶다는 상황임. 물론 아동의 의견도 존중해야 하지만, 학교는 아동을 보호해야 하는 의무도 있기 때문에 무작정 학업중단이 아닌 학업중단숙려제를 진행하며 학업 중단의 이유를 파악하고 아동 스스로 학업 중단 이후에 대한 구체적 계획을 세울 수 있도록 함

4. D 학생

(1) 아동 개인상담

아동 최선의 이익 및 생존과 발달의 권리를 고려할 때 성인과 교제하는 것은 아동에게 위험함. 따라서 부모에게 이 사실을 우선 알리고 어떤 경로로 성인을 만나게 되었는지, 교제하고자 하는 이유는 무엇인지 파악 필요. 전문적인 상담을 통해 아동에게 결핍된 정서적 욕구를 파악하고 맞춤 지원을 해야 함

(2) 성교육 실시

위험한 상황으로부터 D 학생을 보호하기 위해 성교육을 실시

구상형 2

전략	전략 방향	활동 방안
S-O 전략 강점을 기회로 살리기	다양한 마을 자원을 활용하여 지역연계 교육과정 운영	• 주변 박물관, 체험기관 등을 활용하여 교육과정 연계: 관련 교과 내용 학습 후 현장체험학습, 관련 전문가 학교 방문 등
W-O 전략 약점을 보완하여 기회를 살리기	마을 자원을 활용하여 학생, 학교 지원 증가	• 지역아동센터를 활용하여 방과후 돌봄 진행 • 지역 내 강사를 섭외하여 맞벌이 부부 대상 자녀와 소통하고 애착을 높이는 방법 강의 진행 • 지역 자원 내 유휴공간을 활용하여 공연, 전시 등을 진행하고 마을 사람들에게 개방 • 다양한 직업군을 활용하여 진로교육 실시 가능 예 업무 공간 견학, 직업인 인터뷰 등
S-T 전략 강점으로 위기를 극복하기	주변학교 교사들과 교류 증가	• 주변학교 교사들과 학교 간 교원학습공동체 구성 후 함께 지역연계 교육과정 개발 및 실천: 교과별, 학년별로 구체적 진행 등
W-T 전략 약점을 보완하고 위기를 극복하기	학생자치를 통한 지역사회와의 교류 증가	• 민주시민교육을 통한 지역사회와의 교류 증가: 지역 내 문제점을 개선하는 프로젝트를 진행하여 지역사회에 의견을 내고 교류 늘리기 • 지역사회 거버넌스에 학생을 참여시킴

구상형 추가질문

1. 지역연계 예술활용 전공교육(예시)

(1) 영어: 학교예술강사 아르떼 사업을 활용하여 지역 예술강사를 초빙하여 영어노래 작사 및 작곡 프로젝트 진행

(2) 사서: 지역 내 책 축제에 참여하여 교과서 연계 도서를 활용한 책갈피, 엽서 만들기 활동

(3) 수학: 미술에 숨겨진 수학 개념들을 배우고(비율, 대칭, 빛의 각도 등) 지역 내 미술관을 방문하여 확인하는 활동

2. 지역연계 체육활용 전공교육

(1) 과학: 지역 내 대학의 스포츠과학과와 연계하여 운동역학, 운동통계학 등 전공체험 실시

(2) 보건: 지역 내 운동 재활 전문가와 협력하여 운동 시 부상, 재활 방법 교육 및 체험

(3) 사회: 자전거 동아리 연계 지역이해 탐방프로그램 운영 예 동아리가 자전거를 통해 지역을 돌아다니면서 지도를 작성하는 등

즉답형

1. 학생 A의 지도에 필요한 교사의 태도

(1) 공감

다른 사람의 감정을 인지할 수 있도록 거울 뉴런을 통해 학생의 입장에 대해 생각해보아야 함. 학생이 교사에게 적대적인 태도를 가지고 있지만 이러한 태도를 보이는 이유를 살펴보고 그 마음을 공감해 줄 필요가 있음

(2) 존중

학생은 교사를 존중하는 태도를 보이고 있지 않지만, 교사는 학생을 존중함으로써 학생의 거울 뉴런이 활성화될 수 있도록 도와주어야 함. 이때 학생의 행동이 아닌 마음을 존중하는 것이 필요

2. 학생에게 해줄 수 있는 말 시연

"A야, 선생님에게 불편한 게 있나보구나.(공감) 어떤 것 때문인지 이야기해줄 수 있니? '내 마음을 몰라준다'라고 말한 것으로 볼 때 선생님이 알지 못하는 부분이 있는 것 같네.(존중) 친구들의 수업을 방해하는 행동은 옳은 행동이 아니기 때문에 너에게 주의를 줄 수밖에 없었어. 선생님은 너에게 뭐라고 하는 사람이 아니라 너를 존중하며 올바른 방향으로 성장할 수 있도록 도와주는 사람이야. 너의 이야기를 듣고 싶어."

즉답형 추가질문

1. 관련 경험

(1) 포용성

초등학교 때 급훈이 "그럴 수도 있지"였음. 담임선생님께서 나 자신 혹은 친구를 탓하기 전에 "그럴 수도 있지" 주문을 외워보라고 하셨고, 주문을 외우자 마법처럼 사람에 대한 부정적인 생각이 사라졌던 경험이 있음. 나와 다른 대상들에게 "그럴 수도 있지"라고 말하는 것은 나와 상대에 대한 인정과 수용을 의미

(2) 창의성

매일 일기를 쓰는 습관이 있음. 창의성은 무(無)에서 창조되는 것이 아니라 유(有)에서 창조되는 것이라고 생각. 생각이나 일상을 기록하는 습관은 자신과 주변을 돌아보게 함. 이런 기록을 통해 필요할 때 아이디어를 얻을 수 있었음

(3) 주도성

대학생 때 교육봉사 활동을 하며 청소년들을 대상으로 캠프를 기획했던 경험이 있음. 캠프 참여자의 요구를 분석하고 그에 맞춘 프로그램을 준비하면서 새로운 것을 만들어나갈 수 있다는 용기를 얻었음

2. 학생 교육 방안

(1) 포용성

차별과 편견이 생기는 것은 그 대상에 대해 잘 모르기 때문. 따라서 차별과 편견이 존재하고 있는 대상에 대한 접촉이 필요함

예 다문화교육, 세계시민교육, 장애이해교육 등

(2) 창의성

아이디어 담벼락 만들기 : 학급 혹은 교과시간에 활용할 수 있는 학생들의 좋은 의견을 모아 놓은 벽을 만들거나 온라인 게시판 등을 마련아 놓은 포착할 수 있도록 함

(3) 주도성

학생들이 수동적으로 지식 위주의 학습을 하는 것이 아니라, 교과 관련 프로젝트나 사회참여 프로젝트를 주도하여 지역사회와 관계를 맺도록 함

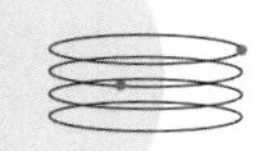

제12회 실전 모의고사 예시답안

본책 p.125

구상형 1

해결 방안

(1) 사례 1
① 먼저 학부모가 겪었을 당황함에 대해 공감
② 관리자 기능을 이용해 학습 관련 사이트 외 단순 유흥, 흥미 목적의 사이트 접속 차단
③ 학부모 설문조사를 통해 디벗 관련 요구 사항을 듣고 관리 현황을 학교 홈페이지를 통해 주기적으로 알리기

(2) 사례 2
① 기초학력 지원 프로그램 운영: 점프업, 채움학기제, 키다리샘, 또래 멘토링 등을 활용하여 학생의 부족한 기초학력을 향상시킬 수 있도록 지원함
② 작은 성공 경험 만들어주기: 학생이 잘하는 교과에 관한 문제를 풀고 맞히는 성공 경험을 제공하여 학업에 대한 자신감을 심어주고, 어려워하는 다른 과목 공부에도 용기를 낼 수 있도록 북돋움

(3) 사례 3
① 장난을 치는 학생들에게 수업시간은 모든 학생들의 학습권이 보장되어야 하는 중요한 시간임을 안내
② 발표 시 장난식으로 임하게 되면 친구들로부터 신뢰를 잃을 수 있음을 유의시키고, 진지하게 임하여 나의 생각을 말함으로써 비판적 사고역량을 키울 수 있음을 안내

구상형 2

1. 입장 선택과 이유

(1) A 교사: 교과서에 있는 내용은 교육과정에 기반한 것으로, 학생들이 꼭 알아야 하는 필수적인 내용이 담겨 있음. 또한 계열이 있는 내용일 경우 선수학습이 이루어지지 않으면 후속학습에서 배경지식이 없는 채 심화 개념을 이해할 수 없기 때문에 A 교사를 선택함. 이는 학창시절 수학 과목을 배우면서 느꼈던 것으로, 원의 방정식의 내용을 배우지 못한 채로 다음 학년에서 타원을 배웠을 때 매우 많은 어려움을 겪었던 경험이 있음

(2) B 교사: 교과서에 있는 모든 지식들을 학생들이 다 알기보다는 특정 지식을 적용하고 활용하는 능력을 기를 수 역량을 가지는 것이 중요함. 진도를 급하게 나가는 것은 학생들의 제대로 된 이해 없이 단순 교과서 겉핥기 수준에서 그쳐버리므로 의미 있는 배움이 일어나기 어려움. 따라서 진도를 조금 나가더라도 배운 내용만큼은 정확하게 이해할 수 있어야 함. 학창 시절 때 선생님께서 자세하게 알려주시고 활동식으로 학습했던 내용은 아직까지 기억나기 때문에 B 교사의 입장에 가까움

2. [나] 피드백에 대한 대처방안

(1) 학생 C: 어려운 것 또한 공부를 해야 함. 기본 내용을 잘 알아야 기초가 쌓이고 심화 학습을 할 수 있기 때문임. 자신의 수준에 따른 심화 학습을 해간다면 배움의 성장이 있을 것임

(2) 학생 D: 가르치지 않은 내용도 중요함. 중요하지 않아서 가르치지 않은 것이 아니라, 핵심 개념을 가르치기 위해 수업 내용을 재구성하다보니 상대적으로 덜 다루는 내용이 있게 되는 것임

구상형 추가질문

동 교과교사와 수업 방식에서 갈등이 생겼을 때 대처 방안

(1) 공감
동 교과 선생님의 의견을 경청하고 존중의 태도를 보임

(2) 동료 선생님과 토의
아직 신규교사로서 수업경험이 적기 때문에 내 수업 방식의 장단점을 분석해보고 동료 선생님의 더 좋은 수업 방식을 수용하거나, 동료 선생님과 함께 대화를 통해 수업 방식에서 절충안을 마련함

(3) 적극적 소통
수업 방식에 대하여 동료 선생님과 자주 소통하고 수업 아이디어를 적극적으로 공유함으로써 더 좋은 수업에 대한 연구를 끊임없이 함. 이를 통해 수업 방식에 있어서 어떤 부분이 개선되면 좋을지 성장과 성찰의 계기로 삼음

즉답형 추가질문

학년 전환기 실시하고 싶은 프로그램

(1) 요리 실습, 공예작품 만들기 등 학생들이 평소 흥미를 가졌던 분야에 대해 체험과 참여 중심의 교육 프로그램을 실시하여 학생의 진로 탐색과 취미 활동 개발에 도움을 줌

(2) 사제동행 체육대회
교사와 학생이 함께하는 체육대회를 운영하여 사제 간의 신뢰와 협력적인 분위기를 만들고 학생들이 체육 활동에 흥미를 가질 수 있도록 함

(3) 학생들이 직접 만들어보는 수업
학생들이 자율적으로 운영해보고 싶은 수업 활동을 구성해보고 활동할 수 있도록 지원함
예 각자의 취미 소개하기, 장기자랑 보여주기 등

즉답형

진로교육 개선 방안

(1) 진로교육의 정의와 필요성을 학생들이 스스로 깨달을 수 있도록 강의식 수업보다 직업군 역할 탐구에 관한 토론 수업을 진행하여 스스로 조사하고 탐구해보는 기회 제공

(2) 직업 탐색을 위한 직업군 선정 시 설문조사, 학급회의 등을 통해 학생 및 학부모 의견 반영

(3) 체험할 직업군을 선착순으로 신청받지 않고 학생 개개인의 흥미와 적성에 따라 신청할 수 있도록 함

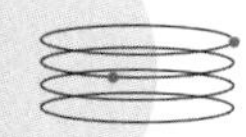

제13회 실전 모의고사 예시답안

본책 p.128

구상형 1

1. 학생 도박의 위험성

학생 도박은 방치하는 경우 성인 도박중독으로 이어질 가능성이 큼. 성인 도박중독은 이혼, 실직, 자살 같은 심각한 사회 문제를 야기할 수 있음

Comment

[가]에 나타난 위험성 외에도 청소년은 발달상의 특징(감정을 통제하고 조절할 수 있는 전두엽이 아직 다 발달하지 않아 충동성 및 공격성 강함, 자제력 및 절제력 미숙)상, 자극과 보상 · 중독성 등 도박 자체가 갖는 문제에 더욱 취약하다는 특징이 있어요.

2. 학생 도박이 증가하고 있는 원인

(1) 인터넷 환경 변화와 스마트폰의 확산으로 학생들이 때와 장소에 구애받지 않고 사이버상으로 도박을 접하게 됨. 또한 스마트폰을 사용하는 청소년의 연령대가 낮아짐에 따라 초등학생 때부터 도박에 빠져드는 경우가 많아짐

(2) 학생들이 '한탕주의'에 물들어 쉽게 큰돈을 벌기 위한 수단으로 도박을 활용함

(3) 스마트폰의 도박 게임이 학생들에게 즐거움을 주는 하나의 놀이나 단순한 게임으로 여겨져 학생들이 죄의식 없이 도박에 빠짐

(4) 청소년을 타깃으로 삼는 불법 도박 사이트의 운영이 성행하고 있으며, 어른에 비해 인터넷 활용률이 높고 친구와 함께 보내는 시간이 많은 학생들 사이에서 빠르게 번져나감

3. 학교 차원에서의 학생 도박중독 예방 방안

(1) 학생 도박 위험군을 조기에 발견할 수 있도록 선별검사를 실시하고 치유 골든타임을 놓치지 않도록 전문기관과 연계함

(2) 기존 학교 안전교육(약물 및 사이버중독 예방) 및 정보통신윤리교육 등과 연계하여 학생 도박중독 예방교육 실시

(3) 학부모총회 및 학부모 참여 행사 등을 활용하여 자녀 도박 문제에 대한 관심을 제고하고 올바른 인지 · 대처방법 등을 안내하는 학부모교육 실시

(4) 도박을 하는 학생은 일상생활에서의 성적 저하, 집중력 저하, 불안 및 우울, 친구관계 문제, 가정 문제 등의 어려움을 겪고 있을 가능성이 크므로 평소 교사가 면밀하게 관찰함

(5) 학생 도박 실태 및 위험성에 대한 인식을 제고할 수 있는 가정통신문 또는 홍보물을 제작하여 보급함

(6) 교사들이 도박 관련 용어, 도박 유사 행위, 학생 도박의 특징 등을 미리 알아두어 도박에 노출된 학생들을 조기에 발견하고 개입할 수 있도록 함

구상형 2

1. [다]의 각 요구에 대한 담임교사로서의 대응

(1) A의 학부모 B
① 비장애학생과 똑같은 교육을 받길 원하는 학부모 B의 마음에 대하여 이해하고 공감하고 있음을 표현
② 학부모 B도 회의에 참여하여 아시다시피, 개별화교육지원팀은 A 학생의 행동 특성, 수업 태도, 사회성, 학교생활 전반 등을 모두 고려하여 개별화교육계획을 세운 것임을 말씀드리고, 특수학급에서의 수업은 이에 따라 학생에게 필요하다고 판단되어 적절한 지원을 제공하고자 진행하는 것임을 안내. 학교는 A 학생의 학습권·교육권 보장을 위해 노력하고 있다고 말씀드려 A 학생을 차별하고 있다는 오해를 풀 수 있도록 함
③ 당장 모든 수업을 통합학급에서 듣도록 하는 것은 오히려 A 학생에게 부정적인 영향을 미칠 수 있음을 설명하고, 학부모가 원하는 방향을 목표로 단계적으로 나아가는 것이 어떨지 여쭤봄
④ 담임교사로서 A 학생과 보호자의 요구를 경청하고 이에 필요한 교육적 지원을 제공할 수 있도록 노력하겠다고 약속

(2) 학급 학생 C
① C가 힘들어하는 마음에 대하여 충분히 이해하고 공감하고 있음을 표현
② 특수교육대상학생의 특성(행동 특성, 성향 등)을 설명하여 C가 어느 정도는 A를 이해하고 수용할 수 있도록 지도(단, 일방적으로 이해와 배려를 강요하지는 않음)
③ 반복적으로 일어나는 문제에 대하여 어떤 상황에서 그런 문제가 자주 발생하는지 관찰하고, 이를 최소화할 수 있도록 지도하겠다고 약속

(3) 학급 학생의 학부모 D
① 학교는 다양한 능력과 어려움이 있는 모든 학생들이 가치 있는 학교 구성원으로서의 소속감을 느끼고, 함께 교육을 받으며 성장하는 곳임을 안내
② 특수교육대상학생의 강점과 능력, 긍정적인 면에 대하여 말씀드리고 통합학급이 비장애학생에게 미치는 긍정적인 측면을 강조

2. [다]와 같은 모습이 나타나는 공통적인 원인

서로에게 공감하는 마음과 상호 이해가 부족함. '장애 공감 문화*'가 형성되지 않음

* 장애 공감 문화: 장애인을 이해하는 단계를 넘어 장애인의 감정과 요구를 같이 느끼고, 같이 주장하며, 같이 해결해 나가고자 하는 문화

구상형 추가질문

1. 통합교육의 교육적 효과

(1) 특수교육대상학생: 비장애학생들과 자연스럽게 상호작용하면서 자신의 안전에 필요한 예절 및 사회성 기술을 배울 수 있음
(2) 비장애학생: 개인의 다양성과 차이를 존중하는 가치관을 형성할 수 있음

2. 장애 공감 문화를 형성하기 위한 학급 프로그램 예시

(1) 손가락 접기 놀이 프로그램
① 손가락을 모두 펴고 시작하며 '예', '아니오'로 대답할 수 있는 질문을 생각하기
② 돌아가면서 차례대로 "~하는 사람 접어"라고 질문함 예 사계절 중 여름을 가장 좋아하는 사람 접어
③ 친구의 질문에 '예'라는 답변이 나오면 손가락을 접음(특수교육대상학생이 손가락을 접기 어려운 경우 손가락 개수만큼 접착 메모지를 준비한 후 학생이 '예'라고 답변할 때마다 메모지를 떼는 활동으로 대체할 수 있음)
④ 손가락이 다 접힌 사람이 있으면 게임을 종료함
⑤ 놀이를 통해 알게 된 친구들 간의 공통점과 차이점을 발표함
⑥ 특수교육대상학생, 비장애학생 가릴 것 없이 모두 공통점과 차이점이 공존한다는 것을 알고 서로를 이해하는 시간을 가짐

(2) 긍정적으로 바라보기 프로그램
① 교사가 여러 위인의 특성(부정적으로 느껴질 수 있는 특성)을 소개하고, 해당 특성을 어떻게 바라볼 수 있을지 이야기를 나눔
예 12척의 배로 전쟁에 나간 이순신 장군의 무모함, 닭의 알을 품은 에디슨의 과한 호기심, 세계적인 걸작을 남긴 빈센트 반 고흐의 예민함 등

② 이를 통해 행동과 특성을 바라보는 시선에 따라 부정적으로 보이는 면에도 긍정적인 면이 있을 수 있다는 것을 자연스럽게 알도록 함
③ 위인의 특성을 소개할 때 특수교육대상학생의 특성도 자연스럽게 포함하여 학급 학생들이 해당 학생의 특성을 긍정적인 시각으로 볼 수 있는 기회를 마련함
④ 활동을 통해 타인에 대한 이해를 높이고, 자신이 부족하다고 생각했던 점들도 긍정적인 시각으로 바라볼 수 있도록 함

즉답형

담임교사로서 대응 절차(학원 선생님의 행동은 아동학대에 해당함)

(1) 학생의 멍 상태에 따라 필요시 적절한 치료를 받을 수 있도록 함
(2) 아동의 아픔에 공감하며 아동의 신체 또는 정서적 이상 징후 기록 및 면담
(3) 이러한 상황에 관하여 학부모도 알고 있는지 물어보고, 학부모 상담을 통해 해당 상황의 심각성을 알림
(4) 아동학대 신고 및 신고내용 비밀 엄수
(5) 같은 학원에 다니는 학생들도 살펴봄
(6) 아동학대 증거 확보
(7) 학교장 및 교육(지원청) 보고
(8) 필요시 위(Wee) 클래스 및 위(Wee) 센터 상담, 보건교사 협조 의뢰
(9) 피해아동 보호를 위한 긴급대책 마련
(10) 아동학대전담공무원·경찰 조사 시 학교 내 장소 및 관련 자료 제공 협조, 조사 협조

즉답형 추가질문

1. 피해학생과 대화 시 유의해야 할 사항

(1) 피해학생에게 학대 상황에 대한 직접적인 질문이나 이야기를 꺼내는 것보다 학생의 일상생활에 대한 교사의 관심을 전달함으로써 학생의 긴장감을 낮추고, 안정감과 편안함을 느끼도록 한 후 아동에게 도움이 되고 싶다는 교사의 마음을 담아 상황에 대한 질문을 진행해야 함
(2) 조사를 목적으로 하는 것이 아닌 피해학생의 심리적·신체적 안전 확인 및 보호 등을 목적으로 대화를 진행해야 함
(3) 피해학생의 상황 및 심리·신체적 상태에 대한 이해를 바탕으로, 학생은 현재 어려움을 이겨낼 수 있는 강점과 자원이 많은 사람이라는 것을 전제하는 해결 중심적 관점으로 접근해야 함
(4) 피해학생과 사안에 대한 민감한 내용이나 전문적인 상담은 전문기관에 연계하는 것이 바람직함
(5) 얼굴 표정을 부드럽게 하고 편안한 말투와 함께 적절한 공감과 격려의 말을 해야 함

2. 피해학생의 보호자와 대화 시 유의해야 할 사항

(1) 현재 부모로서 책임감과 죄책감 등으로 힘들 수 있음을 이해하는 접근이 필요함
(2) 보호자를 비난하거나 지적하지 않고, 잘못된 행동에 대해 교육적 또는 지시적인 언어를 많이 사용하지 않아야 함
(3) 판단을 중지하고 부모의 조심스러운 말과 행동 이면에 있는 감정을 공감해야 함
(4) 상호 간의 신뢰감 형성에 방해가 될 수 있으므로 타 기관에서의 말을 전달하지 않아야 함

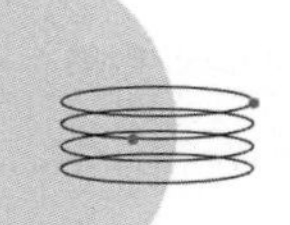

제14회 실전 모의고사 예시답안

본책 p.132

구상형 1

1. 교직관: 함께함의 중요성을 알려주는 교사
인간은 사회적 동물이고 학교는 지식뿐만 아니라 인성을 배우는 공간임. 본인 또한 혼자의 노력으로 여기까지 오지 않았고 많은 사람들의 지지를 받아왔음. 서울시교육청의 공동체형 인성처럼 학생들 또한 학교 안에서 함께함의 중요성을 알 수 있었으면 함

2. 교육 목표: 주변과 공존하는 법을 배우기
사회는 혼자 살 수 없기 때문에 사회로 나가기 전 단계인 학교에서 주변과 공존하는 법을 배워야 함

3. 교육 내용
(1) 기초학력: 삶에 필요한 기초 지식들을 학습함. 국어, 수학, 사회, 과학, 외국어 등 기초 소양을 함양
(2) 자기 이해: 자신을 잘 이해해야 주변과 공존할 수 있음. 자신의 감정을 인식하고 적절하게 표현하는 방법을 익힘. 자신의 가치관과 사고를 형성함
(3) 타인 이해: 자신과 타인의 다름을 알고 다름을 존중함. 갈등을 회피하는 것이 아니라 건강한 방식으로 해결하고, 혼자보다 같이 하는 것의 중요성을 알고 타인과 조화를 이룰 수 있도록 함
(4) 세계 이해: 자신이 속해 있는 사회를 이해하는 것뿐만 아니라 전 세계, 환경 등이 자신과 연결되어 있음을 이해

4. 교육 방법
(1) 기초학력: 수준별 맞춤형 교육 실시. 반복과 응용을 통해 완전학습이 이루어지도록 함 등
(2) 자기 이해: 성격검사·진로검사를 통한 자기 이해. 성찰일기와 같이 글쓰기를 통한 생각 정리 등
(3) 타인 이해: 프로젝트 학습을 통해 여러 학생들과 함께 목표를 설정하고 수행해나가며 의견을 조율해 보는 경험을 함 등
(4) 세계 이해: 세계 여러 나라의 도서를 읽어봄으로써 세계를 이해함. 세계 주요 이슈를 주제로 한 토론 활동 진행 등

5. 특색 사업
(1) 회복적 서클: 주 1회 학급 회복적 서클, 월 1회 학년 회복적 서클 운영. 이를 통해 학생들이 갈등 상황에서 자신의 의견을 명확하게 이야기하고 타인과 조율하는 연습을 할 수 있도록 함
(2) 질문 노트: 학생별로 질문 노트를 주고 생활하면서 생긴 질문을 기록하고 답을 생각하거나 탐구해보도록 함. 질문의 주제는 교육 내용인 자신과 타인, 세계에 관한 내용이 포함되도록 함
(3) 탄소중립실천 챌린지: 인간뿐만 아니라 전 생태계의 중요성을 알고 학교 내 텀블러 사용, 이면지 사용, 자전거 타기 등 다양한 탄소중립행동을 실천

구상형 2

1. 조치 개선이 필요한 까닭과 적절한 조치
(1) A
① 까닭: 장애학생은 항상 도움이 필요한 대상이 아니고 자신의 의사와 자율적 의지가 있는 학생임
② 적절한 조치: A 학생이 원하는 도움의 정도를 사전에 파악함. 학급 학생들에게 A 학생이 필요로 할 때에만 도움 행동을 주어야 함을 안내. 장애도 개인의 특성 중 하나이며, 원치 않는 도움은 오히려 상처가 될 수 있음을 안내
(2) B
① 까닭: 장애학생에 대한 무조건적인 배려는 비장애 학생과 장애학생 모두 성장할 수 있는 기회를 빼앗게 됨
② 적절한 조치: B의 마음을 이해하고 어떤 상황에서 불편을 느끼는지 물어봄. C 학생의 장애에 대해 이해할 수 있는 수준에서 설명함(장애 진단명보다는 학생의 특성으로 이야기). 특수교사와 협력하여 C 학생의 행동을 교정할 수 있는 방안 모색

(3) C

① 까닭: 특수교육대상자는 개별화교육계획에 따라 교육이 이루어져야 하기 때문에 C 학생이 원한다고 해서 계획에 맞지 않는 교육을 진행할 수는 없음

② 적절한 조치: C 학생의 욕구를 경청함. 특수교사 및 학부모와 상의하여 C 학생에게 적절한 교육적 지원이 무엇인지 논의하고, 개별화교육계획의 수정이 필요할 경우 수정하여 진행. 그렇지 못할 경우 C 학생에게 C 학생의 교육적 성장을 위해 통합학급과 특수학급에서 알맞은 교육이 이루어져야 함을 전달

2. 교내 장애공감문화를 만들기 위한 방안

(1) 찾아가는 장애이해교실 신청
장애인 예술가를 학교로 초청하여 예술 공연 감상하기, 장애 저자 또는 배우와의 만남 진행 등

(2) 장애 이해 관련 도서를 함께 읽기
도서를 통해 장애에 대해 비유적으로 알게 되어 차별적인 인식을 줄이고 배려 및 공존 방안 모색하기, 장애 관련 글짓기 진행 등

(3) 교내 베리어프리존 만들기
장애학생이 접근 불가능한 공간을 학생들의 의견을 수렴하여 공간혁신 진행

(4) 장애 관련 주제에 대해 특수교사와 일반교사의 협력수업 진행(십분의 기적)
통합학급 탐방, 함께하는 놀이 프로그램 개발, 장애 특성에 따른 장애이해교육 실시 등

구상형 추가질문

학생 C의 학부모 상담 전략

(1) 편안한 환경 조성
교사와 이야기하는 상황이 불편할 수 있기 때문에 최대한 편안한 상담 환경 조성

(2) 샌드위치 피드백
현재 불편한 상황에 대해 전달해야 하기 때문에 학생 C의 강점을 먼저 이야기하고 나서 학급에서 겪는 어려움을 전달하여 학부모의 경계를 낮춤

(3) 준비된 기록, 자료 등을 바탕으로 구체적으로 이야기
실제적인 기록과 자료를 바탕으로 학급의 상황을 객관적으로 전달하고 해결책 논의

즉답형

1. (나)의 학생을 위한 지원방안

(1) 학생 A

① 개인 상담을 통해 학생이 쉽게 포기하는 이유를 함께 탐색하고 단계별 세부 목표를 설정하여 학생이 꾸준한 성취를 경험할 수 있도록 함. 어려움을 겪더라도 해결할 수 있는 힘을 가질 수 있도록 격려. 한번에 잘 하려고 하는 마음은 부담으로 다가와 오히려 행동을 어렵게 함을 안내

② 학급에서 교사가 관찰한 학생의 끈기 있는 모습, 잘 수행했던 모습 등을 말해주며 자신의 긍정적인 모습을 알아차릴 수 있도록 함

(2) 학생 B

① 또래상담자와 함께 우정 관련 영화를 시청하면서 상황에 따른 대화 방법을 함께 찾아보고 연습할 수 있도록 함. 또한 말을 거는 것이 어렵다면 편지 쓰기 등 다양한 방법을 활용할 수 있음을 안내

② 비슷한 상황을 극복했던 교사의 경험이나 선배의 경험을 이야기해주며 자신감을 북돋아주고, 학생 또한 할 수 있음을 전달

2. 교사가 지녀야 할 태도

(1) 지지
추운 겨울에 단단한 나이테를 만드는 것처럼, 학생이 어려운 상황에서도 한 뼘 더 성장할 수 있도록 옆에서 함께 인내하고 지지해주는 것이 필요함

(2) 긍정
나무가 성장하지 않을 것 같은 겨울에도 나무가 자라는 것처럼, 학생의 성장 가능성과 잠재력을 발견할 수 있는 긍정의 태도가 필요함. 피그말리온 효과처럼 학생을 긍정의 눈으로 바라볼 때 바람직한 모습으로 성장할 수 있음

즉답형 추가질문

“학부모님 안녕하세요? 저는 올해 ○학년 ○반을 맡은 교사입니다. 어떤 선생님이 우리 아이의 선생님일까 많이 궁금하셨을 것 같습니다. 만나뵙게 되어 정말 반갑고 1년 동안 잘 부탁드립니다.
학급경영 방안을 제 교육철학을 통해 말씀드리고자 합니다. 저는 ‘끝날 때까지 끝난 게 아니다’라는 문장으로 제 교육철학을 소개하고자 합니다. 학부모님께서도 아이들이 ‘망했어’라고 얘기하는 것 많이 들어보셨죠? 습관적으로 이런 말이 튀어나올 수도 있지만 아마 학생들의 경험 안에서는 진짜로 망했다고 생각할 수도 있습니다. 무궁무진한 잠재력이 있는 아이들에게 ‘망한 것이 아니라 과정일 뿐이다, 끝날 때까지 끝난 것이 아니다’라는 것을 알려주고 싶습니다. 또한 저도 사람이기 때문에 아이들과 만날 때 갈등도 있을 것이고, 어쩌면 스스로 무기력한 마음이 들 수도 있습니다. 하지만 저에게도 ‘끝날 때까지 끝난 것이 아니니 좀 더 노력해보자’라고 스스로를 위로하겠습니다.
학습이 어려운 학생에게도 포기하지 않고 맞춤형 학습이 이루어질 수 있도록 지원할 것이며, 정서적인 어려움을 겪는 학생에게도 지금의 절망적인 상황이 아닌 새로운 시각으로 바라볼 수 있도록 지원하는 교사가 되고자 합니다. 감사합니다.”

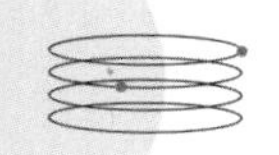

제15회 실전 모의고사 예시답안

본책 p.135

구상형 1

1. 수업 사례

(1) [가]

① 잘못된 점

- 책 선정 주체가 학생들이 아니라 교사인 점. 학생들의 관심사와 흥미를 고려하지 않음
- 독서를 한 후 의미 있는 탐구와 질문 없이 내용을 요약하기만 하여 학생들의 삶과 연계된 독서교육이 진행되지 않음

② 개선점

- 책 선정 시 학생들이 자신에게 도움이 되고 흥미 있는 책을 스스로 고를 수 있는 기회 제공. 이때 학생들이 책 선정을 어려워한다면 사서 선생님과 협력하여 청소년들을 위한 추천 도서 목록 제공
- 독서 후 단순 내용 요약보다 독서를 통해 배운 점, 느낀 점, 궁금했던 점, 추가적으로 알아보고 싶은 점을 기록하고, 이에 대해 친구와 토의하는 시간을 제공함으로써 학생들이 내용에 관한 탐구를 할 수 있는 기회 부여

(2) [나]

① 잘못된 점

- 학생들에게 탐구 바탕이 아닌 단순 교과지식이나 사실 등과 관련된 사실 질문을 제공하여 단순 지식 전달 위주의 독서교육을 실시함

② 개선점

- 사실 질문보다는 해석, 적용, 종합, 평가 등과 관계된 탐구 질문을 할 수 있도록 여러 탐구 관계 질문 예시를 보여주고 학생들이 스스로 궁금한 것들을 알아보게 함
- 학습자 참여 중심의 수업으로 재구성하여 지적 호기심을 바탕으로 질문하고 주어진 맥락에 관한 질문을 찾아나갈 수 있도록 지지함

2. 오늘날 독서교육이 나아가야 하는 방향 – 정보 선별 및 활용

(다)의 지식 두 배 증가 곡선을 통해 지식의 양이 폭발적으로 늘어나고 있음을 알 수 있음. 이러한 시대에서 필요한 것은 책 속의 지식을 단순히 습득하는 것이 아니라, 주어진 정보를 어떻게 활용할 수 있을지 고민하고 문제를 해결하는 능력임. 따라서 독서교육을 통해 다양한 글을 읽어보며 수많은 정보 속에서도 자신에게 필요한 정보를 선별하고 적절하게 활용함으로써, 수동적인 지식 습득이 아닌 자신의 삶과 연계하여 생각하는 힘을 기르는 방향으로 독서교육이 나아가야 함

3. 의미 있는 독서교육을 실시하기 위해 교사에게 필요한 역량

(1) 정보 선별 및 활용 역량

수업을 재구성하고 학생들에게 필요한 자료를 제공할 때 어떤 기준으로 자료를 선별할 것인지, 그리고 이를 어떻게 활용하여 학생들이 스스로 탐구해볼 수 있는 형태로 제공할 것인지의 판단할 수 있는 역량이 필요함

(2) 수업 설계 역량

단계별 학습 목표와 그에 따른 활동을 설계하면서 왜 이 내용을 가르쳐야 하고, 이 단원을 통해 무엇을 성취하는 것을 목표로 하는지 분석함으로써 학생들의 탐구를 할 수 있는 탐구 기반 교육과정－수업－평가가 연계되도록 설계하는 역량이 필요함

(3) 교육과정 재구성 역량

학생의 심층적 이해에 초점을 맞추어 학생들이 탐구 질문을 생성하고 탐구 방법을 스스로 찾아 해결할 수 있는 참여형 수업을 설계할 수 있도록 교육과정을 재구성하는 역량이 필요함

(4) 협업 역량

동료교사에게 수업을 공개하고 수업 이후 보완점에 대해 협의하면서 더 질 높은 독서교육을 연구할 수 있는 역량이 필요함

구상형 2

1. 대처 방안

(1) A 교사
희망 교실이 필요하다 생각되는 학생들의 담임 선생님께 찾아가 희망 교실이 필요함을 자세히 설명드리고 정중히 참여해주실 수 있는지 요청드림

(2) B 교사
청소년기 영양소 섭취의 중요성과 육류·탄수화물뿐만 아니라 채식 식단도 함께 골고루 먹는 것이 중요함을 알릴 수 있는 포스터를 만들어 급식소에 게시하고, 각 반 담임 선생님께 조회시간에 언급해달라고 부탁드림

(3) C 교사
타교 보건교사가 하는 컨설팅 장학, 수업 나눔에 참여해 보완점, 잘한 점 등을 이야기하는 시간을 가진 후 학생들이 적극적으로 참여할 수 있는 교수학습 방법에 대해 연구함

2. 교사들에게 필요한 태도

(1) 의사소통
학교 구성원 간 소통이 원활하게 이루어지지 않아 학생들과 상대적으로 교류가 적은 비교과 교사들이 학생들을 교육하는 데 어려움을 겪고 있음. 따라서 담임 선생님, 다른 교과 선생님들과 의사소통을 통해 학생들에 관한 정보를 얻어 학생들을 더 잘 이해하고 지도할 수 있음

(2) 협력
담임교사와 비교과교사의 협력이 잘 일어나지 않아 비교과교사들이 교육 프로그램을 운영하는 데 어려움을 겪고 있음. 협의회, 교원학습공동체 등 담임교사와 비교과교사가 협력하여 학생에게 필요한 교육 프로그램을 개발·운영할 수 있음

구상형 추가질문

1. 소통이 부족한 학교의 문제점

(1) 구성원 간 사소한 오해가 생길 수 있고 이는 여러 갈등으로 이어져 불신의 분위기가 조성될 수 있음
(2) 교사의 모델링과 학생들이 갈등을 해결하고 성숙해지는 과정 등 학생들이 경험하는 학교생활 전반이 모두 잠재적 교육과정으로 학생들에게 영향을 미치게 되는데, 소통이 부족한 학교 문화에서는 학생들이 핵심 역량 중 하나인 의사소통 역량을 제대로 갖추기 어려움

2. 동료교사의 어려움을 목격하였을 때 대처방안

(1) 동료교사에게 먼저 다가가 겪고 있는 어려움에 대해 마음 편하게 터놓고 이야기할 수 있도록 하고 어려움을 공감함
(2) 겪고 있는 어려움과 관련된 과거 자신의 경험을 이야기해주며 극복 방안을 제시해주고 극복할 수 있도록 옆에서 도와줌
(3) 교직원 힐링 관련 연수를 함께 신청하여 학교 업무 스트레스에서 벗어나 마음을 다스리고 힐링할 수 있는 시간을 함께 보냄

즉답형

1. 교사를 다짐한 계기

(1) 수업 관련

① ○○과목 선생님의 수업을 들으면서 ○○과목에 대한 흥미가 생겨 나도 교사가 되겠다 다짐함

② 학생 참여 수업을 진행한 선생님이 계셨는데, 활동식 수업을 자주 해보면서 내용을 주도적으로 학습하다보니 학습 내용을 더 잘 이해할 수 있었고 학습에 대한 열의가 생겼음. 따라서 나도 이런 수업을 제공하여 학생들에 대해 긍정적인 영향을 주고자 함

(2) 선생님과의 교감 관련

① 학창 시절 어려움을 겪었을 때 담임 선생님께서 다가와 어려움을 공감해주고 상담해주시는 것을 통해 나도 누군가를 도와줄 수 있는 사람이 되기를 희망해 교사가 되고자 함

② 인생에서 가장 재미있었던 순간이 선생님과 함께 운동을 했던 순간임. 선생님과 함께 사제동행 체육대회에 나가 학생들과 함께 웃고 추억을 남기며 다시 없을 학생들의 학창시절에 좋은 기억을 남겨주고 싶음. 학생들과 함께 협력하면서 나도 누군가에게 의지가 되고 즐거운 추억을 만들어 주는 선생님이 되고자 다짐함

2. 교사가 되었을 때 학생들과 가장 하고 싶은 것

(1) 수업 관련일 경우

학생 중심 수업, 협동 수업, 놀이 수업 등 다양한 학생 참여 중심의 수업을 운영. 전환 학년기를 활용해 전공과 관련된 직업군 탐색

(2) 학생들과의 교감 관련

체육대회, 합창대회, 수련회, 수학여행, 협력종합예술 등

즉답형 추가질문

교직관 및 학생을 대하는 마음가짐

(1) 교직관: 교사의 기대감으로 학생을 바르게 성장시키자

→ 자기충족적 예언, 피그말리온 효과가 있듯이 교사가 학생에게 가지는 기대감으로 학생들이 바른 행동을 하고 성장할 수 있으므로 학생을 대할 때 학생에 대한 신뢰감을 가지고 원하는 학생의 모습에 대한 인식을 심어줄 것임

(2) 교직관: 학생의 모델은 교사

→ 교사는 학생이 보고 배울 수 있는 거울임. 따라서 학생들이 자연스럽게 보고 배울 수 있도록 바른 언행과 일관된 모습을 보여줄 것임

SIGNAL

합격 시그널

특별부록

나만의 답변 만들기: 워크시트

Chapter 01

더 질 높은 학교교육

1 교사

1. 교직관

Comment

나의 교직관을 설정하기 위해 살펴볼만한 것들을 정리해 놓았습니다. 아래 채워 넣은 내용들을 교직관 설정의 재료로 삼아 어떤 문제가 나와도 답변으로 활용할 수 있습니다.

(1) 나는 왜 교사가 되기로 결심하였는가?

(2) 과거 흔적들 찾아보기

나의 교직관과 관련된 과거 흔적들을 찾아보세요. 나도 기억하지 못하는 멋진 문장들을 적어 두었을 수도 있어요. 예 ① 자기소개서(대학/대학원 지원) ② 대학교/대학원 과제 ③ 일기 ④ SNS 등

(3) 경험 모으기

경험과 관련해서는 실제 경험을 요구하는 문제가 나오기도 하고, 답변의 근거를 위해 경험을 활용하는 경우도 있습니다. 면접에서 쓸 수 있는 경험들을 모아봅시다. 해당 경험의 시기와 관련 단어를 조합해보면서 내가 경험했던 것들을 떠올려보면 어떨까요?

시기	교생실습, 교육봉사활동, 외부 활동(동아리 · 학회), 기간제 · 강사 · 과외 경험, 학창시절 경험(교사 · 친구 관련 경험 또는 성취 경험) 등
관련 단어	긍정, 부정, 성공, 실패, 협력, 자기관리, 열정, 창의, 유연, 적응, 극복, 책임, 인내, 성실, 주도, 소통, 공감, 존중, 실천, 관찰, 도전, 헌신, 다양성, 사랑, 성장, 자율, 존경, 신뢰, 유머, 전문성

시기		관련 단어	
관련 경험			
긍정적/부정적 측면			
교직과 관련짓기			

(4) 자기 이해

나의 교직관에는 내 성격과 성향 등이 드러나게 됩니다. 나의 성격, 장 · 단점 등도 살펴볼까요?

✳ 나를 표현하는 형용사(나와 관련된 형용사에 표시해보세요.)

감각적인, 계획적인, 기억력이 좋은, 꼼꼼한, 끈질긴, 깔끔한, 낙천적인, 눈치가 빠른, 재미있는, 지혜로운, 따뜻한, 성실한, 모범적인, 이성적인, 사교적인, 예의 바른, 적극적인, 원만한, 분명한, 차분한, 창의적인, 친절한 + (   )

✳ 나의 장점

내용	
관련 경험	
교사로서 실현 방안	
장점의 단점	

✳ 나의 단점

내용	
관련 경험	
극복방안	
단점의 장점	

✳ 감명받은 문구

⋙ 책, 영상 등에서 내가 감명받았던 문구를 활용하는 것도 좋은 인상을 남길 수 있습니다.

문구	
관련 경험	
교사로서 실현 방안	

(5) 최근 사회의 이슈 살펴보기

교육은 사회 변화에 민감하게 반응하고 있습니다. 선생님이 생각하는 최근 사회 분위기와 이슈는 무엇인지 생각해보고, 그에 맞추어 학교는 어떻게 변화하면 좋을지, 어떤 준비를 하면 좋을지 생각해보세요.

사회의 모습	예 SNS, 기사 등에서 확인한 사회·학교의 모습
관련 경험	
학교는 어떤 준비를 해야 할까?	
교사는 어떤 준비를 해야 할까?	

2. 교사 지원

✳ **운영하고 싶은 교원학습공동체**

교원학습공동체 들여다보기	⋙ 학교의 비전이나 목표를 확인하며 교원학습공동체에 대한 이해를 나누는 과정이에요.	
구성원 모이기	⋙ 함께 연구하고 실천하기를 희망하는 교원은 누구인가요?	
주제와 역할 정하기	⋙ 교원학습공동체의 주제와 역할을 정해보세요. ☐ 교육과정 재구성 ☐ 수업 · 평가 ☐ 생활교육	
운영계획 세우기	⋙ '교원학습공동체의 날'은 언제면 좋을지, 운영계획 및 예산사용계획을 어떻게 세울지 생각해보세요.	
교원학습공동체 실행하기	공동연구 후 연구한 내용을 함께 실천하고, 실천 내용에 대해 성찰한 후 다시 활동에 반영하는 선순환 과정	
	공동연구	
	공동실천	
	공동성찰	

Comment

해당 워크시트의 각 단계는 서울시교육청에서 제시하는 교원학습공동체의 운영과정이에요. 과정을 정확하게 외울 필요는 없으나, 이러한 흐름을 기억하여 답변에 활용하면 답변의 완성도가 더욱 높아질 거예요.

✳ **교육활동 보호를 위한 학교 내 예방교육 방안**

대상	예 학생, 학부모
활용 시간	예 창의적 체험활동시간, 방과후
내용	예 • 학생이 직접 교권보호위원이 되어 교육활동 침해 사례에 대한 처리 과정을 경험하며 교육활동 침해에 대해 이해하기 • 교육활동 침해에 대한 학부모교육 실시 등

2 교육 혁신

1. 교육과정-수업-평가 혁신

✳ 교육과정-수업-평가 혁신을 위한 방안

자신의 교과		⋙ 전공교육론에서 학습한 교육과정 · 수업 · 평가 관련 내용과 이번 단원에서 배운 이론 내용을 접목하여 혁신 방안을 구체화해보세요.	
		실천 방안	교사 역량 강화 노력
선순환적 연계성 강화	교육과정 혁신		
	수업 혁신		
	평가 혁신		

2. 초등 특화 정책

✳ (초1) 유치원-초등학교 전환기 학교 적응활동

주제	ⓔ 학교 둘러보기
프로그램 활동 및 내용	ⓔ 학교 안의 다양한 공간들을 살펴보고 다양한 사람들을 만나며 학교와 친해지기, 학교 각 공간의 규칙과 하는 일 알기 – 교장실, 교무실, 보건실, 상담실, 급식실 방문

✳ 꿈을 담은 놀이터

구상, 주제	ⓔ 숲 놀이터
시설물	ⓔ 나무 미끄럼틀, 화단 등

3. 자유학기제

✳ 주제선택 활동 운영 방안

<table>
<tr><td>주제
(활동명)</td><td colspan="3">예 나의 동화 만들기</td></tr>
<tr><td>관련 교과</td><td colspan="3">예 국어</td></tr>
<tr><td>수업 목표</td><td colspan="3">예 동화의 구성과 특징을 이해하고 자신의 삶을 다룬 동화를 창작할 수 있다.</td></tr>
<tr><td rowspan="9">활동 계획 및
운영 과정</td><td>차시</td><td>내용</td><td>준비물, 활동자료</td></tr>
<tr><td>1~2차시</td><td></td><td></td></tr>
<tr><td>3~4차시</td><td></td><td></td></tr>
<tr><td>5~6차시</td><td></td><td></td></tr>
<tr><td>7~8차시</td><td></td><td></td></tr>
<tr><td>9~10차시</td><td></td><td></td></tr>
<tr><td>11~12차시</td><td></td><td></td></tr>
<tr><td>13~14차시</td><td></td><td></td></tr>
<tr><td>15~16차시</td><td></td><td></td></tr>
<tr><td>평가 방안
(피드백)</td><td colspan="3">예 • 매 시간 중간 피드백을 제공하여 자신만의 동화를 완성할 수 있도록 도움
• 동화 창작 과정 포트폴리오와 완성한 동화 모두를 평가 대상으로 삼음</td></tr>
</table>

4. 고교학점제

✳ 고교학점제의 성공적 운영을 위한 교육 공간 구상해보기

공간명	예 과학상상실
목적	예 자유로운 상상을 펼치고 직접 실습해볼 수 있는 공간
연계 교과, 창체 등	예 통합과학실험, 과학 동아리
설계 환경	예 기존의 과학실 구성에 AI · AR · IoT 등 에듀테크를 접목하여 학습자 중심의 첨단 교수 · 학습 환경 구축, 이론 조사 및 토론 · 토의 진행을 위한 화이트보드와 노트북 등의 기자재가 구비된 카페형 공간과, 실습을 위한 과학실험실을 함께 구축하여 운영
수업 운영 예	

Comment

서울시교육청에서는 2025년부터 본격적으로 시행되는 고교학점제의 안착을 위하여 교과교실제 운영과 학점제형 공간 조성 계획을 통한 교과교실제의 안정적 운영 및 내실화를 중요하게 여기고 있어요. 내가 교사라면 교과목의 특성에 맞는 교과 교실을 어떻게 구성해놓을 것인지, 어떤 수업을 운영할 것인지 한번 생각해보세요.

③ 전인교육

1. 협력적 독서 · 인문교육

✳ **독서교육 방안 생각해보기**

<table>
<tr><td rowspan="5">전공
연계
방안</td><td colspan="2">예 • (국어, 역사) 서울형 독서 · 토론 기반 프로젝트 수업: 문학작품에 나타난 사회 · 문화적 배경을 분석하고 역사적 인물의 입장에서 시대적 사건에 나타난 갈등에 대해 토론해보기
• (사서) 독서 행사 운영
• (전문상담) 책과 함께하는 상담</td></tr>
<tr><td>교과</td><td></td></tr>
<tr><td>주제</td><td></td></tr>
<tr><td>목표</td><td></td></tr>
<tr><td>세부 방안(차시)</td><td></td></tr>
<tr><td>학급
활동
방안</td><td colspan="2">예 아침 책 산책 프로젝트를 활용한 학급 독서 퀴즈</td></tr>
</table>

2. 진로교육

✳ 교과 연계 진로교육 수업 방안 생각해보기(비교과인 경우 전공 연계 방안)

초 · 중등	예시	(국어) 소설에 등장하는 직업군에 관해 커리어넷 이용해 탐색, 소설이 쓰인 당시의 직업과 오늘날 직업 비교
	과목	
	단원	
	주제	
	수업 차시 구성	
비교과	전공	
	방안 (전공 관련 행사, 동아리 등)	

3. 학교예술교육

✳ **학교예술교육 활용 방안 생각해보기**

협력종합 예술활동	자신의 전공과 연계한 방안 생각해보기		
		교과	
		주제	
		목표	
		세부 방안 (차시)	
창의적 체험활동	인성교육, 학교폭력 예방교육	예 학교폭력 예방 광고 및 광고 삽입곡 만들기	
	동아리	예 오케스트라 동아리, 댄스 동아리 운영	
학급	학급행사	예 학급 노래 만들기, 학급 소개 영상 만들기	

Chapter 02

더 평등한 출발

1. 기초학력 지원

✳ 기초학력 지원 프로그램

<table>
<tr><td rowspan="3">담임교사</td><td>주제</td><td>예 독서 기초반</td><td>대상</td><td>예 읽기 지도가 필요한 학생</td></tr>
<tr><td>내용</td><td colspan="3">예 독서 습관 형성 지도, 독서 기록장 작성 방법 코칭 등</td></tr>
<tr><td>유의점</td><td colspan="3">예 낙인효과 방지를 위해 일반 학생과 같이 지도</td></tr>
<tr><td rowspan="3">교과교사</td><td>주제</td><td>예 과학기초튼튼반</td><td>대상</td><td>예 과학 원리 이해를 어려워하는 학생</td></tr>
<tr><td>내용</td><td colspan="3">예 과학 원리를 친숙한 비유를 들어 친절하게 설명, 학습한 내용을 적용해볼 수 있는 문항 풀이 활동</td></tr>
<tr><td>유의점</td><td colspan="3">예 동기 부여를 위해 작은 보상 제공</td></tr>
</table>

2. 특수교육 및 통합교육

✳ 학교 내 장애공감문화 형성을 위한 장애이해교육

주제	예 학교 내 베리어프리 공간 확대하기
대상	☐ 수업 학생 ☐ 전교생 ☐ 통합학급 학생
활용 시간	☐ 교과 수업 시간 ☐ 창의적 체험활동 시간 ☐ 학급 조·종례 시간
프로그램 활동 및 내용	예 학교 내 베리어프리 공간 실태 파악, 지역사회 내 베리어프리 공간 살펴보기, 우리 학교에 맞추어 베리어프리 공간 만들어보기

3. 교육복지

✳ 서울희망교실 계획

주제+이름	예 무조건 네 편: 어떠한 상황에 있든 교사가 무조건 네 편이 되어준다는 의미로, 정서적 지원을 기반으로 라포를 형성한 후 필요한 경제적 지원(물품)을 탐색함
대상	(담임형/비담임형)
목적/필요성/효과	
활동 내용	예 • 개인 상담 진행, 선생님과 비밀일기 쓰기 • 자존감 증진 학급활동: 칭찬샤워, 걱정 찢기
유의점	예 • 낙인감 최소화할 수 있도록 노력하기 • 일회적인 관계·경험이 아닌 지속적인 활동이 될 수 있도록 노력하기
활동 시 예상되는 문제점	예 낙인효과, 맞춤형 지원이 아닌 일방적 지원, 바쁜 학생들로 인한 참여의 문제
해결 방안	예 • 1:1 상담 운영, 희망교실의 취지를 감추고 선발, 학급행사의 다른 프로그램과 조화를 이루도록 함 • 교육복지업무 담당 선생님과 긴밀한 협조로 맞춤형 지원이 가능하도록 함 • 두 타임으로 나누어 진행, 시험 마지막 날 활용

Comment

서울희망교실은 교육복지 아동 지원 방안의 만능답변입니다. 희망교실 프로그램을 구체적으로 구성해보세요. 답변의 질과 구체성이 올라가 좋은 점수를 받을 수 있습니다.
또한 교육복지의 필요성을 매슬로우의 욕구이론과 관련지어서 생각해보세요. 안전의 욕구(경제적 · 정서적 안정)가 충족되어야 그 이후의 욕구인 소속의 욕구(학교에서의 적응), 존경의 욕구(자기 · 타인 배려), 자기실현의 욕구(배우고자 하는 욕구, 잠재력을 개발하고자 하는 마음) 등을 충족시킬 마음이 들 것입니다. 이렇게 교육학에서 배웠던 이론을 바탕으로 목적과 필요성을 설명하는 것도 답변의 창의성을 높일 수 있는 방법입니다.

Chapter 03

더 따뜻한 공존교육

1. 생태전환교육

✳ 생태전환교육 실천 방안

<table>
<tr><td rowspan="5">교과 연계</td><td colspan="2">예 • (과학) 우리 집 소비 전력 계산 및 전력 소비 감소 방안 고안
• (사회) 전 세계 탄소 발자국 비교 도표 작성
• (미술) 재활용품을 활용한 작품 제작
• (영양) 그린급식 메뉴 작성</td></tr>
<tr><td>교과</td><td></td></tr>
<tr><td>주제</td><td></td></tr>
<tr><td>목표</td><td></td></tr>
<tr><td>내용</td><td></td></tr>
<tr><td>담임교사
및 업무 담당
교사</td><td>활동 내용</td><td>예 학급 에너지 지킴이 선정해 선풍기 · 에어컨 · 전등 스위치 ON/OFF 관리, 분리수거 및 재활용에 관한 학급규칙 만들기 등</td></tr>
<tr><td>창의적 체험활동</td><td>활동 내용</td><td>예 환경 동아리, 학생회 주관 NO 일회용품 데이 운영, 학교에 낭비되고 있는 전력 찾아 끄는 운동 등</td></tr>
</table>

Comment

2022 교육과정부터 생태전환교육이 의무화되었고, 교과와 연계한 수업을 강조하고 있으므로 내가 교사라면 어떻게 교과와 연결지을 것인지, 타 교과와 어떻게 융합 수업을 할 수 있을지 한번 생각해보기 바랍니다.

2. 세계시민 · 통일교육

✳ 교육과정과 연계한 세계시민교육

교육과정 연계	예 교과(일반 사회) ☐ 교과(과목 :) ☐ 창의적 체험활동 (자율 / 진로 / 봉사 / 동아리) ☐ 기타:
학년	예 중학교 3학년
주제	예 모의 UN을 통해 국제 이슈 이해하기
기간 (차시)	예 2차시
학습 목표	예 국제 이슈가 특정 국가들만이 아니라 관련된 여러 국가의 노력이 필요한 문제임을 이해한다, 회의 진행과 협상을 통해 국제 이슈에 대한 평화적 해결 방법을 모색해본다.
활동 계획 및 운영 과정	예 모의 UN을 위한 이슈 선정 → 모둠(국가)별 포지션 페이퍼 작성 및 제출(과제) → 모둠(국가)별 입장 발표 및 토론 → 결의안 및 수정안 채택 * 준비물 : 최근 신문, 활동지, 모의 UN 소개 동영상

시기(단계)	내용	비고(준비물 등)

✳ **학생 참여 · 체험형 통일교육 프로그램**

프로그램명	예 도전! 통일 골든벨
대상	예 전 학년 학생 중 골든벨 참여 희망자
장소	예 학교 강당(체육관)
주제	예 북한, 통일과 관련된 문제를 풀어 최후의 1인자 선정
활용 교구	예 퀴즈 PPT, 보드마카, 화이트보드
운영 방안	

3. 학생인권

✳ 학생인권 교육 방안

<table>
<tr><td>담임 교사</td><td colspan="3">예 교실 내 차별·혐오표현 인식 조사 및 개선 캠페인(차별받지 않을 권리)</td></tr>
<tr><td rowspan="9">교과 교사</td><td>교육과정 연계</td><td colspan="2">☐ 교과(과목 :)
☐ 창의적 체험활동 (자율 / 진로 / 봉사 / 동아리)
☐ 기타:</td></tr>
<tr><td>학년</td><td colspan="2"></td></tr>
<tr><td>인권 키워드</td><td colspan="2"></td></tr>
<tr><td>주제</td><td colspan="2"></td></tr>
<tr><td>학습 목표</td><td colspan="2"></td></tr>
<tr><td>기간(차시)</td><td colspan="2"></td></tr>
<tr><td rowspan="3">활동 계획 및 운영 과정</td><td>내용</td><td>비고(준비물 등)</td></tr>
<tr><td></td><td></td></tr>
<tr><td></td><td></td></tr>
<tr><td>학교</td><td colspan="3">예 학교 학생인권의 날 제정, 학교 운영에 학생 참여(자치 및 참여의 권리), 인권침해 상담 지원(권리침해로부터 보호받을 권리)</td></tr>
</table>

4. 인성교육

✳ **교육 주체에 따른 인성교육 방안**

<table>
<tr><td rowspan="6">학교</td><td rowspan="4">교육과정 연계 인성교육</td><td>대상</td><td>☐ 초등학교 ☐ 중학교 ☐ 고등학교 ☐ 기타</td><td>(　) 학년</td></tr>
<tr><td>영역</td><td colspan="2">☐ 교과 ☐ 창의적 체험활동 ☐ 기타</td></tr>
<tr><td>목표</td><td colspan="2"></td></tr>
<tr><td>내용</td><td colspan="2"></td></tr>
<tr><td rowspan="2">따뜻한 학교 공동체 문화 조성</td><td>학교 전체</td><td colspan="2">예 친구사랑 데이</td></tr>
<tr><td>학급</td><td colspan="2">예 월별 인사말 정하기</td></tr>
<tr><td rowspan="3">가정</td><td>방안</td><td colspan="3">예 가족 간 1일 1톡 마음 전하기</td></tr>
<tr><td>교사 역할</td><td colspan="3"></td></tr>
<tr><td>교육 효과</td><td colspan="3"></td></tr>
<tr><td rowspan="3">지역</td><td>방안</td><td colspan="3">예 마을 어르신을 대상으로 학생 봉사활동을 실시함으로써 마을 구성원으로서의 지역 사회에 대한 소속감 확대</td></tr>
<tr><td>교사 역할</td><td colspan="3"></td></tr>
<tr><td>교육 효과</td><td colspan="3"></td></tr>
</table>

5. 서울미래교육지구(마을교육공동체)

✳ 교과/비교과 교사로서 자신의 전공을 활용한 지역 연계 활동 구상하기

주제 + 교육명	예 '내리배움(상담)': 또래상담부 학생들이 마을의 은퇴한 상담자/교사에게 상담을 배우고 그 내용을 또래상담에 적용하기
연결 교과/전공 내용	
목적/필요성/효과	
교육 내용	
교육 시 예상되는 문제점	예 외부 활동 시 일어날 수 있는 안전의 문제 → 사전 안전교육 실시
해결 방안	

Chapter 04

더 세계적인 미래교육

1. AI · 디지털 교육

✳ **학교현장에서 AI를 활용할 수 있는 분야 생각해보기**

<table>
<tr><td rowspan="5">교과 연계 방안</td><td colspan="2">예 • 미술: AI 더빙기술을 활용한 애니메이션 제작 수업
• 과학: 디지털 교과서, AI 증강현실 프로그램을 활용한 신체 기관 탐험</td></tr>
<tr><td>교과</td><td></td></tr>
<tr><td>주제</td><td></td></tr>
<tr><td>목표</td><td></td></tr>
<tr><td>세부 방안
(차시)</td><td></td></tr>
<tr><td>개별 맞춤형
교육</td><td colspan="2">예 학생 개별 수준에 따른 형성평가 실시 및 보충 과제 제공, 학습자 학습 성향 파악 및 개별 정보 분석 등</td></tr>
<tr><td>학사 관련
정보 제공</td><td colspan="2">예 고교학점제 교육과정 설계: 학생의 진로와 관련된 과목을 AI가 분석한 후 학생 개별 시간표를 만들어 학생의 교육과정 설계에 도움을 줄 수 있음(민원상담 챗봇 서비스 등)</td></tr>
<tr><td>(　　　　)</td><td colspan="2">⋙ 자유롭게 생각해보세요.</td></tr>
</table>

2. 공간 재구조화

✳ **구체적인 공간 재구조화 방안**

교실 (비교과의 경우 자신의 교실)	예 교실 창가를 확장하여 창문 밖을 바라보며 휴식할 수 있는 공간 조성
복도	예 각 층별 홈베이스에 학생들이 쉴 수 있는 카페형 공간 조성
급식실	예 급식 줄을 서는 공간에 학생들의 작품 전시(다양한 교과와 연계) 및 벽면에 소통을 위한 화이트보드 설치
옥외 공간	예 태양광 발전기 설치를 통해 제로 에너지 실현
기타	예 도서관을 마을 공공시설로 조성하여 개방(단, 학교 일과 중에는 학생만 이용, 일과시간 이외에는 주민도 이용)

Chapter

05

더 건강한 안심교육

1. 생활교육과 상담

✳ 학급 내 회복적 생활교육 방법

주제	예 수요 회복서클 : 수요일 학급 자율 시간에 주기적으로 학급 회복적 서클 진행
회복적 생활교육의 주제	예 자아존중, 관계형성, 감정 다루기, 의사소통, 공동체성/신뢰감/소속감, 비폭력/연대, 학교폭력 예방/회복
목적/기대효과	예 학생들이 학급에 소속감을 갖고 서로를 신뢰할 수 있게 됨
구체적 활동 내용	예 서클에서 다룰 주제를 전 주에 선정하고 회복적 서클에서 논의하여 학생들이 그 주제에 대해 미리 생각해볼 수 있게 함. 토킹 스틱을 활용하여 이야기하는 학생에게 집중할 수 있도록 함. 서클에서 나온 내용을 학급에 적용할 수 있는 방안 협의

2. 학교폭력 예방

✳ 교과 연계 학교폭력 예방 교육

예 영화와 함께하는 너와 나 이해하기(국어) – 교육 내용: 갈등 상황이 제시된 영화를 보고 영화 속 등장인물이 되어서 생각해보기, 등장인물의 의사소통 평가하기, 적절한 의사소통으로 바꾸기

주제 + 교육명	
연결 교과 내용	
목적/필요성/효과	
교육 내용	
교육 시 예상되는 문제점	
해결 방안	

✳ 학급 내 학교폭력 예방 활동

예 우리반 상담소: 학급 내에서 또래상담을 진행하며 학교폭력을 조기에 예방하고 긴밀한 의사소통을 통해 학급 내 응집력 높이기

주제 + 교육명	
목적/필요성/효과	
교육 내용	
교육 시 예상되는 문제점	
해결 방안	

3. 아동학대 예방

✳ 아동학대 예방 교육 방안

학생 대상	주제	예 아동학대 예방의 날(11월 19일)을 중심으로 예방교육 진행 • 아동학대 예방 강사를 초청하여 진행, 아동학대 예방 골든벨 • 아동학대 종류, 아동학대 신고방법
	교육 방법	
	유의점	예 • 학생의 수준에 맞게 아동학대 관련 정보를 전달해야 한다. • 학교가 학생을 끝까지 도와줄 것임을 전달해야 한다.
학부모 대상	주제	예 아동학대 종류(특히 정서학대), 올바른 부모–자녀 관계, 건강한 양육태도
	교육 방법, 시기	예 학부모 총회 시/방학 전, 가정통신문을 통해/영상자료를 통해
	유의점	예 접근성을 높이기 위해 다양한 경로를 통해 전달

4. 안전교육

✳ 안전교육 실천 방안

<table>
<tr><td rowspan="8">담임교사</td><td colspan="3">학급 안전 수칙 만들기</td></tr>
<tr><td rowspan="3">학교
안전사고
유형</td><td>언제</td><td></td></tr>
<tr><td>어디서</td><td></td></tr>
<tr><td>어떻게</td><td></td></tr>
<tr><td colspan="2">원인 및 예방 방안</td><td></td></tr>
<tr><td rowspan="3">학급
안전 수칙</td><td>수칙1</td><td></td></tr>
<tr><td>수칙2</td><td></td></tr>
<tr><td>수칙3</td><td></td></tr>
<tr><td rowspan="4">교과교사</td><td colspan="3">예 • 미술 교과 : 안전사고 예방을 위한 월별 달력 만들기
• 역사 교과 : 세계사적 측면에서 안전사고 사례 살펴보기
• 범교과, 보건교육 연계한 수업 등</td></tr>
<tr><td>교과</td><td colspan="2"></td></tr>
<tr><td>주제</td><td colspan="2"></td></tr>
<tr><td>차시 구성
및 내용</td><td colspan="2"></td></tr>
<tr><td>학교</td><td colspan="3">예 매월 안전 점검의 날 운영, 학교 안전 자가 점검 실시, 공공 · 민간 '안전체험시설' 연계를 통해 체험 중심 안전교육 실시</td></tr>
</table>

✳ 시설별 안전사고 예방 방안

시설	예방 방안
교실	예 학급 안전규칙 만들기(창문 밖으로 물건 던지지 않기 등)
복도	예 뛰어다니지 않기, 좌측/우측통행하기
체육관/운동장	예 숙련되지 않은 동작을 무리하게 취하지 않기
실습실 (과학실, 기술가정실 등)	예 실습수업 전 '5분 안전교육' 생활화, 노후화된 시설 교체
급식실	예 차례대로 줄 서서 배식 받기
등·하굣길	예 CCTV 설치, 어린이 승하차 구역 지정, 관련 정보 학생 교육

5. 학교보건

✳ 상황별 처치 방법 정리

상황	처치 방법
근골격계 부상	
복통	
경련	
두통	
물리거나 쏘인 경우	
실신	
알레르기 반응	

6. 학교급식

✳ 영양 전공 관련

급식 메뉴를 구성할 때 고려해야 할 점		
급식 위생관리를 위해 고려해야 할 점		
집단 식중독 예방 방안		
급식 배식 시 학생들의 다양한 요구와 반영 방안	예상되는 요구	
	반영 방안	
급식실 안전사고 예방 방안		

합격 시그널

초판인쇄 | 2024. 11. 1. **초판발행** | 2024. 11. 5.
공저자 | 황서영, 이경민, 정지원, 구영모
발행인 | 박 용
발행처 | (주)박문각출판
등록 | 2015년 4월 29일 제2019-000137호
주소 | 06654 서울시 서초구 효령로 283 서경빌딩
팩스 | (02) 584-2927 **전화** | 교재주문·학습문의 (02)6466-7202

정가 30,000원(이론편·문제편 포함)
ISBN 979-11-7262-273-2
SET 979-11-7262-271-8